JN035141

総合判例研究叢書

民　法 (24)

所有権の取得……………………………田　中　整　爾

占有権の取得……………………………田　中　整　爾

代理占有(間接占有)…………………田　中　整　爾

有　斐　閣

序

フランスにおいて、自由法学の名とともに判例の研究が異常な発達を遂げているのは、その民法典が百五十余年の齢を重ねたからだといわれている。それに比較すると、わが国の諸法典は、まだ若い。最も古いものでも、六、七十年の年月を経たに過ぎない。しかし、わが国の諸法典は、いずれも、近代的法制を全く知らなかつたところに輸入されたものである。そのことを思えば、この六十年の間に極めて重要な判例の変遷があつたであろうことは、容易に想像がつく。事実、わが国の諸法典は、それに関連する判例の研究でこれを補充しなければ、その正確な意味を理解し得ないようになつている。

判例が法源であるかどうかの理論については、今日なお議論の余地があろう。しかし、実際問題として、多くの条項が判例によつてその具体的な意義を明かにされているばかりでなく、判例によつて特殊の制度が創造されている例も、決して少くはない。判例研究の重要なことについては、何人も異議のないことであろう。

判例の創造した特殊の制度の内容を明かにするためにはもちろんのこと、判例によつて明かにされた条項の意義を探るためにも、判例の総合的な研究が必要である。同一の事項についてのすべての判決を探り、取り扱われた事実の微妙な差異に注意しながら、総合的・発展的に研究するのでなければ、判例の研究は、決して終局の目的を達することはできない。そしてそれには、時間をかけた克明な努力を必要とする。

幸なことには、わが国でも、十数年来、そうした研究の必要が感じられ、優れた成果も少くないようになつた。いまや、この成果を集め、足らざるを補ない、欠けたるを充たし、全分野にわたる研究を完成すべき時期に際会している。

かようにして、われわれは、全国の学者を動員し、すでに優れた研究のできているものについては、その補訂を乞い、まだ研究の尽されていないものについては、新たに適任者にお願いして、ここに「総合判例研究叢書」を編むことにした。第一回に発表したものは、各法域に亘る重要な問題のうち、研究成果の比較的早くでき上ると予想されるものである。これに洩れた事項でさらに重要なもののあることは、われわれもよく知つている。やがて、第二回、第三回と編集を継続して、完全な総合判例法の完成を期するつもりである。ここに、編集に当つての所信を述べ、協力される諸学者に深甚の謝意を表するとともに、同学の士の援助を願う次第である。

昭和三十一年五月

編集代表

小野清一郎　宮沢俊義

末川博　我妻栄

中川善之助

凡　例

一　判例の重要なものについては、判旨、事実、上告論旨等を引用し、各件毎に一連番号を附した。

二　判例年月日、巻数、頁数等を示すには、おおむね左の略号を用いた。

大判大五・一一・八民録二二・二〇七七　（大審院判決録）

（大正五年十一月八日、大審院判決、大審院民事判決録二十二輯二〇七七頁）

大判大一四・四・二三刑集四・二六二　（大審院判例集）

最判昭二二・一二・一五刑集一・一・八〇　（最高裁判所判例集）

（昭和二十二年十二月十五日、最高裁判所判決、最高裁判所刑事判例集一巻一号八〇頁）

大判昭二・一二・六新聞二七九一・一五　（法律新聞）

大判昭三・九・二〇評論一八民法五七五　（法律評論）

大判昭四・五・二二裁判例三刑法五五　（大審院裁判例）

福岡高判昭二六・一二・一四刑集四・一四・二一一四　（高等裁判所判例集）

大阪高判昭二八・七・四下級民集四・七・九七一　（下級裁判所民事裁判例集）。

最判昭二八・二・二〇行政例集四・二・二三一　（行政事件裁判例集）

名古屋高判昭二五・五・八特一〇・七〇　（高等裁判所刑事判決特報）。

東京高判昭三〇・一〇・二四東京高時報六・二民二四九　（東京高等裁判所判決時報）。

札幌高決昭二九・七・二三高裁特報一・二・七一（高等裁判所刑事裁判特報）

前橋地決昭三〇・六・三〇労民集六・四・三八九（労働関係民事裁判例集）

その他に、例えば次のような略語を用いた。

裁判所時報＝裁時　家庭裁判所月報＝家裁月報

判例時報＝判時　判例タイムズ＝判タ

目次

田中整爾

所有権の取得

占有権の取得　田　中　整　爾

代理占有（間接占有）　田　中　整　爾

所有権の取得

田中整爾

はしがき

所有権に特殊な取得原因については、不動産附合法をのぞいて、理論的にも機能的にも問題とされることが少ない。たしかにそこでは、個々的には若干検討しなおしてみる必要があるとおもわれるような問題、たとえば、埋蔵物発見に際して発見者が届出期間内に届け出なかつた場合に、土地所有者の埋蔵物に対する所有権ないしそれにかわる報償金請求権の持分取得を認めるべきかどうか【13】、動産の附合、混和、加工において実際的処理の便宜をめざす刑事判決が民法上の取引通念と調和しがたい点が多いのではないか【47】【50】、舟橋博士のとかれるように加工の要件として新しい物がつくられることを要するか（第二、四一（一））、などが存しはするが、不動産附合法の分野におけるほどの紛糾はみられない。不動産附合法の分野は、根本的に、社会的効用保存の立場と権利関係の明確化の立場とが相互に関連を有しながらもそれぞれの見解をきそい、また、同じ視点に立脚しながらも社会的考察方法、社会分析の仕方によつて法的見解を異にすることも少くないのである。判例理論じたいもこの分野ではきわめてユニークな立場を固持している部分がある（第二、二一(二)(2)（イ）（ロ））。さらにこの分野を複雑化しているのは慣行上取引の客体として認められているものの存在であり、そこに民法二四二条但書をめぐつて対抗要件の必要性の問題があるが、この点は取引の安全にも直接関係するので判例理論も必要の線にそいつつ進展してゆくとおもわれる【39】。このような困難な問題の解決を本書で果そうとする意図は有していないが、折にふれて私見をのべておいた。また、占有と所有権の取得との関連問題として金銭所有権なども考察の対象となりうるが、これらについては鈴木禄弥「即時取得」（本叢書民法(6)一四九頁以下）を参照されたい。読者諸賢の御教示を賜わらんことを切望する次第である。

まえがき

今日われわれが所有権を取得する主要な法的原因は、売買、その他の契約、または相続であるが、ここで取り扱うのは、所有権に特有な取得原因、つまり、無主物先占、遺失物拾得、埋蔵物発見、添附についてである。このうち前の三つは、所有者のない物ないしは所有者の不明である物に対する所有権取得の関係を規律し、最後のものは、社会経済上の要請あるいは取引社会の規律として存在するのである。そこで、前者は原始取得を業とする農業・漁業などの産業において、後者は製造工業において、今日でも無縁のものではない。しかし、これらの場合でも、直接に労働者と雇主との間の契約関係によつて律せられるのが普通であり、これらの規定がそれ自体問題となることはほとんどない。

第一　無主物先占・遺失物拾得・埋蔵物発見

一　無主物先占

若干の差異こそあれ、ローマ法以来諸国の民法に認められているところである。

一　無主物先占の要件

無主の動産を自主占有することを要する（民二三九Ⅰ）。

（一） 無主物であること　無主物とは現在所有者のない物をいい、つぎの二つに分けられる。

(1) これまで何人の所有にも属しなかつた物がこれにあたることはいうまでもない。たとえば、自然に発生する海藻魚貝類のごときである。したがつて、他人が専用漁業権を有する漁場で自然の岩石に附着した海藻を採取した場合には、専用漁業権は海上一定の区域内で排他的先占的に水産動植物を採捕または養殖しうる権利をいい該区域内の動植物の上に当然には占有もしくは所有権を取得しうるものではないから、漁業権者が占有取得の要件をみたしていないかぎり、漁業権の侵害となりえても窃盗とはならないのである。

【1】 「自然ノ状態ニ於テ生育スル無主ノ水産物ノ類ハ人ガ之ヲ採取スルニ因リテ其ノ採取者ノ占有ニ帰シ、之ト同時ニ採取者ハ其ノ所有権ヲ取得スルヲ普通ノ状態トス。而シテ岩石ニ附著シテ繁殖スル海草ニ在テモ亦之ヲ岩石ヨリ剝離シテ採取スルコトニ因リテ始メテ先占者其ノ所有権ヲ取得スベク岩石ニ附著シタル自然ノ状態ニ於テハ未ダ先占ノ目的タルコトヲ得ザルモノトス。是レ篭朶其ノ他自己ノ占有スル物件ニ海草ヲ附著セシメ又ハ機械器具等ニ因リ海産物ヲ収容シ之ガ逃竄ヲ防グコトニ因リテ先占ヲ為ス場合ト其ノ撰ヲ異ニスル所ニシテ、是等ノ場合ニ於テハ其ノ物件若ハ機械器具ハ先占者ノ占有内ニ在ルガ為之ニ附著シ又ハ収容セラレタル海草ハ当然先占者ノ占有ニ帰シ其ノ他ノ採取行為ヲ必要トセザレバナリ。然ルニ海中ニ自然ニ散在スル岩石ニ在テハ元来何人ノ占有内ニモ存スルモノニ非ズ又漁業法モ之ヲ占有スルノ権利ヲ漁業権者ニ授与スルモノニ非ズシテ唯之ニ附著シタル海草ヲ採取シテ自己ノ所有ト為ス権利ヲ授与スルニ過ギザルヲ以テ、縦シ漁業権者ガ海草ノ繁殖ヲ容易ナラシムル為其ノ岩石ニ或種ノ人工ヲ加ヘ又ハ其ノ附近ニ監守ヲ置キ他人ノ之ヲ取去ルヲ防止スルノ手段ヲ施シタリトスルモ、是唯其ノ漁業権ノ効力タル海草採取ノ権利ヲ有効確実ナラシムルノ方法タルニ止リ、之ニ因リテ岩石其レ自体ガ漁業権者ノ占有内ニ入リタルモノト主張スルコトヲ得ズ。随テ海草ガ之ニ附著スルモ単ダ此ノ一事ノミヲ以テ其ノ海草ガ漁業権者ノ所有ニ帰シタルモノト謂フコトヲ得ズ」（大判大一一・一一・三刑集一・六二二）。

しかし、この判決は占有取得の点に問題がある。漁業権者が岩石に人工を加えたり、監守者をおいて他人が採取するのを防止する手段を施しておいても、そこに附着する海藻を占有したことにならないかはきわめて疑わしい（1(三)(3)(ロ)(b)参照）。

また、自然に発生する状態における真珠貝が無主物であると認めるのは、大判昭和元・一二・二五（刑集五・六〇三）【6】である。

(2)　かつて存した所有権が喪失した物であってもよい。鉱業権者が金銀製錬のため粉砕した鉱石を沈澱池にいれ、沈澱せしめる際に流出し鉱業権者が遺棄してかえりみない土灰の先占取得につき、つぎのように判示する。

【2】　「鉱業法第三条ニハ未ダ採掘セザル鉱物（廃鉱及ビ鉱滓ヲ含ム）ハ国ノ所有トストアルガ故ニ既ニ採掘シタル鉱物ハ必ズシモ国ノ所有ニ非ズシテ通常之ヲ採掘シタル鉱業権者ノ所有ニ帰スル動産ニ属シ、鉱業権者ガ其所有権ヲ抛棄シタルトキハ鉱業法其他ノ法令ニ別段ノ規定ナキ限リハ民法ノ規定ニ従ヒ遺棄物トシテ何人モ先占ニ因リ其所有権ヲ取得スルコトヲ得ルモノト謂ハザルヲ得ズ。而シテ同法条ニテ国ノ所有トスル鉱滓ハ之ヲ未採掘ノ鉱物中ニ包含セシメテ規定シタル所ニ由テ観レバ鉱業権者ノ所有ニ属セザル一切ノ鉱滓ヲ謂ヘルニ非ズシテ鉱滓存在ノ状態ガ之ヲ取ルニ採掘ヲ必要トスル程度ニ在ルモノヲ指シタル法意ナリト解セザルヲ得ズ。蓋鉱滓ハ曾テ採掘セラレタル鉱物ノ残滓ニ外ナラザレバ元来未採掘ノ鉱物ニハ非ズト雖、其残滓存在ノ状態ガ之ヲ取ルニ更ニ採掘ヲ要スル程度ニ達シタル場合ニ於テハ、鉱業法上特ニ之ヲ未採掘ノ鉱物ト同視シ国ノ所有トシテ同法ノ規定ニ遵依セシメタルモノト見ルヲ相当トスレバナリ。故ニ鉱業権者ガ鉱物ヲ採掘シ製錬ノ後其残滓ヲ遺棄シタルトキハ、其残滓ハ如上未採掘ト同視スベキ状態ニ在ラザル限リハ国ノ所有ニ帰属スルコトナク且之ニ関スル所有権ノ帰属ニ付テ別段ノ規定アルヲ見ザルヲ以テ無主ノ動産トシテ他人ノ之ヲ先占取得スルコトヲ妨ゲザルモ

ノトス」（大判大四・三・九民録二一・二九九）。

また、海中に投棄された元日本軍所有の銃砲弾についても同様である。

【3】「所有権の帰属について言えば、これらの戦争用具が連合国最高司令官の指令により米占領軍に引き渡されたときに日本政府の所有権が剝奪せられ、更に破壊すなわち廃棄の目的をもつて海中に投棄せられたときに、その所有権が何人からも放棄せられ無主の動産となつたものと言わねばならない。……要するに、本件の銃砲弾は、海中に放棄せられた無主物であるから、民法第二百三十九条により、所有の意思をもつてこれを先占した者がその所有権を取得することになるのである」（大阪高判昭三〇・六・二七高裁特報二・一五・七四八、同旨、大分地判昭三三・二・六刑集一・二・二〇七）。

しかしながら、所有権放棄の意思表示がなされたとしても、押収物に関するときは、無主物とならないことというまでもない。臨時物資需給調整法違反の嫌疑で外国製時計等を差押えられて起訴猶予による不起訴処分に附され、その際検事の呈示した地検宛の所有権放棄書に署名指印した者の相続人等が原告となつて、国を相手にその返還を請求し、予備的に、右物件の所有権が先代からの離脱により直ちに被告に移転することなくて無主物となるにすぎず、その後右物件を返還してもらいたい旨の上申書を提出して再び自分の物とする意思を明らかにしたのであるから、右物件の所有権は原告に復帰したと主張するが、勿論、棄却された。

【4】「原告ら先代の所有権放棄の意思表示は東京地方検察庁の保管にかかる本件物件につき同庁に対してなされたものであり、これによつて原告先代は本件物件の所有権を失うとともに、所有権を国に復帰せしめる意思でなされたものと認められ、又検察庁も本件物件の所有権を国の為に取得する意思で右意思表示を受けたものと認めるのが相当である。そうする

と本件物件が原告ら先代の所有権放棄により無主物となつたことを前提とする原告らの右主張は失当として排斥を免れない」(東京地判昭三〇・一二・二二訟務月報一・三・三七)。

(3) 地中から発掘した物について、かつて何人かに所有され現在でもその相続人の所有に属すると認められる物は、埋蔵物であつて無主物ではないが、かつて何人にも所有されなかつたと考えられる物(古生物の化石類)、かつて何人かに所有されたとしても現在その相続人の所有と考えられない物(古代人類の遺物)は無主物である(我妻・物権法一九八頁、舟橋・物権法(法律学全集)三五七頁)。

(二) 動産であること　無主の不動産は、国庫の所有に属し(民二三九II)、先占の目的たりえない(林・物権法一二四頁は、当然国庫に属するのか、国庫が独占的先占権をもつのか疑問であるとされる)。所有者不明の場合(和歌山地判大六・一〇・二六新聞一三四〇・二三)、相続人不存在の場合(大判大一〇・三・八民録二七・四二二)などの不動産がこれにあたる。明治一七年太政官布告二〇号により絶家し、その後五年間に親族の協議もなく官没もされなかつた場合にも、国庫に帰属する。

Aは死亡の当時単身戸主でその死亡後六ヵ月以内に相続人の届出がなかつたので、A家は明治二一年五月五日に絶家となり、なんらの処置も施されないまま、Aの本家であり遺産管理人でもあるBの相続人CがAの土地の占有を取得し、Cの相続人Xが自己の占有を前主の占有と併せて取得時効を主張し、国に対して移転登記を請求した際に、当該土地所有権が一旦は国庫に帰属したことをといた上で、Xの主張が認容された。

【5】「右絶家は明治十七年太政官布告第二十号によるものであることは明らかである。そして右絶家当時の法令によると絶家の財産は五ケ年間親族又は戸長に於て保管し右年限後は親族の協議に任じ然らざるものは官没すべきものとされてい

たところ（大審院大正九年（オ）第五五〇号大正十年三月八日判決参照）、右絶家後五年を経過した後に於て右竹松〔A〕の親族間に本件土地につき協議がなされず又官没もされなかつたことも当事者間に争いがないから、本件土地は民法施行当時無主の不動産となつていたものというべく、したがつて民法施行と同時に同法第二百三十九条第二項の規定により国庫の所有に帰したものと認めるべきである」（仙台高判昭三二一（三三となつているが誤植と思われる）・三一・一五下級民集八・三・四七八）。

未採掘の鉱物は先占の目的とならないが、鉱業権・租鉱権によらないで土地から分離した鉱業法の適用鉱物は特殊な場合を除き、鉱区内でのときはその鉱業権者・租鉱権者の所有となり、鉱区外でのときは鉱物は無主の動産となる（鉱業八I II）。

(三)　所有の意思をもつて占有すること

(1)　占有は機関または代理人によつて取得する場合でもよく、先占は事実行為であるから、行為無能力者も有効に先占することができる（我妻・前掲一九九頁、舟橋・前掲三五七頁、柚木・判例物権法総論四四九頁、林・前掲一二四頁）。

(2)　占有が取得されたかどうかは事実的支配もなしたかどうかによつて個々具体的に判断されなければならない（「占有権の取得」二占有の意義と態様一(一)(二)参照）。

(イ)　直接的拿捕の場合　漁業組合の経営のもとに採捕して放養されていた養殖真珠貝を捕獲し、真珠貝は海中に天然に発生する無主物であるから、窃盗罪を構成しないと主張したが、それは排斥された。

【6】「真珠貝ハ通常海岸ノ浅所ニ天然ニ発育スルモノナルモ（所謂稚貝）、之ヲ其ノ自然ノ状態ニ委スルニ於テハ冬季寒気ノ為凍死スルノ虞アルモノナルヲ以テ、真珠貝養殖業者ハ之ヲ天然ノ発生地（所謂採苗地）ヨリ採捕シ以テ其ノ発育ニ適

当ナル深度ヲ有スル海中（所謂放養場又ハ放殖場）ニ放養スルモノニシテ、……養殖業者ガ所有ノ意思ヲ以テ採苗地ヨリ之ヲ採捕スルニ於テハ此ノ時ヲ以テ民法第二百三十九条ニ依リ先占ニ因リ其ノ所有権ヲ取得スルニ至リシモノト謂フベク、……被告等ガ何等ノ権利無クシテ擅ニ之ヲ獲得スルニ於テハ窃盗罪ヲ構成スルコト勿論ナリトス」（大判昭元・一二・二五刑集五・六〇三）。

（ロ）　排他的状態を設置したと認められる場合

(a)　野生の動物については、逸走することができないような施設をすることにより、その占有を取得する。野生の狸を追跡して付近の岩穴に追込み、入口を石塊で閉塞して逃げられないようにしておき、三日後に石塊をとり除いて猟犬に狸を咬殺させた場合、もし咬殺の時を捕獲とすれば狸の狩猟期がすぎているので狩猟法違反となるが、先占は三日前に成立し、これが狩猟法にいわゆる捕獲にほかならないと判示した。

【7】「被告人ガ狩猟ノ目的ヲ以テ野生ノ狸ヲ発見シテ射撃シ、之ヲ追跡シテ……狭隘ナル岩窟中ニ竄入セシメ、石塊ヲ以テ其ノ入口ヲ閉塞シ逸走スルコト能ハザル施設ヲ為シタル以上ハ、被告人ノ執リタル手段方法ハ狸ノ占有ニ必要ナル管理可能性ト排他性トヲ具備スルモノト謂フ可ク、被告人ハ自然ノ岩窟ヲ利用シ狸ニ対シテ事実上ノ支配力ヲ獲得シ確実ニ之ヲ先占シタルモノニシテ、此ノ事実ハ狩猟法ニ所謂捕獲ニ外ナラズ」（大判大一四・六・九刑集四・三七四、穂積・判民大正一四年度四三事件）。

(b)　県知事より貝殻の払下許可をうけ、その所定区域に公示の標杭を設け監視人を配置していたときには、その区域内に打ちあげられた貝殻を先占する。右のような処置を施していたXは、一般人をそそのかして区域内の貝殻を採取させ廉価に買い取ったYに対して、その貝殻およびこれによる製品の返還を所有権にもとづいて請求したが、第一審、第二審とも「貝殻ハ之ヲ採取スルニ非ザレバ先占ニ因リ所有権ヲ取得スルコトナシ」としてXを敗訴せしめた。そこで、Xは上告し、大審院はこれを容れて破毀差戻の判決を下した。

【8】「上告人ガ『昭和八年六月二十八日茨城県知事ヨリ其ノ主張ノ海岸地域ニ散在スル貝殼……払下ノ許可ヲ受ケ』『其ノ所定区域十箇所余リニ其ノ旨ヲ公示スル為標杭ヲ設置シ且他人ノ之ヲ採取スルヲ防止スル為監視人ヲ配置シタル事実』原審ノ確定シタルトコロナレバ、此ノ海浜ニ打上ゲラレタル貝殼ニ付テハ現実ニ之ヲ握持スル迄モナク打上ゲラルルト同時ニ上告人ノ占有ニ帰スルモノト謂フベキハ、猶ホ夫ノ網又ハ簗ノ類ヲ敷設シタル者ガ之ニ入リタル魚ノ占有ヲ当然ニ取得スルト択ブトコロナシ。然ラバ斯ル貝殼ハ先占ニ依リ上告人ノ所有ニ属スルモノト謂ハザルベカラザルヲ以テ、被上告人ガ民法第百九十二条等ノ規定ニ依リ適法ニ所有権ヲ取得セザル以上、上告人ハ其ノ引渡ヲ求メ得ルヤ勿論ナリ」（大判昭一〇・九・三民集一四・一六四〇）。

原審判決は前掲【1】と同じ見解にたつものであつて、占有取得の判断にあたり賛成しがたい。占有は現実に物を握持しなくとも社会観念上物の事実的支配が帰せられることによつて取得されるからであり、本事実におけるような標杭の設置、監視人の配置の際には占有を是認するべきで、本件大審院判決は妥当なものといえる。これに対し、【1】は、岩石に附着して繁殖する海藻は岩石より剝離し採取してはじめて先占が成立し、たとえ漁業権者が海藻の繁殖を容易ならしめるために岩石に人工を加えたりその附近に監守者をおいて他人の採取を防止する手段を施していても、岩石したがつて海藻を占有したこととならないとなし、他面、自己の占有する物件に海藻を附着せしめたり機械器具によつて海産物を収容しその逃げるのを防止する場合には、その物件または機械器具は先占者の占有内にあるから、これに附着しまたは収容された海藻は当然先占者の占有に帰し、その他に採取行為を必要としないとする。このことは、海中に自然に散在する岩石は何人の占有するものでもありえないことを前提とする判断である。なるほど、漁業権を有することが直ちに岩石を占有することを意味するものではない。しかし、性質上公用物として権利の目的たりえないとしても、海底を構成する岩石に対して占有が成立しえないことと、岩石の一部ではなく無主の動産である海藻そのものの事実的支配の可能性とは別異に考察されてよいであろうし（山田・判民昭和一〇年度一〇五事件参照）、海底を構成する岩石が私人による事実的支配に服さないと解すること自体も問題であつて、私はこれを積極的に解する（「占有権の取得」三占有の意義と態様一(一)(2)(ロ)参照）。

二　無主物先占の効果

右の要件を具備すると当然に所有権を取得する。特定の目的物につき期間、区域を限定し、その制約外での先占を制限・禁止する法規がある場合（狩猟法など）にも私法上の効果は否定されないのが通常である（特別法規違反として制裁はされる）。一定の者に独占的な先占権を与える場合（鉱業法、漁業法など）に、他の一般人の先占による所有権取得を禁止するものかどうかは、それぞれ独自に検討すべきである（漁業権について「1」「6」などは一般人による先占を認めるが、不法行為上の責任は別である。これに反し、鉱業法八条一項は一般人による先占を認めないようである）。

二　遺失物拾得

一　遺失物拾得の要件

遺失物を遺失物法に定めるところにしたがい公告した後六ヵ月内にその所有者の知れないことを要

する（民二四〇）。

（一）　遺失物であること　遺失物とは、占有者の意思にもとづかないでその所持を離れた物であって、盗品でないものをいうが、「犯罪者ノ置去リタルモノト認ムル物件」「誤テ占有シタル物件」「他人ノ置去リタル物件」「逸走ノ家畜」は遺失物に準じて取り扱われ（遺失一一・一二）、漂流物および沈没品は性質上遺失物ではあっても水難救護法（明治三二年法九五号）の特別規定（同二四以下）の適用をうける。

（二）　拾得すること　遺失物の占有を取得することであり（遺失一〇に注意）、所有の意思を必要とせず、行為無能力者も拾得しうる。

（三）　遺失物法の定めるところにしたがい公告した後、六ヵ月内にその所有者の知れないこと

二　遺失物拾得の効果

（一）　右の要件を具備するときは、拾得者は当然に所有権を取得する。ただし、拾得者が拾得の日から七日以内に届出でず、船・車・建築物等内で拾得した物を二四時間内に管守者に交付しなかったときは、所有権取得の権利を失い（遺失九、ただし、この七日の期間について、東京地判大一四・一二・二一新聞二五〇六・六は、相当事由あるときに延ばすことができるとする）、また、二ヵ月内に物件を引き取らなければ一旦取得した所有権も喪失するし（遺失一四）、拾得者は予め申告して拾得物に関する一切の権利を放棄することもできる（遺失七、ただし、同一〇Ⅳに注意）。これらの場合には、その物件は当該警察署の属する都道府県、保管する法人または国に帰属する（遺失一五）。

（二）　遺失主と拾得者との関係は事務管理である。しかし、遺失物法は、原則として、遺失物の価

格の五分以上二割以下の報労金を拾得者に給すべきものと定めており（遺失四Ｉ）、船・車・建築物等内での拾得の場合は、この報労金を拾得者と占有者とで半分ずつ分ける（遺失四II）。

(1)　報労金は五分以上二割以下の範囲内でどのように決定されるのか　遺失主が自由にその額を決定しうることは最高限を設けたことを無意味たらしめるから、拾得・届出の難易、その遺失物の種類など諸般の事情を具体的に考慮して定めるべきであり、もし当事者間に争いがあれば裁判所が決定すべきであろう（我妻・前掲二〇一頁、舟橋・前掲三六一頁、柚木・前掲四五二頁）。Ｘは Ｙの雇人の遺失した額面一五万円の無記名式小切手を拾得してＹに返還し、報労金を請求したが拒絶されたので訴を提起した。原審は、その小切手の遺失と同時にそれから生ずべき危険を防止するための一通りの手段がとられたからその小切手はなんら経済的価値を有しないものとして請求を棄却したので、Ｘは全然無価値でないことを理由に上告し、大審院はこれを容れて破棄差戻とした。そこで、Ｘは再び一五万円の二割つまり三万円の支払を請求し、Ｙはその小切手の価格は一万五千円を超えないとしてその五分つまり七五〇円を支払えばたりると抗弁し、控訴院はその抗弁を認めたので、Ｘは、報労金債権は「報労金額ニツキ当事者間ニ協定ヲ得ザル場合ニ於テハ、裁判所ガ拾得行為又ハ管理行為ノ時期方法及遺失者ノ返還ヲ受ケシ時期又ハ返還ヲ受ケタルコトニヨリ所有権喪失ノ危険ヲ防止シ得タル利益等ヲ考慮シテ、之ガ一般価格ノ百分ノ五以上百分ノ二十以下ノ範囲ニ於テ決定スル債権ナリトス」べきもので、遺失主が自由にその額を決定しうべきものでない、ことを理由に上告したが、大審院も原審同様に上告を棄却した。

【9】「遺失物法第四条ノ拾得者ニ給スベキ報労金ハ遺失物件ノ価格百分ノ五ヨリ少カラズ二十ヨリ多カラザル範囲ニ於テ遺失者自由ニ其額ヲ定メ之ガ支払ヲ為シ得ルモノナルコト法文上明白ナレバ、其ノ債権ハ一種ノ任意債権ニシテ選択債権又ハ裁判所ガ其ノ範囲ヲ確定スベキ債権ト解スベキモノニアラズ」（大判大一一・一〇・二六民集一・六二六）。

上告理由こそ正当であるこというまでもない（穂積・判民大正一一年度九四事件）。

(2)　報労金算定の基準となる「物件ノ価格」は遺失物の返還をうける当時の価格をさすのである。とくに手形・小切手の場合には、遺失後直ちにそれによる損害を防止するような手段を講ずることが多いから、遺失主がうけるおそれのある危険の程度を標準として「価格」が決せられ、その額面を標準とするものではない（舟橋・前掲三六一頁、柚木・前掲四五二頁、田中（和）・判民昭和三年度四事件）。Yは、その雇人が額面一五万円の無記名式小切手を遺失したので、振出銀行Aにその旨届出で、Aは、支払銀行Bに連絡し右小切手呈示者に対する支払拒絶を依頼するとともに、Yに対し右小切手に代わるべき小切手を条件付で交付した。その遺失小切手をXが拾得し、所轄警察署はこれをYに交付したが、報労金をめぐつて訴訟となり、原審は、YはAからの小切手の再交付をうけており、遺失小切手によつては支払が拒絶されているから「該小切手ニヨリテハ何等ノ取立ヲ為スヲ得ザルヲ以テ……該小切手ハ何等経済的価格ヲ有セザリシモノト認ムルノ外ナシ」と判示し、Xの請求を棄却した。そこで、Xは、Yは小切手の所持を回復するか除権判決をうるまでは小切手自体を無価値となしえないこと、該小切手は無記名式振出のものだから第三者Yからこの小切手を無価値とする申込があつても振出人は承諾をなす当事者となりえないこと、原判決は、この小切手が善意の第三者に帰した場合には額面の支払をしなければならないこととなるからこの点では経済上無価値とはいえないとしながら、これは該小切手が善意の第三者に帰した場合の価格であつて拾得者が拾得した小切手についてではないとしたが、善意の第三者に帰することによつて権利の目的物の経済的価値が変動するものではないこと、を理由に上告した。大審院はこれを容れて原判決を破棄した。

【10】「小切手ハ設権証券ノ一種ニシテ右小切手ハ持参人払ナレバ転輾シテ善意ノ第三者ノ所有ニ帰シ得ベキ性質ヲ帯有スルモノナルヲ以テ、縦令稀有ノ事ナリトモ善意ノ取得者ニ帰シタル場合ニ於テハ、償還義務者タル第三十四銀行〔A〕ハ之ニ対シテ直接抗弁権ヲ有セザルノ結果券面ノ金額ヲ支払ハザル可カラズ。……第三十四銀行ガ該小切手ニ対シ支払ヲ為スハ被上告人〔Y〕トノ資金関係ニ影響シ累ヲ被上告人ノ財産権ニ及ボス虞アルモノト謂フ可ク、上告人〔X〕ノ拾得及ビ返還ニ因リ斯ル危険ヲ防止シ得タルハ該小切手ガ少クトモ其危険防止ニ相当スル利益即チ経済的価格ヲ有スルモノナルコトヲ知ル可ク、随テ拾得者タル上告人ハ同条〔遺失物法四条〕ニ依リ所定ノ報労金ヲ被上告人ヨリ請求シ得ベキモノトス」(大判大一〇・一二・二六民録二七・二二九九)。

大体正当といえるが、券面額にもとづいて報労金の割合を決しようとうかがわれる点が問題であり、第三者の手に入りうる可能性の多少によつて物件の価格が割り引かれねばなるまい(東・判民大正一〇年度一九一事件)。この点を明確に表現しているのは次の判決である。Xは額面五〇万円の線引小切手を拾得したので振出人A銀行にその旨届出たところ、その小切手はY銀行に交付されたものであることが判明し、AよりYにその旨通知され、Yは支払人B銀行に知らせるとともにAにおもむきXより遺失小切手の返還をうけた。原審は、XがA銀行に拾得の届出をしたこと、その届出はYがBに遺失の通知をした後になされたものではないことを認定しただけで、ただ漫然と本件小切手が遺失後善意の第三者の所有に帰する危険を考慮した上該小切手の価格を五万円（第一審では一〇万円）とし、報労金としてその五分、二五〇〇円（第一審では五〇〇〇円）を請求しうべきものとし、それ以上の請求を排斥した。そこで、Xは、YがAよりの通知に接する以前には本件小切手を遺失したことを知らずなんらの方法をも講じなかつたかどうかが争点であつて、これが小切手返還当時の価値を決するに重要な関係があるのだとして、上告した。大審院は、原判決が重要な争点に関する判断を遺脱し審理不尽の違法ありとして、Xに敗訴を言渡した部分を破毀した。

【11】「抑遺失物法第四条ニ物件ノ返還ヲ受クル者ハ物件ノ価格ノ百分ノ五ヨリ少カラズ二十ヨリ多カラザル報労金ヲ拾得者ニ給スベシト規定シタルハ、遺失者ガ遺失物件ノ返還ヲ受クルニ因リ遺失ニ基ク損害ヲ防止スルコトヲ得ルニ至リタル為ニ外ナラザルヲ以テ、所謂物件ノ価格トハ返還ヲ受クル当時ノ価格ヲ指称スルモノト解スルヲ相当ナリトス。然リ而シテ本件小切手ハ遺失シタル線引ノモノニシテ一般ニ客観的価格ヲ有セザルヲ通例トスルヲ以テ、斯ノ如キ小切手ニ付遺失者ガ返還ヲ受クル当時幾許ノ価格ヲ有セシモノナルヤハ、畢竟被上告銀行〔Y〕ガ遺失シタル為其ノ後該小切手ガ善意且無過失ナル第三者ノ手裡ニ帰シ結局同銀行ガ損害ヲ被ムルニ至ルノ危険ノ程度換言スレバ該小切手ガ善意無過失ナル第三者ノ手裡ニ帰シ得ル可能性如何ヲ標準トシテ決スルヲ以テ妥当ナリトス」（大判昭三・一二・一民集七・一〇三三）。

三　埋蔵物発見

一　埋蔵物発見の要件

埋蔵物を発見し、遺失物法の定めるところにしたがつて公告した後六ヵ月内にその所有者の知れないことを要する（民二四一）。

（二）　埋蔵物であること　　埋蔵物とは、土地その他の物（動産でもよい）のなかに埋蔵されて（自然によると人為によるとをとわない）、その所有権が何人に属するかを容易に識別しえない物をいうが、埋蔵文化財については文化財保護法（昭和二五年法二一四号）が優先的に適用される。現在でも何人かによる所有が継続している可能性はあるが、何人に属しているかが判明しない点に特徴がある。主物の所有者が明確であればその従物が埋蔵せられていても埋蔵物とはならないとかれることがあるが（柚木・前掲四五三頁）、従物が一時主物より分離した場合に従物性を失わないことがありうることはうなずけるとしても、一般には、それが他の物のなかに埋蔵されてしまえば、特別な事情のないかぎり、主物の処分にしたがわず、埋蔵と同時に従物性はなくなるのではなかろうか。次のような事案においては従物性を論ずる必要はなかつたとおもわれる（控訴理由にひきずられたとおもわれる）。昭和一九年八月一旦国に買収されて造兵廠となつた後昭和二四年四月もとの所有者豊田自動車株式会社に国から譲渡された同会社岐阜工場の天窓硝子は、空襲で破損することをおそれて、造兵廠当時取りはずされ、工場敷地内に埋蔵された。ところが、その敷地の部分は昭和二一年から被告人が麦作のため耕作しており、所有者があることを知りながら埋蔵物発見届をなし、所有者の返還請求に応じなかつた。この横領被告事件において、この天窓硝子は従物であるから埋蔵物でないと判示した。

【12】　「かかる天窓の硝子は、工場建物の一部であると解することはできないが、建物の従物と解すべきである。主物と

従物とは互に独立したものであるけれども、所有者が同一で、主物の常用に供するため附属せしめられたものが従物であるが、一時的に主物から離れていても従物たる性質を失うものでなく、……一時的に取り外し、空襲による破損をさけるため、主物である建物から離れた場所に保管するため、地中に埋めた場合は、戦時中空襲の危険をさけ、畳建具を疎開した場合と同じく、物の性質に変動を生ずることなく、依然として従物としての性質を持続しているものと解すべきである。……民法第二百四十一条に所謂所有者不明の埋蔵物と解することはできない」（名古屋高判昭二六・一二・六刑集四・一四・二〇三二）。

埋蔵物でないとする本判決の結論は妥当であるが、そもそも本事案では、当初から継続して板硝子の存在場所は明確であり、その所有権は経済調査庁の確認により豊田自動車工業株式会社に帰せられているのであるから、たとえ被告人が所有者を確認しえないとして埋蔵物発見届をだしたとしても、客観的に容易に識別できるならば埋蔵物たりえないことというまでもない。

（一）　発見したこと　　占有の取得を必要としないし、行為無能力者もまた可能である。他人を使用して土地を掘らせた場合、埋蔵物の発見者は何人であるか。埋蔵物発掘作業のために雇われた他人が発見した場合には、その他人は雇主の機関として発見したもので発見者は雇主であり、他の目的のために雇われた場合には、発見者は被用者であつて、もし請負契約が介在すれば、注文者の右発掘目的にしたがつてあるいは注文者あるいは請負人が発見者となると解すべきであろう（舟橋・前掲三六二頁以下、石井「銀座の小判」ジュリスト一一二号七〇頁以下、ただし、大阪控判明三九・六・一五新聞三七一・七は、つねに直接的な発見者と解し、「埋蔵物発見者トハ現実ニ埋蔵物ヲ発見シタル者ヲ云フモノニシテ仮令自己ノ指揮命令ノ下ニ使役セラルル者ニ於テ埋蔵物ヲ発見シタリト雖モ指揮監督者ヲ以テ埋蔵物ノ発見者ト云フヲ得ズ」とする）。

（二）　遺失物法の定めるところにしたがい公告した後、六ヵ月内にその所有者の知れないこと

二　埋蔵物発見の効果

発見者は当然に埋蔵物の所有権を取得するが、他人の物のなかに発見した埋蔵物は発見者およびその物の所有者が折半して所有権を取得する（民二四一但）。所有者が判明したときには遺失物の場合と同様に報労金を給される（遺失一三により同四準用となる）。発見者が法定期間（七日）経過後に届出たとき、発見者と包蔵物所有者とが異なる場合には、発見者は権利を失うとしても（遺失九）、包蔵物所有者は折半の権利を有するものであろうか。文化財保護法の「埋蔵文化財」の特別規定をみても、所有者が判明しないときに所有権は国庫に帰属し（同六三Ⅰ前段）、その価格に相当する額の報償金を支給するが（同六三Ⅰ後段）、発見者と土地所有者とが異なるときはこれを折半して支給する（同六三Ⅱ）、とあるのみで、わからない。しかし、所有者が判明した場合には発見者にのみ報労金が給されることからもうかがわれるように、所有者の判明しない場合にも、発見自体に重点がおかれ発見者の権利を中核とし、ただ発見の蓋然性がもっとも多い包蔵物所有者を無視することも発見者の利益と比較して権衡を失するので、両者で埋蔵物の所有権を折半するとされていると解せられる（包蔵物所有者が埋蔵物発見に寄与したことに対する報酬でないことは報労金が包蔵物所有者に折半されないことからも明らかである。発見自体が重視されない間はむしろ包蔵物所有者のみが権利を取得したが、ローマ法においてもハドリアヌス帝・ユスティニアヌス帝の時代にすでにわが民法と同様の結果が認められた。その折半の根拠については、土地所有者の祖先が埋蔵したかも知れないという推定、および土地所有者はもっとも発見の可能性を多くもっていたことがあげられる（民法理由物権編二〇三頁、仏蘭西民法Ⅱ財産取得法（1）〔外国法典叢書〕九頁）。発見行為によりはじめて財物の社会的復帰が可能である点からすれば発見に重点がおかれるのはいうまでもないし、折半の根拠についても社会事情の変遷の結果、後者をあげえても前者には問題があろう。つまり、包蔵物所有者に埋蔵物所有権の属する蓋然性を権利取得の根拠としてあげうるかは現在とくにわが国における土地の社会的取引性および包蔵物は土地のみに限られないことからみて疑問である）。とすれば、遺失物法一〇条のような規定が存しないのであるから、直接埋蔵物発見に寄与した発見者による有効な権利取得が前提とされてはじめて包蔵物所有者も権利を取得しうるのであつて、発見者が包蔵物所有者である場合と同様、発見者が権利を取得しない際には土地所有者も埋蔵物に関する所有権に対してなんらの権利も有しえないとおもわれる（そうでなければ、包蔵物所有者が発見者で届出がおくれた場合にも半分の権利があることにならねばならない。包蔵物所有者の埋蔵物所有権に対する蓋然性を権利取得の根拠とすればこの帰結を認めねばなるまい）。その際、包蔵物所有者の破損などによる損害は、遺失物法三条の「其ノ他必要ナル費用」に含ませて賠償させてよいであろう。ただし、学術考古の資料に供すべきものと認められて昭和二五年法二一四号による改正前の遺失物法一三条二項により埋蔵物が国庫に帰した場合に、発見者である土地所有者がおくれて届出た際の報償金をめぐる事件について、左の判決は反対意見である。

【13】　「若シ発見者ト土地所有者ト異ナル場合ニ於テ、発見者ガ法定ノ届出期間内ニ発見ノ届出ヲ為サザルガ為メニ……代償金請求ノ権利ヲ失フトスルモ、土地所有者ハ之ガ為メニ其権利ヲ喪失スルモノニ非ズト解スルヲ正当トスト雖モ、本件ノ如ク発見者ト土地所有者ト同一ナル場合ニハ、独リ発見者其人ニ対シ全部ノ代償金ヲ与フルモノト解スベク、従テ該発見者ガ法定ノ届出期間内ニ届出ヲ為サザルトキハ即チ全部ノ代償請求権ヲ喪失スベキモノニシテ、此場合ニモ尚ホ所有者タル資格ニ於テ其半額ヲ請求シ得ベシトノ趣旨ニアラザルコトハ遺失物法第十三条民法第二百四十一条ノ法意ニ徴シ疑ナキ処ナリ」（大阪控判大五・八・一八新聞一一六〇・二七）。

第二　添附

一　序説

一　存在理由

社会的効用の保存という立場と権利関係の画一化というよりドイツ民法的な立場とが解釈論上も際立つた対照を示している。なるほど、前説においてもその社会性の点から取引観念というような要素に配慮しなければならず、後説においてその中核をなす取引上の独立性も同様の要素を考慮した上で判断されるともいいえようが、いずれを前面化せしめるかによつて、法による規制方法につき見解を異にし、とくに民法二四二条の適用範囲をめぐつて顕著な対立をもたらしている（二附合一(四)(3)参照）。通説は、所有者を異にする二個以上の物が結合して社会経済上一個の物となり、または工作により新しい物が生じたときに、復旧させることは社会経済上の損失である点に存在根拠を求める（これに対して、川島・民法Ⅰ総論物権一三〇—一三一頁は、物の部分に独立の所有権が認められないのは商取引の要請に由来し、添附は物が独立性を失つて他の物の部分に転化する場合であるとされる）。

二　強行規定——添附の要件、第三者の権利保護

添附の要件を定める規定は、添附によつて生じた物を一つの物として存続させ復旧請求を認めない趣旨の規定であるから、強行規定であり、添附の結果消滅する物の上の所有権以外の権利の運命は、第三者の利害に関することが大きいから、同様である。添附によつて所有権の消滅するときは、原則として、その物の上に存した他の権利も消滅するが（民二四七Ⅰ）、この物の所有者が合成物・混和物または加工物の単独所有者となるときは、その物の上に存した権利は爾後その合成物・混和物または加工物の上に存し（民二四七Ⅱ前段）、その共有者となつたときは、その持分の上に存する（民二四七Ⅱ後段）。新物の上に所有権

が存しなかつたときは、その物の上の権利が担保物権であるかぎり、物上代位の原則（民三〇四・三五〇・三七二）にしたがつて旧所有者のうける償金（民二四八）の上に行使される。

三　任意規定

（一）　添附の結果生じた物の帰属　その物の所有権の帰属は当事者間の特約によつて自由に決定することができる。依頼者の材料に加工することを営業とする場合には、依頼に応ずるときに特約がなされたとして、この理を認め、

【14】「民法第二百四十六条ハ加工者ガ他人ノ依頼ヲ受ケ其者ヨリ預カリタル材料ニ対シ単ニ工作ヲ加フルガ如キ場合ニ之ヲ適用スベキモノニアラズ。故ニ原判示事実ノ如ク業務トシテ他人ノ依頼ニ応ジ小麦ヲ預カリ之ヲ製粉スル場合ニ於テハ、其製出セラレタル小麦粉ハ価格如何ニ拘ハラズ依頼者ノ所有ニ属スル」（大判大六・六・一三刑録二三・六三七）。

とする。しかし、製造工場で労働者が生産に従事している際に、工場生産物の所有権が労働者に帰属しないのは、雇傭契約により、その所有権を雇主に帰属せしめる旨の黙示の約定がなされている（我妻・前掲二〇三頁、柚木・前掲四五四頁）からではなくて、雇傭契約によつて労働につき労働者は雇主の機関となり、加工者は雇主自身だと解すべきであろう（舟橋・前掲三七二頁、我妻＝有泉・民法総則物権法（コンメンタール）三六六頁、林・前掲一三〇頁。このことは、無主物先占につき、漁夫の漁獲物がその雇主に帰属する関係と同様である）。

（二）　償金請求権　当事者間の利益の衡平をはかるために認められているにすぎないから任意規定である。添附の規定の適用により損失をうけた者は、新物の所有者をして利得せしむべき理由はないから、「第七百三条及ビ第七百四条ノ規定ニ従ヒ償金ヲ請求スルコトヲ得」る（民二四八）が、これは実質

において不当利得返還請求権である。添附の規定が七〇三条にいわゆる「法律上ノ原因」にあたるような疑問をさけるために注意的に規定されたものであろう。賃借人が賃借家屋に増築後その家屋の買受けの際にその分だけ減額されると同時に償金請求権は一旦消滅するが、その売買契約が解除された際には当然復活するものであつて、契約締結後その解除前に附加部分が取り除かれておろうといなとをとわず、もし取り除かれている場合には、賃貸人の有する、原状回復義務の不履行による損害賠償債権ないしは賃借人が取り除いた部分に対して利得をえておれば不当利得返還請求権と、賃借人に復活せる償金請求権とは、相殺されることとなろう。賃借人が附加した後その家屋を買受け、道路拡張工事のため附加部分が切除されて補償金を受領したが、その後売買契約が合意解除された場合に（合意解除の場合には民五四〇条以下の適用しないことはいうまでもない）、当該家屋の本来の所有者は、特別の事情のないかぎり、その補償金を賃借人の不当利得として返還請求することはできないとして、次のように判示する。

【15】「がんらい売買契約の合意解除は、売買契約がなかつたのと同一の法律効果を生ぜさせようとする趣旨のものであるから、売買契約から生じた法律効果は、すべて遡及的に消滅する結果、原告〔もとの賃借人〕はあたかも被告〔所有者〕の権利に属する下屋の補償金を受領したことになつて、不当利得として一応これを被告に返還すべき義務があるかのように見えるけれども、他方原告は被告に対し下屋の喪失による償金請求権を有していたのであるから、合意解除の結果、下屋の法律関係を含む建物所有権が被告に復帰するとともに、右償金請求権も原告に復活する筋合であつて、かりに被告が長崎県から補償金を受領していたとしても、もちろん受領の有無を問わないのであるが、原告は被告に対し少なくとも右の長崎県から受領した金額と同額の償金請求権を有する道理であるから、以上のことを彼是考えると、本件において、原告が被告に対し長崎県から受領した補償金を不当利得として原告に返還すべき筋合であるので、かかる場合は、公平と正義を基調とす

る不当利得制度の性質に照らし、原告が長崎県から補償金を受領すると同時に、原告の被告に対する内在的償金請求権（売買が合意解除された時に原告に復活する償金請求権）は、受領金額の限度において消滅し、かつ、他面被告の原告に対する内在的不当利得返還請求権（売買が合意解除された時に被告に復活する不当利得返還請求権）も対当額につき消滅するものと解するのが相当である」（福岡高判昭三一・六・二二民集九・九・四四九、判タ六五・一〇二）。

ただ、本判決は、第三者ともとの賃借人との関係と、もとの賃借人と所有者との関係をからませて、もとの賃借人が第三者から補償金を受領すると同時に内在的償金請求権が消滅し、同時に所有者の内在的不当利得返還請求権も消滅するとすることは、きわめて理解に苦しむが、もとの賃借人の相殺の主張が存在しない関係上結果の具体的妥当をねらつたものであろうか。

しかし、また、民法二四八条は契約関係にたてる当事者間の添附についても適用があるかが問題とされうる。同条の償金請求権と六〇八条二項の有益費償還請求権との関係について、後者は目的物返還後一年内に請求しなければならないが（民六二二・六〇〇）、その期間経過後になお前者にもとづいて補償請求をすることができるのであろうか。六〇八・六〇〇条の増価額返還請求権も性質上現存不当利得の返還に関するものであると解せば、契約規定の具体的個別性という見地から、契約法上すでに利得の補償請求が許されなくなつた場合に改めて二四八条によつて目的を達しうるとすることは疑問とされ、いいかえると、一定の契約関係に基づいて生じた利得の変動が規律されている場合に、なおその外に二四二条・二四八条等が適用される余地はないととかれる（川島・判民昭和八年度七事件、我妻＝有泉・前掲三六三頁もそのように解せられるとおもえる）。通説および判例は【15】が前提としているように請求権の競合を認める（ただし、【24】参照）。大判昭和八・二・八は、賃借人が賃借家屋に賃貸人の承諾をえて改造工事を施し明渡した場合に、民法六〇八・六〇〇条にもとづく有益費の償還請求権もあり、附合に関する二四二・二四八条による償金請求権もあることを認めたものである（後掲〔43〕参照）。

二 附　合

一 不動産の附合

（一） 附合する物は動産にかぎる　これ通説の認めるところである（我妻・前掲二〇四頁、柚木・前掲四五六頁、林・物権法一二七頁。反対、舟橋・前掲三六六頁）。判例では寄洲および建物の増築部分について附合の適用を論じていることがあるが、これらは不動産と不動産の附合のありうることを前提とするものではなく、土砂または建築材料なる動産が不動産に附合したかいなかを論じたものとみられる。

【16】「河川ノ敷地ガ私権ノ目的ト為ルコトヲ得ザル官有地ナル以上ハ、其敷地上ニ自然ニ土砂ノ堆積シテ生ジタル寄洲モ亦其官有地ニ帰属スベキモノナルヲ以テ、仮令其寄洲ハ民有地ニ接続シテ生ジ恰モ之ニ附加シタルガ如キ形跡アリトスルモ、此場合ニハ民法ノ定ムル附合ノ法則ヲ適用スベキ限リニアラズ」（大判明三七・七・八民録一〇・一〇六一）。

この判決は、土砂の堆積である寄洲がそれに接続する土地に附合しないことをとくものであって、その下の土地に附合することは認めるのである。したがって、公有水面埋立法は、無許可ないし免許の効力消滅後に公有水面を埋立てた者は原状回復義務を負い、地方長官はこの義務を免除しえ、その際には公有水面に存する土砂その他の物件を無償で国の所有としうる旨規定しているが（同法三五・三六）、このことは、あながち、地方長官のかような処分のなされるまでは附合の適用を排除するものとはいえない。X先代が無免許で埋立を完成し賃貸していたが、Yは国に対しその売払願を提出して払下をうけ、国からの所有権移転登記を了したので、Xは所有権確認と登記手続を請求した事案につき、左のような上告審判決がある。

【17】「成程公有水面埋立法第三十五条第二項は公有水面埋立免許が失効したときの原状回復義務が免除された場合に関し（無免許埋立の場合は同法第三十六条により右第三十五条第二項が準用せられ本件の場合は無免許埋立の場合なることは原判決の認定するところである。）『前項但書ノ義務ヲ免除シタル場合ニ於テハ地方長官（都道府県知事）ハ埋立ニ関スル工事ノ施行区域内ニ於ケル公有水面ニ存スル土砂其ノ他ノ物件ヲ無償ニテ国ノ所有ニ属セシムルコトヲ得』と規定しあたかも地方長官（都道府県知事）が右の如き処分をなさざる限り土砂其の他の物件の所有権は当然埋立工事施行者に属するかの如く解せられる。然しながら、右規定は固より附合に関する民法第二百四十二条を排除する趣旨ではなく同条の趣旨はむしろ同条所定の場合においては右物件を『無償ニテ』国の所有に帰せしめるところに意味があるものと解すべきである。即ち、同条は埋立の免許の効力消滅したる場合における埋立免許を受けた者及び無免許にて埋立をしたる者については同人等の申請等の事由により公有水面に有する土砂其の他の物件を撤去して原状に復せしめると共に（撤去した土砂其の他の物件の所有権は国が放棄したものと解する）同条所定の右原状回復義務を免除した場合には事情により右土砂其の他の物件を無償にて国有となし補償をなさざることを得る旨を定めたものと解すべきである。換言すれば同法第三十五条第二項の処分がなされざる限り国は同条第一項の場合においても埋立者に対し民法の規定に従い右土砂其の他の物件につき正当な償金を支払うべき義務があることとなるのである」（名古屋高判昭三五・一二・二七民集一三・一〇・八八四、判タ一一七・四九）。

また、昭和二八年一月二三日の最高裁判所判決は、増築部分がたとえ取引上別個の所有権の対象となりうべきものであっても附合の成立する旨をのべているが（後述[37]参照）、これは動産たる建築材料を附加した結果生じた事態につきなお既設建物を主体としその同一性を保ちうる場合に関する判断であって、当初から相互に独立している建物の附合のありうることをとくものではない。

さらに、建物はつねに独立の不動産とされているから、建築した建物は土地に附合しないことはいうまでもない。したがって、当事者間に特約がなければ、附合の原則により当然に建物の所有権が注文者に移転するものではない（大判明三七・六・二三民録一〇・八六一、同大三・一二・二六民録二〇・一二〇八、同大四・五・二四民録二一・八〇三）。

(二)　不動産の附合成否の基準と成立の範囲　序説一の存在理由においてすでにのべたように、附合する物の附着の程度に関し、通説は、社会的効用保存の立場から、動産の附合の場合と同様に、「不動産に附着してこれを分離復旧させることが事実上不可能となるか、または社会経済上著しく不利な程度にいたる」ことを要するとする。ところで、一定の場所的関係、効用充足性のもとに認められる従物には、主物と所有者が同一でなければならないとはいえ、別個の所有権が成立するのであるから、附合に際しては、従物の場合以上に密着し、附着する物が附合せられる物の一部として独立の所有権の客体となりえないことを要するとする考え方がドイツ民法の従物観念の対比からも当然生じてくるし、このことは一物一権主義という権利関係の画一化の要請にも照応することである。かくて、附合法が物権法の一領域として第三者のための物権的支配領域の画一化に奉仕する制度とみるときは、「分離復旧の不能または社会経済上の著しき不利益」という基準は附着物の取引上における独立性の喪失という、社会観念にもとづく判断の一つのメルクマールにすぎないと解されよう（末弘「不動産の附合について」法協五〇巻一一号二六頁、川島・前掲民法I一三一頁、同・判民昭和六年度一〇三事件、小林・民商四一巻一号九六頁。乾「附合についての一考察」民商三六巻五号四三頁参照）。しかし、民法二四二条但書の規定は、不動産利用権者に分離復旧権を有せしめるものと解しないかぎり独立性を喪失したものにつき所有権の保留は考えられないから、附着した物がなお独立の物と認めうる場合にも不動産利用権者によらない際には附合の適用あることを示している。したがって、不動産の附合は、附着した動産が不動産の一部となって全然独立の存在を失う場合と、なおその不動産とは別個の存在を有する場合との二つの場合を含むものと解せられる。ただ、一般には、前者は施肥・播種、増築のごときであり、後者は樹木の植栽、造作の附加のごときであるとされている（我妻＝有泉・前掲三六二―三六三頁）。これに対して、「毀損するに非ざれば之を分離すること能わざるに至り」または「分離の為め過分の費用を要する」程度に結合した場合を「同体的構成部分」となった場合となし、不動産の一部分となりながらなおかつ独立性をたもち、したがって、同時に特別な権利の客体となりうるがごとき場合を「非同体的構成部分」となった場合とし、不動産の附合は両場合を含めて成立するととかれることがあるが（柚木・前掲四五七頁）、附合制度の存在根拠を「分離復旧の困難、社会経済上の不利益」に求めながら、構成上、その程度以外とされる「非同体的構成部分」にまで附合の成立を認めることはそれ自体矛盾をはらむものといえよう。また、一物一権主義にもとづく権利関係の明確化に存在根拠を求める立場では附着物の独立性の喪失が要件となるから、附着物が不動産とは別個の存在を有する場合には附合は成立せず、但書はたんに除去または復旧の債権を有するにすぎないと解する外ないように思われ、従来この点に非難が集中したのであるが、この立場でもあえて但書を分離復旧権と解する必要なく、わが民法の物概念の複雑さと実際取引上の慣行とにもとづき土地の定著物とされながら独立に取引の客体となりうるような場合もあるのであつて、附着物として不動産と一体をなして独立性を喪失するとみられると同時にまた他面ではそれ自体取引の客体とされる慣行の存する場合（稲立毛、植栽された樹木など）が第二種の附合に属し、その附合が不動産利用権者によってなされたときは所有権が保留されるといえよう（川島・前掲民法I二一三―二一五頁）。もつとも、このような立場をとることが附合についての全問題を解決しうることとはならない。なぜなら、独立性の喪失ということは、稲・草木を植栽した場合にどの程度独立性を有するかの問題においても端的に示されるように、現社会の分析についての差異によって結論を異にしうるからである。つぎに判例が具体的に附合を認める場合をあげて検討してみよう。

(1)　建物の増改築部分　　建物の増改築部分の附合を論ずるにあたつては、まず附合せられる物がどのような程度に達するときに「建物」と認められるか、が問題となる。二階建アパートの階下の一画の区分所有者Yがこれを賃貸の目的で改造するために取り毀し、アパートの二階を支える柱、建物の基礎工事、ひさし、壁のごく一部を残すだけの工作物とした上、賃借人Xの負担で改造する約束で賃貸し、Xが約旨にしたがい建物として完成させた場合に、Xは本件賃貸借は家屋の敷地である土地の賃貸借であるとして家屋の所有権を主張したが、控訴審は取引上一個の建物と同視すべきもの（既設建物）

についての賃貸借であると認定して、

【18】「本件旧建物における既存工作物はそれだけ切りはなしてみるときはなんらそれ自体としては建物としての効用をもつものではなく、周壁その他の造作を加えてはじめて家屋としての本来の効用をみたすにいたるべきものであることはこれを肯認しなければならない。しかしかかる状態における既存工作物は本来家屋たりしものの骨格であるとともに将来家屋たるべきものの骨格をなし、しかも現に土地に定着するものであるから、それ自体動産ではなく、所有権の客体としては一の不動産と目すべきものである。これに反し控訴人〔X〕の施した工事によって附加されたものは、被控訴人〔Y〕の既存工作物と相まつて一の家屋を構成するその構成部分であり、既存工作物を失えば土地の定着物たるの実を失い、かつ、これなくしては独立の存在を保ち得ない関係にあるから、前記既存工作物に従として附加された動産とみるべきものである。しかもこの状態のままではそれは独立して所有権の客体たり得るものではないから、民法第二四二条により、その但書にかかわらず控訴人はこれについて所有権はこれを留保し得ず、現在ある家屋の全体は附合により被控訴人の所有に帰したものと認めるのを相当とする。従つて当初の賃貸借は本件家屋が被控訴人の所有に帰した時から当然に本件家屋全体に及ぶにいたったものというべきである。控訴人としては少くとも民法第二四八条によりその費した金額の償還を求める権利を有するものと解すべく、控訴人としてはこれをもつて満足するほかはないものといわなければならない」(東京高判昭三一・一・三〇東京高時報七・一・民七)。

と判示し、Xは既存工作物は「建物」といいえないことを理由に上告したが、最高裁は、「しかし原判決は、被上告人〔Y〕所有の改造途中の所論工作物を利用し、造作等一切を上告人の負担で取付ける等の約束で、本件賃貸借が成立するに至つた事実を認定し、その完成された建物の所有権の帰属については、結局民法二四二条本文の附合により被上告人の所有に帰したものである旨を判示しているのであつて、右認定の判示は、原判決挙示の証拠によつて是認することができ、別段所論の違法は認められないから、論旨はいずれも理由がない」(最判昭三四・二・五民集一三・一・五一)として棄却した。「切組ヲ済シ雨ヲ凌ゲル様ニ土居葺ヲ了リタル程度ニシテ漸ク荒壁ニ着手シタルカ着手セザル位ニナリシ」程度ではなお「建物」といえないが(大判昭八・三・二四民集一二・四九〇)、屋根瓦・荒壁があれば床・天井がなくても独立の「建物」である(大判昭一〇・一〇・一民集一四・一六七一)とする従来の判例の立場からしても、この既存工作物は「建物」といえよう(川島・法協七六巻六号六九六頁、小林・前掲四一巻一号九八頁、川島前掲評釈は、本判決につき判例集の「判示事項」・「判決要旨」は附合の適用の有無が本件法律問題の中心であるかのような観を呈しているが、上告審で問題とさるべきは上告理由からみても既存工作物が「建物」であつたかどうかという点であり、本判決の先例的価値はこの点に存することをとくに強調される)。結局、社会通念によつて決せられるのであるから、堅固な建物については通常の建物の場合と差異があつても差支えないが、鉄道用コンクリート造高架橋下の工作物――上は軌道敷たる部分におおわれ、両側面は橋脚を利用したもの――は建物たりうるとする大審院判決(昭一二・五・四民集一六・五三三)は略々同じ基準にしたがうものといえる。ところが、たとえ堅固な素材とはいつても、周壁のみをもつて独立の建物と認めうるかは疑問とすべきであろう。しかし、地裁の判決には煉瓦壁を独立の不動産とみるものがある。例えば、もと厚生省衛生試験場の煉瓦造建物が今次戦争により戦災をうけて屋根および床その他木製部分を焼失し、外廓である煉瓦壁だけが焼け残つたところ、それが厚生省から大蔵省に所管替となり、大蔵省からY学園に払下げられてその所有権移転登記を了しY′のために抵当権設定登記をなしたのであるが、Yが払下前よりこれを使用していた当時、焼け残り煉瓦壁体を利用してX組合の費用で建築施工してこれを利用させXから一定割合の寄附をうける約束のもとに、Xが屋根と床を加えて住居にたえうるようにしたので、Xは、本件建物の竣工により右煉瓦壁を不動産である本件建物の材料として附合せしめ建物所有権を原始的に取得したとして、所有権の確認とY・Y′の登記の抹消を求めて訴訟におよんだ事件で、東京地裁は焼失建物の残存煉瓦壁をもつてなお独立の不動産とみ、これへの附合を認めてXの請求を棄却し、

【19】「原告が施工して本件建物として築造するに利用した焼残煉瓦壁体は、単なる瓦礫の焼残物が焼跡に堆積しているのとは異り、もとは煉瓦造建物であつたのが戦災により屋根や床やその他木造部分が焼け不燃焼体たる煉瓦造の壁体が焼残つたものであり、コンクリートの基礎工事の上に、厚いところで一尺二寸、薄いところでも八寸もある壁を有し、高さが地上から十七尺二寸位あるもので、従来の煉瓦造建物の外廓をなし、いまだ全く建物としての効用価値を失つた程度に至らず、これに屋根をのせ、内部に床を張り間仕切りさえすれば十分に建物として居住その他の使用にたえるように復用せられ得るものであると認めるに十分であるから、右焼残煉瓦壁体を以て単なる瓦礫の焼残物と同じく焼跡に堆積する動産又は焼跡の土地の一部をなすとみるべきものではなく、それ自体なお建物としての独立の不動産たる性質を有するものと認むべきこと、正にかの戦火に罹つて焼けた鉄筋コンクリート造建造物と同様であると認めるのが相当である。従つて原告がこの焼残煉瓦壁体に屋根と床とを加えて住居にたえ得るように施工したこと前記決定のとおりであるが焼残煉瓦壁体がなお独立の不動産と認むべき以上、右施工によつて原告が新にその所有権を取得すべきいわれはなく、民法第二百四十二条によれば、却つて右焼残煉瓦壁体（これがなお不動産と認められるから）の所有者が原告の施工によつてこれに附合した屋根及び床の所有権を取得すべきもの」と判示した（東京地判昭三〇・四・二五訟務月報一・三・八五）。

ついで、増築部分の独立性の有無を判断するにあたつては（このことは通説の立場においても民二四二但書の適用に関して必要な判断である）、既存建物との物理的構造をも考慮にいれて、「取引又ハ利用ノ目的物トシテ社会観念上一般ニ独立セル建物トシテノ効用ヲ有スルモノト認メラルル」かいなかが問題となるのである（建物の個数に関して大判昭一二・五・四民集一六・五三三。なお後掲〔27〕

参照）。このような取引・利用の客体としての独立性・一体性が区分所有権の成立、抵当権のおよぶ目的物の範囲の問題とからみあうのである（於保「抵当権の及ぶ目的物の範囲」判例総合研究叢書民(5)一一二頁以下参照）。一般に、既存建物の上に二階を増築したり（大判大七・七・一〇民録二四・一四四一）、既存建物に物理的に接着延長して増築がなされた場合（大判昭七・六・九民集一一・一三四一）は、同一性を失わないと解されるが、既設部分と廊下などで連絡して別棟のものを増築した場合にも、その増築部分が不動産登記法の一登記用紙一不動産主義のもとで同法一五条にいう「一箇ノ建物」として別個の建物となるかは、これが必ずしも物理的一棟を意味せず取引・利用の独立性・一体性にもとづき判断すべきであるから、物理的に離れている増築部分が手続法との関係においても必ずしも別個の建物となるものではない（しかし、不動産登記法上にいわゆる「附属建物」が従物であるか附加物であるかは問題であり、我妻・前掲一三頁、杉之原・不動産登記法一五四頁註(1)、幾代・不動産登記法（法律学全集）一二三頁参照）。そして、別個の建物でないものがたとえ別個の建物として登記されても、その登記は実質的要件を欠き無効であるといわなければならない。判例も、増改築部分が既存建物の構成部分になるかどうかの判断にあたつて、大体同じように、一面物理的な構造上から「不可分の一体」をなすかどうか、他面「独立効用性」があるかどうかを基準としている。ただ、判例がその際にとる顕著な特徴は、増築部分が別棟である場合の判断に際して明確に現われるのであるが、分離の難易（分離復旧の困難）を問題としないで「独立効用性」を中核として判断しようとする傾向を示している点にあり（後掲〔26〕〔27〕参照）、判例が独立性を有する場合にも附合がありうるとく（後掲(六)参照）際にはなんらの基準をも掲げていないのである。

（イ）　改築の場合　　前後に脱衣場および釜湯がある、湯屋の洗場の改築に関するもので、賃借人AはY所有の湯屋を改築しその部分に区分所有権が成立するとしてXのために抵当権を設定し、Xは抵当権を実行して競落したので、他の部分とともにこの改築部分を他に賃貸しているYに対し、Aの改築した部分の所有権の確認と引渡ならびに不当利得金の返還を求め、原審はXの請求を容れたが、大審院はYの上告論旨を認めて破棄した。

【20】　「不動産ノ所有者ハ其不動産ノ従トシテ之ニ附合シタル物ノ所有権ヲ取得スルコトハ民法第二百四十二条ノ規定スル所ニシテ、其物ヲ付属セシメタル者ガ不動産ノ所有者自身ナルト所有者以外ノ者ナルトハ固ヨリ問フベキモノニ非ズ。但ダ権原ヲ有セル他人ガ附属セシメタルトキハ其物ハ其他人ノ所有ニ属スルコトアルベシト雖モ、本件ノ如ク賃借建物ノ一部ヲ所有者タル上告人ノ承諾ヲ得テ改築シタル場合ニ於テハ、賃借人ノ材料ヲ使用シ其費用ヲ以テ築造シタルトキト雖モ、改築ノ部分タル洗場ハ権原ニ因リテ附属セシメタルモノニ非ズシテ浴場ノ構成部分トシテ他ノ部分ト不可分ノ一体ヲ成シ各独立シテハ湯屋営業ヲ為スニ由ナク、建物ノ全部上告人ノ所有ニ属スルト同時ニ賃借人ノ区分所有権ハ到底之ヲ認ム可カラザルナリ」（大判大五・一一・二九民録二二・二三三三）。

本判決が「権原ニ因リテ附属セシメタルモノニ非ズシテ」ととく点は、民法二四二条但書の適用を排斥することに重点をおいた結果生じた表現と思われるが、構成部分となつたときは但書の適用がないとするべきであるという点で適当な表現と考えられない。結論的に同旨のものとして大判昭和六・四・一五（新聞三二六五・一二）がある。改築部分が別個の所有権の客体となり、二四二条但書の適用ある場合がありうることについては後述（四）(2)【42】参照。

（ロ）増築の場合

(a) 小規模な増築

（i）家屋に密着して建てられた物置　既存建物所有者Xは物置（建坪二・六六坪）を含む一部明渡を求め、もし物置の明渡を求める部分が容れられないときには自己の敷地賃借権保全のため敷地所有者に代位して右物置を収去しその敷地部分を明渡すべきことを求め、Yの、右物置は既存家屋と関係なくYが建築した独立の建物であるとの主張に対しては、右物置は既存家屋の一部を組成し家屋所有権の客体であると争い、裁判所はその主張を容れた。

【21】「右物置は本件家屋の他の部分の階下北側に密着して建築せられた建坪二坪七合程の木造の小屋であつて、その柱壁板屋根等は右家屋のそれとは全然別個のものが使用せられ、構造上独立のもののように見受けられるが、屋根はブリキ板を載せた粗末なものであり、その内部には柱、仕切部分もなく床は板張であつて畳敷の個所はなく、台所便所電気水道瓦斯の設備もない極めて粗末な小屋であり、被告一家は同所を物置として使用し、而も同所へのその主たる出入口は前掲家屋の階下六畳間の北側にある幅一間の外窓であつて、その窓のガラス戸が右小屋の南側扉を兼ねていて、被告一家は日常右ガラス戸から右小屋に出入し用を足しているものであることが認められるから、右小屋はその構造広さ経済的利用価値前掲家屋との利用関係等から見て、右家屋とは別個独立の建物と見るよりも、むしろこれに附随して作り掛けたその一部を構成する増築部分であり、而も右家屋と併合してはじめて建物としての経済上の効用を全うすることができるものと見るのが相当であつて、民法の附合の法理によりその増築と同時に前掲家屋の一部を組成し、従つて右家屋の所有権の客体としてその所有は右家屋の当時の所有者に帰属し、その所有権の移転と共に結局原告に帰属するに至つたものと言わなければならない」（東京地判昭三二・八・一四民集九・八・一五九二、判タ八六・六三）。

（ii）　賃借家屋の下屋を葺き下ろして附築した部分　当然に既存家屋の構成部分として附合の適用を認めている（前掲〔15〕参照）。

(b)　既存建物に対してかなり大掛りな増築　XはY所有の九坪の建物に約五坪の増築をなしその増築部分につきXの区分所有権を認めよと主張したが、原審は増築の事実から民法二四二条によりYの所有権が当然に増築部分に及ぶと判示した。そこで、上告審は左の理由で増築部分が不可分の一体をなすやいなやの具体的説示をする必要があるとして破棄差戻した。

【22】「凡そ数人にて一棟の建物を区分し、各その一部を所有することができるのは、その区分せられた部分だけで独立の建物と同一の経済上の効用を全うすることができる場合に限るのであつて、その部分が他の部分と併合しなければ建物としての効用を生ずることができない場合には、一個の所有権のみ存在し、各部分につき区分所有権を認むべきではないのである。この理は或人が他人所有の建物に増築をなした場合においても亦同一であつて、その増築せられた部分と従来のままなる部分とが各独立の建物と同一の経済上の目的に使用し得る場合には各部分につき区分所有権を認むべきであるが、増築部分と旧部分とが相併合しなければ建物としての効用を全うすることができない場合においては、増築せられた部分は旧部分と不可分の一体をなすものであるから、民法第二百四十二条により全部他人の所有に帰し、その増築部分のみにつき増築者の区分所有権を認むべきではないのである」（東京高判昭二九・一一・二〇民集七・一一・一〇三七、東京高時報五・一一・民二八二、判時四二・一〇八七）。

ここでは、独立効用性の判断が「不可分の一体」の存否のメルクマールとなつており、従来の判例と若干の差異はあるが、究極的にはこの方が正当といえよう。このような通常の日本式家屋の増築部分については、廊下や階段の共有持分、ないしは別の出入口を伴わないかぎり、独立効用性の視点から一般に既存家屋の構成部分であると判断されることとなるであろう。建物区分所有法（建物の区分所有等に関する法律昭三七・四・四法六九号）は、同じ基準にしたがい、「一むねの建物に構造上区分された数個の部分で独立して住居、店舗、事務所又は倉庫その他建物としての用途に供することができるものがあるとき」に一棟の建物の各部分に区分所有権の成立を認めているのである。

(c)　既存家屋、増築部分のいずれか一方が営業用家屋である場合　この場合には、それぞれ独立の用途に供せられているのであるから各部分の独立性が比較的認められ易いように思われるが、判例は厳格に完全な独立効用性を求めるので増築部分を構成部分とする場合が殆んどである。

（i）　店舗に密着して居宅を増築した場合　賃借人が、三坪の店舗の裏側に三坪の居宅を増築し、その部分を独立の建物として登記したときに、増築部分を構成部分として附合の適用を認め、その所有権は店舗所有者に帰属するとした。

【23】「密着部分において両者は棟、天井、柱を共通にしており、既設の店舗と増築部分とを区分する何等の障壁はなく、その境界も不明瞭で、店舗を通ることなく増築部分から直接表側に出ることはできず、その構造や部屋の配置状況からいつて増築部分のみ独立して使用に供しうるとは認め難いこと、もと店舗裏側に存した壁板も単に通行の便宜のため取りはずしたものでなく、店舗には台所その他居住用の施設がないため増築部分がその用にあてられることによつて一体として建物全体の効用を増しており、店舗と増築部分を分離復旧することはその価格に比し社会経済上著しく不利益であり、増築部分のみ独立して取引上の客体となることは到底不可能であることが認められ、……他に右認定を覆すに足る証拠はない。そうだとすれば、増築部分は本件店舗を含む本件建物をはなれて経済上独立の効用を有しないこと明らかで、増築と同時に、本件建物をも含めた一個の家屋の構成部分となつたものであること明らかであるから、右増築部分につき独立の所有権の成立する余地はなく、結局本件建物に附合して被控訴人の所有に帰したものと認めるのが相当である。右増築部分につき独

立の建物として登記がなされていても、それにより、増築部分が独立の所有権の対象とはならないという事実は少しも損われないのである」(東京地判昭三五・六・一五判時二三一・七三八七)。

(ii) 既存の住宅用家屋の前と後に増築して営業する場合　既設部分(A―一一・五坪)を賃借し、賃貸人の承諾をえてその後に物置風の土間および風呂場(B―五・〇七坪)、その前に接着して道路にいたるまでに店舗用の土間ならびに一畳半の座席(C―六・二坪)を増築し、既設のA部分も改築して居間ならびに調理場にして「そば屋」を営業していた賃借人が債務不履行により賃貸借契約を解除され、明渡を請求されるにいたつて、増築部分が問題となり、賃借人は、かりに全部引渡すべきものとしても、Aの改造費ならびにBCの増築部分の買取代金の支払あるまで明渡を保留すると主張したが、第二審(高松高裁)は、

【24】「右家屋のⒶの部分とⒷⒸの部分の使用目的、構造、広さその他の点から判断すれば既存建物たるⒶの部分は住宅用としては既に一個の完成建物であったところこれを主軸にして前記道路に対して該建物の前後にこれと一体としてⒷ及びⒸの部分を増築すると同時にⒶ部分を改築して店舗兼住宅用家屋に改造したものであつてⒶの部分が主体となつてⒷⒸその他の増改築部分はこれに一体として附着せしめられたものであり従つて右改築部分は勿論右Ⓑ及Ⓒの増築部分はⒶ建物に附合してその一部をなし独立の存在を有しないものと見るのが相当である。そうして賃借人が賃借建物(旧建物)の一部を所有者の承諾を得て増改築した場合において賃借人の材料を使用しその費用を以て増改築したときと雖も右増改築部分が他の部分と不可分の一体をなしその独立を失うときは右増改築部分の所有権帰属については民法二四二条但書の適用はなくして同法条本文によつて右旧建物の所有者の所有に属するものと解せられている」と判示し、その費用償還につき民法六〇八条二項を適用した。そこで、賃借人はⒶの改築部分につき造作買取請求権、ⒷⒸの増築部分につき借地法四条二項の買取請求

権を主張し附合の適用を違法として上告したが、最高裁は従来の判例を踏襲して債務不履行による解除にあたつては造作買取請求権が発生せず、増築部分を附合物と解せば上告人のために借地法上の借地権の発生をみることなしとし、「原判決は、所論増築部分を構造上独立の建物とは認めず、また独立建物としての経済上の効用をもつものとも認めなかつた趣旨と解されるから、所論違法は認められない」と判示して上告を棄却した（最判昭三五・二・一一判時二一四・六七三〇）。

(iii)　他人所有の床を利用して店舗を構築した場合　Aは、B所有の二階建一棟（建坪一八坪）を賃借居住していたところ、その敷地は前の公道より低地にあつたため公道より直接二階に出入できるようにBが二階の床を延長して設けていた板敷の橋（その下は公有地傾斜面）の上に所有者Bに無断で屋根と両側の囲を設け、平面の板敷を拡げ逐次改造を加えて店舗を完成し、この店舗部分（七坪）につき居宅の番地所在家屋として保存登記し、Xに所有権を譲渡しその移転登記を了してXより賃借していた。ところが、その後YはAに対する債権の譲渡担保として店舗の造作と居宅の借家権を譲り受け、さらにBからこの居宅を店舗とともに賃借し、Aの退去後居住するにいたつた。そこで、XはYに対し所有権にもとづいて右店舗の明渡を求め、予備的請求原因として、たとえ店舗の床の一部がBの所有に属するとしても、Aは民法二四二条、二四三条により床の部分の所有権を取得したのであるから、Xがその所有権を取得するについてなんらの支障をみないとのべたが、左の理由でXの請求は容れられなかつた。

【25】　「床の部分が他人の所有に属していても、その床を利用して屋根と周壁を設けて建物を構築した場合には民法第二百四十二条の規定により、その建築者はこれに附合した床の所有権をも取得すると主張するけれども、同条は不動産の従と

してこれに附合した物の所有権の帰属について規定したものであつて、本件のように他人の所有に属する床を利用して、その所有者に無断で床の上に建物を建築した場合には、たといその増築に係る物が床と比べて経済的価値が遥に大なるものであつても、床の部分は建物の従たる物ではないから、その増築者に床の所有権を取得させる趣旨の規定と考えることはできない。殊にその増築に係る部分……は、主たる建物である建坪十八坪の小島〔B〕所有の居宅と相合して一体をなし一棟の建物を形成していて、その不動産の一部と認められ、全く独立の存在を失つているのであるから、店舗の部分が独立の不動産として所有権の対象となり得るものということはできない。蓋し一個の所有権は独立の物について成立するのが原則であつて、一棟の建物の所有者がこれと区分して不動産として各独立の経済的効用を保存させ得る場合には複数の所有権の成立することというをまたないけれども、本件においては、居宅の出入口に店舗が設けられ、居宅から公道に出るには店舗を通らなければ他に通路がないのであるから店舗と居宅とを分離するときは居宅と公道との通路が閉鎖せられるため、原告の主張する店舗の部分はそれ自体店舗として独立の所有権の客体となり得ることは否定できないとしても、その奥にある居宅の所有者の意思に反して、居宅自体としては出入口のない不動産としての経済的効用を喪失させられる結果となるのである。このような場合には店舗と建物とは、各独立の不動産としての経済的効用を有するものと認めることはできない。従つて本件店舗は居宅の一部たる附属物であつて独立の不動産として所有権の客体となり得ないものというべきであるから、これについて広田〔A〕のなした所有権の保存登記はもとより無効のものと断ずべきである」（東京地判昭二七・一・三〇民集三・一・九八）。

（iv）　隣家の所有地である路地を借りうけ、その中二階の床を天井とし隣家に接して居住できるような建物を作りあげた場合　Yは雨露をしのぐために路地を借り、最初は地上に畳をしいた程度で生活していたが、その後二、三年の間に路地所有者の所有物である東側の建物の中二階の床を天井とし、その下部の東西一間幅の通路に隣家に附加して床を張り畳をしき戸障子を入れ、隣家の瓦葺庇を利用して出入口用の硝子戸をはめて居住することのできるような建物をつくり、さらに路地奥の同一所有者に属する土蔵をも借りうけて荷造り材料商を営んでいたが、貸主死亡後その相続人X・X′がその明渡を請求した。原審は土蔵の明渡、路地部分の構築物の収去（したがってその所有権はYにある）および敷地の明渡請求を認容した。Yは控訴したが、第二審は、路地部分の貸借関係は最初の使用貸借から賃貸借に移行し、Yのたてた建物は附合によりX・X′の所有に帰したから建物の賃貸借となるにいたり、X・X′に正当事由ありとして、土蔵ならびに路地部分上の建物の明渡を認容した。

【26】「控訴人が右路地部分に居住を始めてから後本件通路上に造つた前記建物は、亡三田寅治郎の遺産相続により被控訴人らの所有となつた右通路の東側の家屋の中二階の床と屋根を天井として利用し、その下部の通路に床を張り、表道路に面する瓦葺前庇を利用して戸締りをしたもので、造作を除きいずれも右東側の家屋に附加して一体となつたものと認めるのを相当とするから、附合により被控訴人らの所有となつたものというべきである」（大阪高判昭三四・八・二九判時二〇五・六三四）。

この判決はきわめて特殊なケースに下された判断であることというまでもないが、完全効用性につきなんらのふれるところもない点は異例の判決であるといえよう。完全効用性の点からはむしろ原審の判決を支持すべきであろう。

（v）　別棟の営業用家屋を増築した場合　　旅館営業主が既設部分とは別棟の建物を増築し、両部分は柱・廊下を共通にしこれらを区分する障壁もないのに、増築部分につき一個独立の建物として既設部分の所有者より保存登記され、旅館営業主の債務のため登記名義人たる既設建物の所有者が増築部分に抵当権を設定した際には、その実行により競落人はその所有権を取得するかどうかが争われた事案において、この増築部分は既設建物に附合しその構成部分であつて独立の建物ではないから抵当権設定行為は無効であり、競落により所有権を取得することはないと判決された（この事件は直接には建物の個数に関するものであることというまでもない）。

【27】「右既設と増築部分とは別棟ではあるが、両者は柱廊下を共通にして、これを区分する何等の障壁がないのみならず、既設部分に便所湯殿等の施設がなくして、増築部分に階上階下便所各一ヵ所物置湯殿台所が施設され、その他全体の間取り並びに既設建物の客室とこれ等のものとの連絡状態や接備の関係からみても、増築部分は全く既設部分に従属し、これを離れては経済上独立の効用を有しないものといわざるを得ない。しからば右増築部分は増築と同時に既設部分に附加してこれと一体をなして既設建物の構成部分となつたものであつて、増築部分だけが独立の建物として別個の所有権の対象となる余地はないのである。従つて所有者が増築部分を独立の建物として登記をしたとしても本来独立の建物としての適格性を有しないものが、右登記だけでその適格性を具備するに至るものでない。……或る部分が建物の一部か、或は独立した一個の建物であるかどうかの建物の箇数を定める標準は、建物の構造、用途その他一切の事情に即して、取引上経済上の一般通念に従つて客観的に決定せらるべきところであり、当事者の意思もまたその標準の一として考慮の外におき得ない価値を有するものではあるが、その意思たるや、あくまで補足的標準であるにとどまり、これのみに握らしめるべきものでないのはもとより、主体的標準ともなし得ない。

本件における既設部分と増築部分との間には、前記認定の如く何等の障壁も存在しないのであるから、少くとも何等かの隔壁のない限り、客観的には全く一個の建物であり、増築部分からいえば既設部分への従属性並びに部分性たる性格が払拭されていない。即ち客観的な独立性を有しないのである」（福岡高判昭二八・八・一九民集六・九・五一四、下級民集四・八・一一七〇）。

これに対して、柚木教授は、区分所有権を認める標準につき抽象的にとくところは正しいが、具体的事案の解決にあたつて、棟を異にする毎に登記簿に一用紙が備えられ、実体法上も原則として別個独立の建物として取り扱われるから、隔壁が存しないという一事をもつてその例外として別個の所有権の対象となりえないとすることには多大の疑問を抱かれるが（前掲四三六頁）、現在不動産登記法一五条は「一箇ノ建物」につき一用紙を備えるべき旨を規定しており、建物の個数は附着物が既存建物の構成部分となるかどうかということと相関関係にたち独立効用性により決せらるべきものとすれば、本判決は隔壁が存しない点も独立効用性の有無の判断の一要素としているのであつて、あえて非難さるべきではあるまい。

また、別棟の店舗を増築し、増築部分につき保存登記していた事案において、その部分は「社会通念上経済的利用の独立性のないこと」を理由として附合物であるとし、既存建物に設定された抵当権の効力は増築部分におよぶとする。

【28】「不動産の従としてこれに附合した物がその不動産の構成部分となつた場合又は附合物が社会通念上その不動産の一部分と認められる状態となつたときは民法二四二条により不動産の所有者は附合物の所有権を取得するのであつて、民法二〇八条所定の区分所有権はその部分が独立の建物と同一の経済上の効力を全うすることを得る場合に限つて成立し、その部分が他の部分と併合するのでなければ建物としての効力を生ずることができない場合にはこれを認めることができないものであり、その部分が構成部分となつた場合にはもちろん附合の効力を生ずるとともに、もはやその部分は独立の建物と同一の経済上の効力を有し得ないものである。そしてその部分が独立の建物と同一の経済上の効力を有する否かの判断に当つては、社会通念上の経済的利用の独立性と事実上の分割使用の可能性とを混同すべきではない」（最判昭三五・一〇・四判時二四四・七八九二）。

（八）　増築部分が取引上独立性を有しても附合が成立するとする場合　　最判昭和二八・一・二三（後掲【37】）は、既存建物上下総建坪七六・二五坪に対して別棟の増築部分上下建坪五〇・六五坪の附合の判断において、原審は独立効用性の見地から附合を認定したが、上告人はその独立性を主張したのに対し、増築部分が取引上別個の所有権の対象となりうるからといつて附合の成立を妨げるものではないとする。しかし、増改築に際して、その部分が既存建物の構成部分とならず別個の所有権の対象となりうる場合にも附合が成立しうることをただ抽象的にのべているにすぎず、その具体的基準についてはなんらふれるところがないのである。

(2)　播かれた種子、植えつけられた苗、その成熟したもの　播種または植付のときは、土地の構成部分となつて独立性を失うと解してよいから権原の有無にかかわらず附合するといえ、それが成熟し独立の財産として取引の客体となりうる場合には、一面独立の存在をも取得するにいたるのであつて二四二条但書の規定により権原の有無にしたがい、それ自体不動産利用権者の所有ともなり、あるいは依然として土地所有者に帰属するとみるべきであろう（後掲（四）（3）参照、通説、我妻・前掲二〇五頁、柚木・前掲四五八頁。ただし、舟橋・前掲三六八頁は、必ずしも成熟するを要せず、苗となつたときでも独立性を識別しうるにいたれば収益権者の所有権が認められるとかれる）。これに対しては、農作物ごとに稲立毛のごときは、独立の物として取引されているのだからつねに独立の存在を有し、はじめから附合しないとする反対論がある（末川・物権法三〇二頁、植えつけられた苗、播かれた種子は独立性を失わないとかれるのは、末川・判批論叢二八巻四号六五七頁、末弘・前掲法協五〇巻一一号二〇三八頁であり、独民九四条は反対である）。さらに、稲立毛とそれ以前の状態を区別し、稲立毛は独立の物として取引されるが、稲苗につきそのような慣行がないならば稲苗は附合し、それが成熟したときに、稲立毛は法律上当然に、土地に附着させる権原の有無に関係なく土地から分離して独立の財産に転化すると解すべきであるか、ともとかれる（川島・前掲民法I二一四頁）。判例は、稲立毛のごとく一面独立性を有する場合にも権原と関係せしめて附合の存否を論じ、このことは独立して取引される段階にいたらない種子、稲苗についても同様で、繰り返し、権原によらないで附属せしめた場合につき附合の効果を生ずると主張するのである。そこでは権原にもとづく場合には播種、植付によつて種子、苗は土地の構成部分とならず、分離復旧の困難、社会経済上の不利益も存しないこととなる。しかし、種子、稲苗につき、権原により附属せしめた場合には土地の構成部分とならないと意識して明確にとく事案は存しない。ただ、最近、地裁の判決で通説の立場を明確に表現しているのが注目に値するであろう。

（イ）播かれた種子（小麦）　Xは Yの土地に権原によらないで桑の植付、小麦の播種をなしたので、Yは土地明渡、所有権確認の訴を提起し、仮処分命令にもとづき執行をなしてその土地の引渡をうけ、当時YはXが後日地上物を取り払うことに同意していたが後日Y自らその地上物を収去したので、XはYに対し不法行為にもとづく損害賠償を訴求した。一審ではXが勝訴したが、控訴審は「不動産ノ所有者ハ他人ガ権限ニ基キテ附属セシメタルモノニアラザル限リ、其不動産ノ従トシテ之ニ附合シタル物ハ其事実ノ発生ト同時ニ当然其物ノ所有権ヲ取得スルコト民法ノ規定スルトコロニシテ土地ノ上ニ播種セラレタル小麦ノ如キ之ニ該当ス」としてYに勝訴を言渡し、そこで、Xは民法二四二条にいわゆる「従タル物」とは従物のことで本件のような場合をさすのではないという理由で上告したが、棄却された。

【29】「民法第二百四十二条ノ不動産ノ従トシテ之ニ附合シタル物トハ同第八十七条ノ従物トハ異ナリテ本件被上告人ノ

所有地上ニ被上告人以外ノ者ガ播種シタル小麦ノ如キ物ヲ指称スルヲ以テ、原審ガ上告人ハ本件土地ニ何等の権原ナク之ニ附属セシメタルモノト認メ係争ノ小麦ガ被上告人ノ所有ニ帰属シタルコトヲ判示シタルハ相当ニシテ、桑ニ付テハ原判示ニ副ハザル攻撃ナルヲ以テ、本論旨ハ理由ナシ」（大判大一〇・六・一民録二七・一〇三二）。

東博士は、この態度に全面的に賛成され、我妻博士は、Yが執行の際にXに対してなした「小麦及桑ハXノ所有トナスベキ」旨の約定も上告理由となつている点を指摘され、たとえ一度は附合してしまつてもその後所有者がいわゆる権限を附与することによつて独立の所有権を成立せしむることは妨げないと附記して、一顧を煩したいとされる（判民八八事件）。

（ロ）　播種されて生育した胡瓜苗　Xは買い受けることとなつていた山林と交換にYの土地を取得したがYがその山林の移転登記を求めても応じないので、X・Y間でその契約を合意解除し、小麦の収穫後Yはその引渡をうけることとなつた。ところが、返還時期にいたつて、その土地上にXのまいた胡瓜が二葉三葉程度に生育していたが、そのままY・Y′が鋤き返して爾後使用収益しているので、XはY・Y′に対して売買を原因として本件土地の返還ならびに移転登記さらにY等が苗を削りとつたことにもとづく損害賠償を求め、かりにXに土地返還義務ありとしてもY等には不法行為にもとづく損害賠償義務はあると主張した。原審は「Xは昭和二四年六月小麦を収穫した後は本件土地をYに返還すべき義務がありそのためには右土地に植えつけた胡瓜を収去しなければならなかつたものであり、Y等が本件土地から胡瓜を削り取つた昭和二四年六月頃その当時の生育状態において胡瓜の苗だけとしては無価値のものであることは、原審における鑑定人の尋問の結果によつて明白であるから

Y等が右胡瓜の苗を削り取つたことによつてはXに物質上の損害を生ぜしめる余地なし」としてXに敗訴を言渡した。そこで、Xは、本件土地の所有権は自己に属し、したがつてその土地に植えつけられた苗が自己の所有であると上告したが、棄却された。

【30】「右交換契約解除後は上告人は当時そこに植え付けていた小麦を収獲するための外は、被上告人田村所有の本件土地を使用収益する権原を有しなかつたものというほかない。ところで、上告人が本件土地に同年五月中播種しよつて同年六月下旬には二葉三葉程度に生育していた胡瓜苗が上告人の所有であるがためには播種が上告人の権原に基くものでなければならない。しかるに、右のように、上告人は播種当時から右小麦収獲のための外は本件土地を使用収益する権原を有しなかつたのであるから、上告人は本件土地に生育した胡瓜苗について民法二四二条但書により所有権を保留すべきかぎりでなく、同条本文により右の苗は附合によつて本件土地所有者たる被上告人田村の所有に帰したものと認めるべきものである」(最判昭三一・六・一九民集一〇・六・六七八、ジュリスト一二一・七一、判タ六〇・五一)。

山田教授は、二葉三葉程度の胡瓜苗は取引上独立性を有しないから土地所有者の所有に属することとなり、判旨の理論によつて正当な結論がえられるとして賛成されるが(法協七四巻四号五一七頁)、独立性がなければ権原にもとづいてなした者も所有権を保留しえないとおもわれ、その場合に保留しうると解される節がうかがわれる。林教授は、各学説の機能を整理され、わが民法の附合の沿革的意味からも社会的効用の保存という一面を無視できず、権利関係の画一化に傾きすぎてはならないとかれ、一般論として通説の立場を妥当とするとともになお一層善意占有者の保護にまで二四二条但書をおよぼさんとの意向を示されているが、本件については判旨は結果として妥当であるととかれる(民商三五巻一号七七頁)。

(八)　植えつけられた稲苗、稲立毛　　Yは A より売渡抵当としてその所有田地を取得しAに賃貸していたところ、XはYの承諾なくしてAより転借し、稲苗を植えつけ稲毛を生ぜしめたときにYはAに対する債権の強制執行保全のためその稲毛を仮差押したので、Xは稲毛の所有権を主張し第三者執行異議の訴を提起した。Yは、Xが転借につき承諾をえていないからその転貸借をYに対抗しえず、民法二四二条但書の「権原」ある者でないから本件稲毛の所有権はXに属しないと主張したが、一審、二審ともXを勝訴せしめた。第二審判決は、「転貸借ニ付賃貸人ノ承諾ナキ場合ニ於テハ賃貸人ハ民法第六百十二条ニ依リ賃貸借契約ヲ解除シ得ルニ止マリ転貸借ハ賃貸人ノ承諾ノ有無ニ拘ハラズ有効ナルコト転貸借ノ性質ニ照シテ明ラカ」であるから、Xが「右有効ナル賃借権ニ基キ法律上ノ権原ニ因リテ」稲苗を植えつけ生ぜしめた稲毛は当然Xの所有に属するとして、Yの控訴を棄却した。そこで、Yは、賃貸人の承諾なき転貸借は債権契約として有効であるが、かかる転貸借は賃貸人に対抗しえないからXはYに対する関係では「権原」を有せず、無権利者が植えつけたのと同一であるかAが植えつけたものと認める外ないとして、上告した。大審院はこれを容れて原判決を破棄差戻した。

【31】「賃借人が賃貸人ノ承諾ナクシテ賃借物ヲ第三者ニ転貸シタル場合ニ於テハ其ノ第三者ハ賃貸人ニ対シ転借ニ基ク使用収益ノ権能ヲ主張シ得ザルモノト解スベク、而シテ不動産ノ所有者ハ其ノ不動産ノ従トシテ之ニ附加シタル物ガ権原ニ因リテ他人ノ附属セシメタルモノニ非ザル限其ノ所有権ヲ取得スベキコトハ民法第二百四十二条ノ明定スルトコロナレバ、田地ノ賃借人ガ其ノ所有者タル賃貸人ノ承諾ナクシテ之ヲ他人ニ転貸シ、其ノ転借人ニ於テ之ニ稲苗ヲ植付ケタル場合ニ於テハ、該稲苗ハ転借人ガ権原ニ因リ田地ニ附属セシメタルモノト称シ難キガ故ニ、其ノ所有権ハ田地ノ所有者タル賃貸人ニ帰属スルモノト謂フベク、従テソノ果実タル稲毛ハ転貸借ノ効果トシテハ転借人ニ於テ之ヲ取得スベキ権利ナキモノト解セ

ザルベカラズ」（大判昭六・一〇・三〇民集一〇・九八二）。

本判決を契機としてもろもろの学説が輩出したといってよい。川島教授は、権利関係の画一化の点から附着物の独立性の喪失が附合の要件であって、「植付けられた苗、播かれた種子の如きはその独立性を失うものと考へる」となし、「一旦附合によりて種子稲苗等の所有権が土地所有権に吸収されても、成長して……独立の権利客体たる性質を具備するに至るときはその土地につき、『権原』を有する者の所有権に復帰すると解すべきであろう」（現在、前掲民法I二二四頁では若干改説されている）として、判旨の結論には賛成されるが、末川博士は、社会経済的損失の観念にもとづいて独立性の有無を附合の標準とし、稲立毛は容易に分離しえまた取引上独立の物として取り扱われているから、「権原」の有無にかかわらず、その所有権は移転することとなしとして判旨に反対される（論叢二八巻四号六五七頁）。さらに、末弘博士は、独立性の喪失を附合の基準としながら、播かれた種子、植えつけられた苗は経済上は独立性を失わないから「権原」の有無にかかわらず附合しないととかれる（前掲法協五〇巻一一号二〇三八頁）。理論的には、権利関係の画一化の立場においては当然、社会的効用の保存の立場においても独立性をまったく無視しうるものではないが、独立性の理解の仕方において、現社会の分析、法による規制方法について所見を異にするのである。

この判決の理論を前提として、つぎの大判昭和一二・三・一〇（民集一六・三一三）がある。XはAから土地を賃借し一部に稲苗床を設置していたところ、Yは、自分がその土地の本来の所有者でありAは所有者でないとの理由で、右苗床を掘り返し、その結果Xは苗植付の時期を失し利益を喪失した。そこで、

Xは不法行為による損害賠償を訴求したが、原審は、XがAより「本件土地ヲ賃借小作シタリトスルモ所有者タルYニ対抗シ得ザルコト明カナレバ前記稲苗ハ無権原ニ依リ本件土地ニ附属セシメタル」ものであり、民法二四二条によりYの所有となつたのだから、Yの行為は不法行為とならぬと判決した。Xは、原審はYが稲苗の所有者だというだけの理由で「Xノ占有権ヲ侵害シタルYニ何等ノ責任ナキガ如」き判決をしたのは不当であるとして上告したが、「本訴ハ本権ノ訴ニシテ占有ノ訴ニ非ズ」として上告は棄却された。これに対して、末弘博士は、【31】についてと同じ立場から稲苗は附合せずにXの所有であるとして、「吾人の到底賛意を表し得ざる所である」と反対される（判民二三事件）。

以上のような判例理論に対して、左の地裁判決は明確に通説にしたがつてなされている。

Xは、土地管理をYの先代Y′に託していたが、Y′死亡後Yは土地明渡に応じないのでその引渡を求めて訴訟を提起し、Yの土地使用をも禁ずる旨の仮処分決定をえたがYは異議の申立をした。Xは、Yが本件土地を占有しているから、Xがこの土地の引渡を認容する判決をえても地上にYの耕作物があればさらに耕作物収去の判決をえておらなければ引渡判決を執行することができないが、耕作物の種類により収獲期はそれぞれ異なるし、Yにおいて耕作物の種類を度々変更したり第三者に土地の占有を移転して耕作させるようなことになれば、Xが耕作物収去の判決をうることは事実上不可能となり、ひいては引渡の強制執行も事実上できなくなるから、本件土地に対するYの占有をといて執行吏の保管とし、Yの耕作を禁ずる以外に方法はないと主張し、Yは使用を禁ずるまでの必要性はないと主張した。この点につき、左の理由でＹの主張が容れられた。

【32】「債務者が播種した地上の耕作物は、播種の当初において独立の存在を失つて土地所有権の一部を構成しており収獲期が近づいて始めて土地とは別個に独立の所有権の客体となりうるのであるが、たといこの期になつても、本件における債務者のように土地につき権原のない者が播種耕作した場合には、地上の耕作物は附合により土地所有者である債権者の所有に帰することとなる。このように債務者の耕作した麦等の耕作物が債権者の所有に帰することとなる結果、債務者の債権者に対する利得返還請求権が発生するとしても、債務者はこれを理由に本件土地の引渡を拒否することはできないと解するのが相当である。よつて債権者は、債務者の耕作する麦等がどのような成育の過程にあるを問わず、土地引渡を認容する確定判決により、常に地上耕作物とともに、本件土地引渡の強制執行をなしうるのであつて、地上に耕作物が成育していることにより、この執行が特に困難になるとも認められない」（東京地判昭三一・一〇・二九新聞三九・一三）。

(3)　植栽された桑の樹　個々の樹木は一面土地の定著物でありながら、他面地盤所有権とは離れて独自に取引されうることが認められているのであるから、植栽された桑の樹が土地の構成部分となつて土地に附合するか、それとも植栽者にその所有権が保留されるかについては、(2)の稲立毛をめぐると同じ学説の紛糾をみると考えてよいが、通説・判例は植栽者の権原の有無によつて決せられるとする。

【33】「畑地ニ栽植セル桑樹ハ其ノ畑地ト一体ヲ為スモノナルモ（大正五年（オ）第七〇六号同年十月十九日言渡当院判決参照）、而モ該畑地ノ賃借人ニシテ其ノ権原ニ基キ栽植シタルモノナランニハ少クモ民法第二百四十二条但書ノ規定ニ依リ当該賃借人ノ所有ニ属シ畑地ノ所有者ニ帰セザルコト疑ヲ容レザルガ故ニ、……本件土地ニ栽植セラレアル桑樹ガ被上告人ノ所有ニ属シ土地ノ所有者タル上告人ニ帰セザルコト自明ナリト言ハザルヲ得ズ」（大判昭七・五・一九新聞三四二九・一二）。

また、Aはその所有地が河川法にもとづいて河川敷地と認定されたが占用権をえ、これをXが賃借して開墾し、桑樹を植えつけて年々桑葉を収取していたところ、Yが不法に桑葉を摘採したので損害賠償を求めた事件で、原審は、河川法の規程を無視してXが桑樹を植えつけたのは権原なくして他人の土地に附属せしめたのだから民法二四二条但書を適用しえないし、民法一八六条、一八九条で果実収取権もなしとしたが、大審院は左のように判示した。

【34】「河川法施行規程第九条ニ拠レバ河川敷地ニシテ従前ノ所有者ハ許可ヲ得テ占用シ得ラルルモノニシテ、平間茂吉〔A〕ハ乃チ同規程ニ基キ占用権ヲ有スルモノナリ。左レバ上告人ガ茂吉ヨリ賃借シ之ニ桑樹ヲ植付ケタルハ素ヨリ適法ニシテ、民法第二百四十二条但書ノ権原行為ニ外ナラズ。原判決ハ畢竟河川法ニ精通セズ漫然之ヲ無権限行為ト倣シ依テ被上告人ノ不法行為ニ因リ、損害賠償請求ノ法律上ノ根拠ナキモノト判定シタルハ不当ニ上記規程及民法第二百四十二条但書ヲ適用セザル瑕疵アルモノタルコトヲ免レザル也」（大判大九・一二・一六新聞一八二六・二〇）。

(4)　植林　通説・判例は、(3)にのべたと同じく、権原にもとづかない場合は土地の構成部分となって土地に附合し、権原による場合は所有権を保留するとなすのである。

共有の性質を有する入会権者の一人Aが勝手に杉苗等を植林し、同じく入会権者の一人Xにこれを譲渡し、Xが他の入会権者Yを相手方として杉立木等の所有権確認ならびに損害賠償請求の訴を提起した。一審はXに敗訴を言渡したが、控訴審も植林木の土地への附合を認めてXの控訴を棄却した。

【35】「ところで本件八十六番入会は元秋田県北秋田郡釈迦村（後に大館市に合併）沼館部落、同県同郡下川沿村字片山部落民の入会地であることは当事者間に争のないところであるから、本件入会権はいわゆる共有の性質を有する入会権とい

うべく（このことは後に部落財産の統一により各共有持分がその所属町村に帰属することになつても特段の事情の認められる資料のない本件においては右の性質に変更をきたすものではない。）しかしてこのような入会権は前示性質の外入会地の産出物（草、木、木実等）はすべて入会権者の総有に属し、これ等産出物を直接に収益することを目的とするものであつて、特定の入会権者が独断で入会地に独占する立木を所有するが如きことはできない性質のものである。従つて前示採用の原審証人桜庭ミツ〔A〕の証言によれば本件係争甲地域の内前示八十六番入会地と認定された地域に訴外桜庭ミツが勝手に大正初期に杉苗等を植林したことが認められるけれども、該植林木は民法第二百四十二条本文と右入会権の性質から八十六番の入会権者全員の総有に帰したものというべく、従つてたとえ控訴人が右ミツから右植林木を譲受けたとしても、その所有権を取得するに由ないものである」（秋田地判昭三〇・八・九 民集六・八・一五九〇）。

しかし、きわめて特殊な判例がある。Xの先代X′がA所有地の一部に管理人Bの黙認のもとで杉苗を植えつけ、平穏公然と杉造林の育成管理にあたつて本件係争山林を占有していたところ、本件土地はAからBに贈与されB死亡後Cが相続し、CからYが買受けて一部伐採に着手したので、Xは仮処分決定をえて執行吏が伐木を競売に付しその売得金を供託した。そして、Xは本訴におよんで本件山林の所有権確認ならびに供託金の引渡を請求し、第一審はXの請求を容れた。Yは控訴したが、第二審は、本件係争地は本来Aの所有に属していたからX′が時効取得するわけはないが、Xの山林所有権確認請求は本件係争地上の杉立木の所有権確認だけでも求める意思を有すると推認されるから杉苗は植付により本件土地の所有権に附合したものといえるが、Xは杉立木の占有につき所有の意思あるものとして立木のみの時効取得を認め（YはCから杉立木を除外して本件上地のみを譲り受けたものと認定する）、供託金引渡請求を容れた。Bの黙認のもとに植えつけられた点を考慮にいれたものであろう。

【36】「類助〔X′〕が他人の土地である本件係争地に杉苗を植え付けたのが権原によるものであることを被控訴人はなんら主張立証しないから、右杉苗の所有権は植え付けられると同時に本件係争地を含む前記八、六五三番の六（植え付けの当時は同番イ号六）の土地の所有権に附合したものといわなければならないのであるが、前記認定したところによれば、類助は大正一〇年ころ本係争地に杉苗を植え付けていらいその生長する杉立木を所有の意思をもつて平穏かつ公然と二〇年間以上占有したものといわなければならない。しかして他人の所有する土地に権原によらず自己所有の樹木を植え付けた者が植え付けの時から所有の意思をもつて平穏かつ公然と植え付けにかかる立木を二〇年間占有したときは植え付けの時にさかのぼつてその立木の所有権を時効により取得するものと解するのが相当である」（仙台高判昭三五・一一・一五民集一三・八・七七八、判時二四九・八〇九四）。

その他に関しては後述（四）(2)（ロ）参照。

(三)　不動産の附合の効果　　原則として、不動産の所有者が附合物の所有権を取得する（民二四二本文）。一面では独立して取引客体とされる物を権原によらないで附属せしめた場合にも附合が成立するわけで、その際不動産所有権が附合物である動産の上に拡張するのである。判例は、慣行上中途半端な独立物として取引客体となる場合のほか、附着した動産が完全な独立性を有するにいたつた場合にも附合を認め、その際にも不動産所有者は不動産とは別個に附合物所有権を取得するのではなくて、不動産所有権が附合する動産の上におよびその全体に一つの所有権が存在するにすぎないととく。附合範囲をそのように解するかぎり当然の結論である。Xは家屋aをYより、同bをYおよびその共有者ABより買つたが、Yは家屋abにそれぞれ増築しており、その増築部分a′b′は売買の目的物中に入つていないと主張するので、Xは増築部分は既存建物に附合した物だから自己の所有に属するとして訴を提起し、第一審X勝訴。Yは控訴したが、第二審は、a′b′は独立効用性を欠くとしてb′は附合によりbの所有者であるY・A・Bの共有に属したものであり、b′のXによる修理模様替に異議をのべなかつた事実から、a′b′とも売買の目的物に含まれていたものと判断し、控訴を棄却した。そこで、Yは、(i)増築部分b′は独立して所有権の客体となりうるものだから増築後ABと共有となつたb′の所有権移転に関しても共有者全員の承諾を要するのにその点にふれることなくb′の所有権移転を認定しているし、(ii)他面b′は外観上内容上全然別個の建物で各独立して所有権の客体、取引の対象たりうるから附合するものではない、という理由で上告したが、上告は棄却された。

【37】「原審認定の事実によれば右各増築部分〔b′〕が既存建物に対し添附の関係にあることを認められないことはなく又右増築部分が取引上既存建物と別個の所有権の対象となり得べきものであるからといつて、ただそれだけの理由によつて既存建物所有者が附合による増築部分の所有権を取得するを防げるものではない。蓋し民法第二四二条但書は附合物が取引上独立性を有する場合においても、権原によつて附属せしめられた場合に限り、これを附属せしめた者に附合物に対する所有権を保留せしめる趣旨と解すべきであるからである。ところが上告人が前記(ロ)(ハ)〔b′〕の増築部分を権原により前記既存建物に附属せしめたことは原審において上告人の少しも主張するところでないから、右増築部分が増築当時既存建物の共有者である上告人及び前記訴外人等三名の共有に帰したものとする原判示は相当であつて、上告理由第二点中この点につき原判決には民法第二四二条の解釈を誤つた違法があるとの論旨は理由がない。又民法第二四二条は、不動産の附合物があるときは不動産の所有権は当然その附合物の上にも及ぶことを規定したものであり、この場合たとえ附合物が取引上当該不動産と別個の所有権の対象となり得べきものであつても、附合物に対する所有権が、当該不動産の所有権の外に独立して存する

ことを認める趣旨ではないと解すべきであるから、これと異る見解を前提とする上告理由第一点の論旨も亦採用の限りでない」（最判昭二八・一・二三民集七・一・七八、判タ二八・四七、金融法務二〇・二六）。

（四）二四二条但書をめぐる問題　権原によつて附合させられた物については（三）の例外として附属させた者の権利を妨げないのである（民二四二但書）。

(1)　権原　ここにいう「権原」とは、地上権・永小作権・賃借権などのように他人の不動産に自己の物を附属させて利用する権利をいう（通説、我妻・前掲二〇五頁、舟橋・前掲三六七頁、林・物権法一二八頁、末川・物権法三〇三頁など）。

(2)　対抗要件の必要性　もともと附属せしめた物は動産でもあり取引によつて所有権の変動を生じた場合でもないから、利用権について登記等の対抗要件を必要としないとする学説が有力に主張され（我妻・前掲二〇五頁、柚木・前掲四五九頁）、従として附合した物自体につき公示方法を施さなくてもよいということにもなろうが、その結果は、不動産所有者と不動産利用権者との間では問題を生ぜしめないことはたしかであつても、それ以外の第三者との間では問題がある。土地とは完全に別個の物とされていない地上附属物は地盤とは独立物としてしか、あるいは地盤との附合物としてしか扱われないのであれば問題ないが、土地所有権の一内容として取引される一面があるとともに、それ自体独立してでも取引されるのである。このように独立性の明瞭でない物については、動的安全のために、公示方法をして法律関係の整理、画一的処理に奉仕せしめて、とくに独立性を公示する方法がとられなければならないとし、権原につきまたは附属した物自体につき対抗要件を必要とすると解してよいのではなかろうか（稲立毛、立木とともに必要とされるのは末弘・物権法一八二頁、舟橋・前掲三六七頁、立木につき必要とされるのは明石「みずから植林した立木の所有権の対抗力その他」判例評論二五号一二頁、林・民商四三巻二号九一頁、倉田「未登記の地盤所有権者の植栽した立木と対抗要件の要否」ジュリスト二〇一号六〇頁）。また、権原あるときは法律上当然に附属物の所有権取得を認めその権原につきなんらの対抗要件なくして附属物の所有権取得の対抗力を有することになると、他人の土地上の山林、稲立毛などの買主の所有権を明認せしめる方法として対抗要件を必要とすることと矛盾しはしまいか（川島・判民昭和一七年度一一事件、林・物権法一二八頁）。

判例は、稲立毛について対抗要件を要しないとし、立木について正反対の結論に向いつつある。

（イ）稲立毛　土地の未登記譲受人が耕作してえた立稲の所有権につき対抗要件を要しないとする。Ａ所有地がＢに譲渡され、移転登記のないうちにＢからＸに売り渡され、ＡからＸへの中間省略登記がなされたが、その登記以前に、ＹはＢに対する債権の執行としてこの土地に産出した立稲ならびに束稲を差押えた。第一審Ｙ勝訴。第二審は、Ｙの執行のときには登記面はとにかく実質的にはＸが土地所有者であつたことを理由に「右収獲ハ挙ゲテ控訴人ニ帰スベキモノ」としてＸに勝訴を言渡した。そこで、Ｙは、その執行当時まだ移転登記をうけていなかつたＸはこの土地の所有権、したがつてその構成部分である未分離果実の所有権の取得をＹに対抗しえないでその土地から生じた果実はそこで耕作していたＢの所有に帰すべきものであると上告したが、Ｙの上告は棄却された。

【38】「其ノ立稲竝束稲ハ被上告人ガ其ノ所有権ニ基キ本件土地ヲ耕作シテ得タルモノニシテ、恰モ田地ノ所有者ヨリ適法ニ之ヲ賃借シタル者ガ賃貸借ノ登記ナキモ其ノ田地ヲ耕作シテ得タル立稲竝束稲ノ所有権ヲ以テ第三者ニ対抗シ得ルト同様、被上告人ガ本件土地ノ所有権移転登記ヲ受ケザルモ本件ノ立稲竝束稲ノ所有権ヲ以テ訴外小林かずゑ〔Ｂ〕ニ対スル債務名義ニ基キ該物件ノ差押ヲ為シタル上告人ニ対抗シ得ルモノナルコト言ヲ俟タザル所ナルガ故ニ、本件差押当時未ダ被上

告人ノ為本件土地ノ所有権移転登記ナキノ故ヲ以テ右ノ対抗力ヲ争フ所論ハ理由ナク、論旨ハ何レモ採用シ難シ」(大判昭一七・二・二四民集二一・一五一)。

本判決について、川島教授は、他人の土地の上の山林の買主の所有権を明認せしめる方法として賃借権または地上権を登記させようという従来の判例理論からは形式論理的には逆の結論が導かれるはずであるが、大審院は山林と稲の所有権において慣行的な権利意識の上に物の「独立性」につき差異があることにもとづくのであろうと評釈される(前掲判民一一事件)。

(ロ)　立木　　土地の未登記譲受人が植栽した立木の所有権につき対抗要件を要するとする。山林所有者Aは皆伐の上Yに譲渡し、Yは杉苗を植え立札をたてて公示していたが移転登記がなされない間に、本件山林はAからBに、BからXに譲渡され、さらにX′は本件山林の持分二分の一をXから買い受けてそれぞれ移転登記をなし、Yの施した立札は遅くともXがBから買い受けるときまでに消滅していて、AB、BX間の売買では立木がその目的から除外されていたと認められない事案において、Yが立木を伐採したので、XX′は本件立木の所有権確認ならびに損害賠償を求めて訴を提起した。第一審XX′勝訴。Yは、本件立木は終始Yの所有に属したのだからAがこれを他に譲渡しても所有権移転の効果を生ぜず対抗の問題を生じないとして控訴したが、第二審は、対抗要件の必要性をといて、「いま、控訴人の右見解を他の設例に移して考えてみると、甲から地盤だけの所有権の譲渡を受けた乙が、地盤とともに地上立木の所有権を丙に譲渡しても、乙は、もともと立木について所有権を有していなかつたのであるから、丙は、これを取得するはずがなく、したがつて甲と丙との間には立木の所有権について対抗問題を生ずる余地はないというのと同理に帰する。……土地所有権の移転にはとくに除外しない限り、当然にその一内容である地上立木の移転が包含される。もし立木だけについての独立の所有権が何らの公示方法を施さなくとも、何人にも対抗し得るものとすれば、土地の譲受人は一々立木の所有権の所在を確めなければならないことになるのであるが、公示方法が不必要なためこれを知ることができず、または知ることがいちじるしく困難になつて、土地の取引は至つて不安なものとなり、ときに土地譲受人に不測の損害を与えることになるからである。このような不都合を除去するために考え出されたのが、立木所有権の公示である。もともと立木は、土地所有権の一内容であるのだから、立木について独立の所有権を主張するものは、公示方法を施して自分の権利を確保するとともに、他人に不測の損害を与えることを防止しなければならない」（仙台高判昭三二・一・一二下級民集八・一・八）と判示して、Yの控訴を棄却した。そこで、Yは、本件立木はYの植栽にかかるものとして終始Yの所有権の客体であり地盤に附合したことがないのであるから、原判決設例の場合とは事情を異にすると主張し、前掲【38】の稲立毛に関する大審院判例をも援用して植栽立木の所有権は対抗要件なくして第三者に対抗しうるとして上告したが、上告は棄却された。

【39】「ただ本件立木は上告人が権原に基づいて植栽したものであるから、民法二四二条但書を類推すれば、この場合、右塩田〔B〕・小松〔X〕らの地盤所有権に対する関係では、本件立木の地盤への附合は遡つて否定せられ、立木は上告人の独立の所有権の客体となりえたわけである。しかしかかる立木所有権の地盤所有権からの分離は、立木が地盤に附合したま

ま移転する本来の物権変動の効果を立木について制限することになるのであるから、その物権的効果を第三者に対抗するためには、少くとも立木所有権を公示する対抗要件を必要とすると解せられるところ、原審確定の事実によれば、被上告人らの本件山林所有権の取得は地盤の上の立木をその売買の目的から除外してなされたものとは認められず、かつ被上告人らの山林取得当時には上告人の施した立木の明認方法は既に消滅してしまつていたというのであるから、上告人の本件立木所有権は結局被上告人らに対抗しえないものと言わなければならない。これを立木所有権を留保して地盤所有権のみを移転した場合にたとえ、右と同趣旨の理路をたどる原判決の説明は正当であつて、所論の違法はない。なお、所論引用の大審院判例の事案は、未登記の田地所有権に基づき耕作して得た立稲および束稲の所有権の差押債権者への対抗力に関するものであるが、稲は、植栽から収穫まで僅々数ケ月を出でず、その間耕作者の不断の管理を必要として占有の帰属するところが比較的明らかである点で、成育に数十年を予想し、占有状態も右の意味では通常明白でない山林の立木とは、おのずから事情を異にするものというべく、右判例も必ずしも植栽物の所有権を第三者に対抗するにつき公示方法を要しないとした趣旨ではない、と解されるから、本件の前記判示に牴触するものではない。所論は採用できない」（最判昭三五・三・一民集一四・三・三〇七）。

本判決につき、倉田卓次最高裁調査官は、「Xの権利（地盤・立木の所有権）は、分離を認める場合の権利関係（Yの立木所有権）とは両立しないものを含むのであるから、かかる場合のXは、やはり第三者と考えるべきであろう」とといて右判旨に賛成されるが（ジュリスト二〇一号六〇頁）、立木の存しなかつた土地と独立物として取引される慣行の承認されている立木とを権原にもとづく植栽により別個のものとして考察すれば、植栽者自身は立木を取引過程においてないのであるから対抗関係は生じないともいいうるのであつて、むしろ、対抗問題をどのように解し、公示方法にどのような意味をもたせるかの点からみるべきであろう。林教授は、本件のように対抗力なき所有権にもとづいて植栽して後対抗できない第三者が出現して地盤所有権が否定された場合と、固有の民法二四二条但書に関する場合とを明確に分析区別しながら同じように取り扱うことも可能であり、対抗問題と解すべきかどうかは結局対抗問題として取り扱うのが妥当な事例を探す価値判断の問題であつて、本来論理上当然の問題ではないから、前者の場合に第三者に対する関係では植栽者の前主が所有者として扱われ（その視点からは立木は植栽者が別人であつても前主の所有者の土地に包含さるべきであるという論理も充分に成り立つ）、第三者の出現で植栽者の土地所有権の遡及的否定のときに植栽者に立木所有権を認めはするけれどもそれは一種の物権変動とみることも論理的には可能であつて、これを対抗問題とすることに賛成されるのである（民商四三巻二号九一頁）。

しかし、地裁では、これと同旨のものもあるが（福島地判昭二七・八・三〇民集三・八・二八六「占有権の取得」〔16〕参照）、この最高裁の判決のなされる直前に、正反対の判決がなされている。Xは山林所有者Aから山林を買い受け、登記を了することなく生立していた立木を全部伐採し新たに植林して不完全な明認方法を施しておいたところ、本件山林はAの相続人A′からBに譲渡されて移転登記がなされ、ついでYがBから本件山林上の立木を買い受けて伐採をはじめた。そこで、Xは立木ならびに伐倒素材、山林土地の所有権の確認、および損害賠償を求めて訴を提起した。地裁は、Xの、山林土地の所有権は認めず、損害賠償についても一部容れられなかつたが、立木所有権については明認方法を必要としないでこれを認めた。

【40】「原告は右訴外人〔B〕に対し――従つて同訴外人から地上立木を受けた被告に対し――右両山林（土地）の所有権が自己にあることを主張し得ないことは、民法一七七条によつて明かであるが、その地上立木については、原告が右両山

林を含めた一一筆の山林買受後、買受当時生立していた地上立木を伐採してその跡へ植林し、かつ、明認方法を施しているのみならず、仮に明認方法に十分でない点があつたとしても、少くとも原告が植林する当時、右両山林が原告の所有でないと主張し得る第三者が存在しなかったことは前示認定の事実からみて明かであるから、右植林した立木は、原告が権原（所有権）に基いて両山林に附属せしめた物というべきであつて、民法二四二条但書により、原告はその後両山林を買受けた訴外畑林幸子——従つて同訴外人から右立木を買受けた被告——に対し、右立木が原告の所有であることを主張し得るものといわねばならない」（和歌山地新宮支判昭三四・八・二六民集一〇・八・一七七七）。

また、この半月後にも同じ地裁で同じ趣旨の判決が繰り返されている。それは仮処分異議申立事件においてであるが、XはABよりその共有にかかる山林および立木法による登記をしたその地上の立木（以下旧立木という）を譲り受け、その八割を伐採して杉檜苗木を植林し、旧立木の残りと新立木についで明認方法（記名）を施しておいたが、地盤ならびに立木法による立木について移転登記をしていなかつた。そこで約二五年経て、YはAから本件山林、新旧立木の共有持分を譲り受け山林につき持分の移転登記をした。Yが立木を伐採したので、Xは、Yが山林に立入り立木を伐採しまたは伐倒木を搬出することを禁止する旨の仮処分決定をえたが、Yは異議を申立てた。しかし、地裁は、Xの仮処分の必要性を認めるとともに、被保全権利の存在の判断においてXの有する本件山林および新旧立木所有権の第三者に対する対抗力の有無につき左のように判示し、Cがなんらの権限もなくAに無断でYに譲渡した事実がうかがわれるから、Yは山林および新旧立木についてなんらの権利をも有しないとときし、その結果、Yは本件山林および新旧立木につきXの所有権の公示方法の欠缺を主張しうる正当な利益を有する第三者でなく、XはYに対しこれらの所有権を主張しうるとして異議の申立を容れなかつた。

【41】　「債権者〔X〕は本件山林の所有権に基ずく使用収益権によつて新立木を植林したものであつて、右植林当時、債権者の有する本件山林所有権の対抗要件欠缺を主張し得る第三者が存在しなかつたことが明かな本件においては、債権者は民法第二四二条但書により新立木の所有権を取得したというべきである。……債権者は、本件山林及び旧立木についてはいずれも所有権移転登記を経由していないのであるから、正当な取引関係に基ずいて本件山林及び旧立木の所有権移転登記をした第三者が存するときは、この者に対して所有権を対抗し得ないことはいうまでもないところであつて旧立木について債権者が明認方法を施したからといつて対抗力が生ずるものではない。けだし、明認方法は立木登記がなされていない立木に対する所有権の公示方法としては有効であるけれども、一たび立木登記がなされた立木については、爾後の公示方法は登記による以外に許されないと解せられるからである。……債権者は、新立木の所有権を原始取得したことは前示の通りであるから、これについては第三者に対する公示方法の有無にかかわらず、その所有権を主張し得るものといわねばならない。まして本件においては、これについて明認方法を具備しているのであるからなおさらのことである」（和歌山地新宮支判昭三四・九・九判時二〇九・六五一六）。

これに対して、明石教授は、動的安全の理想たる公示の原則をどの程度まで要求するかによつて決せられる問題であるが、土地に附加され、建物ほど独立性の明瞭でない立木についてはその独立性を公示する方法がとられるべきであるとして、判旨に反対される（判例評論二五号一二頁）。しかし、稲立毛については立木と取り扱いを異にしてもよいと解される。たしかに、立木については、他人の土地の上の立木の買主の所有権を公示せしめる方法として「権原」つまり賃借権または地上権を登記せよとの従来の判例があり（大判明三九・一・二九民録一二・七六、同大五・二・二三民録二二・一六五）、また最近では、立木を留保して地盤のみの所有権を譲渡するにあたつては立木の登記または明認方法がなければ立木所有権の留保を土地の再譲受人に対抗しえない旨の最高裁判決（最判昭三四・八・七民集一三・一〇・一二二三、判時二〇五・六三四、石本・判例評論二四号一〇頁、石田・民商四二・巻二号五四頁。この控訴審判決（仙台高判昭三〇・三・一二下級民集六・三・四四九）は同事件を対抗問題でないとする）があり、他の分野たとえば即時取得の点でも、立木につき一時その適用を認めるかの観を呈したが後の判例は確定的にそれを否定し（鈴木「即時取得」総合判例研究叢書民法（6）六二頁以下参照）、現在殆んど反対学説をみないところであるに反し、稲立毛については、一種の動産として取り扱われることを理由に即時取得の適用を認め（大判昭三・八・八新聞二九〇七・九）学説も一部これに賛成している（末川・物権法二三三頁）。このことは、立木と稲立毛の性格の相異にもとづく取引上あるいは占有の公示能力性の差異に求められるであろうが、しかし、ともに動産とは異なるものとして明認方法という特別の公示方法が等しく認められている点からすれば、両者を別異に取り扱うことは物権関係の明確化に反し、むしろ、両者とも公示方法を施すことを要すると解すべきではなかろうか。

以上のように、立木に関し、下級審の判決は逆ではあるが、対抗要件を必要とする最高裁の【39】の趣旨は最近ふたたびつぎの事案に関する判決においてふれられている。それは、地盤所有権が第三者に移転した場合ではなく、地盤たる土地につき二重賃借人が存する場合についてである。Xは土地の賃借権およびその土地上の立木の所有権を賃借人Aから譲渡され、賃貸人Bの承諾をえていたが、その後Yはその土地をBから賃借し地上立木を伐採したので、Xは立木所有権ならびに売得金の帰属の確認を求めて訴を提起した。一審・二審ともX勝訴。そこで、Yは、原審判決ではXの賃借権を排他的に認めるのかYのそれをも認めるのか判明しないから、もし後者とすれば、係争地より先に立木を伐採した者がその所有権を取得するものというべきである、といって上告した。上告は棄却されたが、立木所有権の地盤たる土地の第二の賃借人に対する対抗につき、その賃借権の内容に関し特段の事情の存否にしたがい公示方法の要否を決すべきものとする。

【42】「被上告人は、本件係争地について適法に原判示のような賃借権を有し、その権原に基いて、その地上に本件立木を所有しているのであるから、民法二四二条但書に従い、右立木所有権は本件係争地の地盤所有者たる七ケ宿村〔B〕に対する関係では地盤に附合するものではない。しかしながら被上告人の右立木所有権の留保は、地盤に関して右七ケ宿村から二重に賃借権を取得した上告人に対して公示方法なくして対抗できるかどうかは別である。しかして被上告人は本件係争地の地盤に対する賃借権を上告人に対抗できる事由はなかつたこと、並びにその地上の本件立木についても地盤から分離してその所有権を第三者に対抗しうるための公示方法はなされていなかつたことが原判文上明らかなのであつて、かりに上告人の右地盤賃借権が、その賃借権発生前に生立した立木を処分伐採する権能をも包含する内容のものであるとの事情があれば、被上告人は右立木所有権を上告人に対抗しうるためには公示方法を必要とするものと解され、このように解することは、地盤所有権の取得につき未登記のままその地盤上に植栽した立木所有権を第三者に対抗するのには公示方法を必要とするとの当裁判所昭和三二年（オ）第三二五号、同三五年三月一日第三小法廷判決、集一四巻三号三〇七頁の趣旨に照応するものである。けれども原判決を仔細に検討してみると、原審は上告人が七ケ宿村から取得した賃借権は、本件係争地の地盤に関するが、地上生立の本件立木にかかわるものではなく上告人が本件立木を処分伐採する等の権限を包含するものとは解せられないという趣旨の事実を認定していることは看取するに難くなく、また上告人が原判示の通り、本件立木全部を伐採した事実は原審の適法に確定しているところであつて、上告人の地盤賃借権が、その賃借権発生前に生立していた立木を伐採する

権限まで包含しなかつたという事情があつたのであるから上告人の本件立木伐採は、その権限をこえた行為であり、被上告人はかかる上告人に対しては右立木につき公示方法なくしてその所有権を上告人に対抗できるものといわなければならない。従つて本件係争地上の本件立木所有権について被上告人は、公示方法を備えなくとも上告人に対抗できるとした原判決は結局肯認できる。論旨は採用できない」（最判昭三七・五・二九判時三〇三・一〇三七一）。

かくて、立木に関しては、対抗要件を必要とする最高裁の見解が確定的な判例理論としておし進められていくことであろうと思われる。

(3)　「権利ヲ妨ゲズ」の意味　権原ある者が所有権を保留すること、つまり附属者が動産の上に従来有していた所有権がそのまま存続することである（通説・判例、我妻・前掲二〇五頁、柚木・前掲四六一頁、舟橋・前掲三六七―三六八頁、末川・物権法三〇三頁、林・物権法一二八頁）。そうすると、物の一部について独立の所有権は認められないのであるから（ただし、舟橋・前掲三六七―三六八頁参照）、二四二条但書の適用範囲は自ら制限されることとなる。すなわち、「附属」せしめるといつても、動産が不動産と不可分の一体をなしその構成部分となるときは、附属物は独立の存在を失いその所有権を保留することはできないから附合が成立し、但書の適用なきものといわなければならない。そこで、通説・判例は、分離復旧の困難ないし社会経済上の損失の要件にかないながら不動産の構成部分とならない程度に動産が附着した場合に但書が適用されるとするのである。しかし、播かれた種子や植えつけられた稲苗が不動産の構成部分になるかどうかにつき、判例は権原の有無によつて判断を異にし、一部の学説はつねに否定的に解するに反し、通説が肯定的にみていることによつても明らかなように、「不動産の構成部分」の把握の仕方が一様でないのである。通説の立場にたつて、同体的構成部分と非同体的構成部分とに区別してみても明確になるわけではない。むしろ、但書はわが国固有の取引事情を考慮したものと解し、独立性の喪失を附合の要件とし、土地に対して建物ほどの確固たる独立性を有しないで不動産に附合するものとみられるが、他面それ自体が独立して取引の客体とされる「慣行」の存する場合にのみ但書の適用があるとみることが権利関係の明確化の意味ではもっとも妥当なのではなかろうか（川島・前掲民法I二一五頁参照）。またこのように解することは、決して、「権利ヲ妨ゲス」をば分離復旧権を有することと解せざるをえない（川島・判民昭和六年度一〇三事件）、ことにならないのである。判例は、建物の増改築部分につき、既設建物の構成部分とならない場合に但書の適用がありうることを示している。改築部分については、所有者Yがその家屋をAに譲渡し賃借人Xとの間の賃貸借契約を合意解除したが、Xはそれを明渡すことなく引き続きAと賃借条件の交渉をもち協議がととのわないのでついにAに明渡し、その後、Yに対し、Xが賃借中その家屋についてなした工事（本家・土蔵の庇および井戸の改造等）にもとづく有益費の償還（民六〇八II）を請求するため本訴におよんだ事案がある。争いの中心は、(i)Xの請求権は民法六二二条・六〇〇条により消滅しているとYが主張するのに対し、Xは本訴提起前賃借物返還後一年内に裁判外の請求をしたからXの請求権は消滅していないとのべている点と、(ii)かりにXのこの請求権が消滅したとしても、附合に関する民法二四二条・二四八条によりXは不当利得返還請求権を有するかという二点である。原審は、(i)点につきYの主張を認め、(ii)点に関してはXは民法二四二条但書により附加物上に所有権を有しYの不当利得なしと判示した。そこで、Xはこの二点を争つて上告し、原判決は破棄差戻となつた。

【43】「右請求権ハ賃借物返還後一年内ニ裁判上ノ請求ヲ為スコトヲ要スルト解スベキ根拠アルコトナク、民法第六百二十二条第六百条ノ規定ニ依リ裁判上タルト裁判外タルトヲ問ハズ一年内ニ請求スルトキハ其ノ一年ノ経過ニ因リテ消滅スルモノニ非ズト解スベキモノナルヲ以テ、原審ガ前示ノ如ク解シテ上告人ノ請求ヲ排斥シタルハ即法律ノ解釈ヲ誤リテ審理ヲ尽サザルノ違法アルモノト云フベシ。原審ハ更ニ本件建物ノ改造ハ被上告人ノ承諾ノ下ニ為サレタルモノナレバ上告人ハ其ノ改造部分ニ付所有権ヲ有スルモノナルコト民法第二百四十二条但書ノ規定ニ依リ明白ナレバ被上告人ノ不当利得ハ成立セザルモノトシテ其ノ不当利得ヲ理由トスル上告人ノ請求ヲ排斥シタルモノナルコト是亦判文上明白ナル所ナリ。然レドモ建物ノ賃借人ガ所有者タル賃貸人ノ承諾ノ下ニ其ノ建物ヲ改造シタリト云フ場合ニ於テモ、其ノ改造ハ必ズシモ一様ナラズ。所謂改造ノ部分ハ性質上右建物ト別個ノ所有権ノ客体ト為リ得ルモノナルコトアルベク又然ラザルモノナルコトアルベキモノニシテ、前者ノ場合ニハ即賃借人ノ所有トナルベク後者ノ場合ニハ即建物所有者ノ所有トナルベキモノナルヲ以テ、原審ガ上告人主張ノ改造ガ具体的ニ如何ナルモノナルカヲ審査スルコトナク直ニ前示ノ如ク判示シテ上告人ノ請求ヲ排斥シタルハ是亦審理不尽理由不備ノ違法アルモノト云フベシ」(大判昭八・二・八民集一二・六〇)。

また、増築部分について、同旨のものは最判昭和二八・一・二三【37】、東京高判昭和二九・一一・二〇【22】である。これに対し、既設建物の構成部分になるとして但書の適用を認められないとした事例としては前述（二）(1)【18】【20】【23】【24】参照。不動産の構成部分をなしている場合は、それぞれの法律関係に応じて、たんに附合させた物を収去する権利を有し、また附合によつて生じた増加価格の賠償の請求ないしは不当利得にもとづく償金請求をなすことができるのである(民二六九・二七九・五九八・六一六・六〇八・二四八参照。我妻＝有泉・前掲三六三頁)。播種、稲苗の植付の場合には、成熟して後にいたつて独立性を識別することができるにしても、独立性を有するにいたるまでは潜在的所有権が一時土地所有権の拡大によって覆われているのであるから、附合がみられ、その間はまったく同じであるといってよい（柚木・前掲四六一頁、舟橋・前掲三六八頁）。それが独立して取引されるように生長するにいたって、但書の適用があり、利用権者の所有権がその物の上に認められると解せられる（たとえば我妻・前掲二〇五―二〇六頁）。判例が成熟した稲立毛につき但書を適用し利用権者の所有に属するとすることはいうまでもない。小作料不支払のために仮差押をうけた稲立毛が競売の結果競落人の所有に帰し、競落人が刈り取る前に小作人がひそかにこれを刈り取り領得した行為が窃盗罪を構成するかどうかの事案において、左の理由にもとづき競落人は競落により完全に稲立毛の所有権を取得するから窃盗罪の成立を認めた。

【44】「権原ニ因テ他人ノ土地ニ生立セシメタルニ於テハ、稲立毛ノ所有権ハ土地ノ所有者ニ帰スルコトナク其ノ生立セシメタル者ニ属スルコト、民法第二百四十二条ノ規定ニ照シテ明白ナリ。即チ此場合ハ、稲立毛ハ土地ノ成分ナリト雖、土地ノ所有権ト其ノ稲立毛ノ所有権トハ各独立シテ存在シ別異ノ権利主体ニ属スルコトヲ得ルモノトス。是ヲ以テ例ヘバ永小作人又ハ賃借人ノ如キ借地権者ガ其権利ノ行使トシテ借地ニ栽培シタル稲立毛ハ、借地権者之ヲ所有シ、地主ノ所有ニ帰スルコトナキナリ」（大判昭二・六・一四刑集六・三〇四）。

この判決について、末弘博士は既述のごとく独立性を有する物は権原に関係なく附合しないという立場から権原の有無による区別に反対されるが、結論には賛成される（判民七〇事件）。なお、本判決と同旨のものに大判昭和一七・二・二四【38】がある。さらに、判例は、大体において、独立して取引されるほどに成熟していないときにおいても――播種、植えつけられた苗――かならず権原の有無を問題としている点からすれば、このような状態のときも利用権者には但書を適用しその所有権に属するものとみているとおもわれる（前述〔二〕(2)〔29〕〔30〕〔31〕参照）。これに対して、地上の耕作物は収獲期が近づいてはじめて権原にもとづく附属者は独立の所有権を取得しえ、それまでは権原に関係なく附合するとなし、かなり通説の立場に近いのは東京地判昭和三一・一〇・二九【32】である。桑樹の栽植、植林は苗木の植えつけ後ただちに取引の客体となりうるものであるから稲立毛の場合とまつたく同様に解せられる（前述〔二〕(3)〔33〕〔34〕(4)参照）。

二　動産の附合

（一）　動産の附合の要件　各別の所有者に属する数個の動産が、「毀損スルニ非ザレバ之ヲ分離スルコト能ハザルニ至リタル」か、「分離ノ為メ過分ノ費用ヲ要スル」ほどに接合するを要するとする通説・判例（我妻・前掲二〇六頁、舟橋・前掲三六九頁、林・物権法一二九頁）に対して、不動産の附合の場合と同様に、取引観念上の独立性の喪失をもつてその基準とする学説が主張されている（川島・前掲民法I二一五頁。柚木・前掲四六三頁もこれに近い）。しかし、通説の分離しがたいという事情は、物理的判断によつてではなく取引通念によつて決せられることというまでもないから、動産の附合に際しては結果的には具体的に大差ないといえよう。

船舶用発動機が船舶に据えつけられた場合、たんに据えつけられたというだけでは附合を生ぜず、結合状態がその要件にかなわなければならない。判例はあい異なる結論に達しているが、取引通念の把握に慎重さを欠いているといえる。XはYの注文で船舶用発動機一台を製作し、代金完済まで所有権を留保し代金は賃料名義で支払う約旨でYに売渡し、Y所有の船に据えつけて引渡したが、約旨通りに賃料を完済せずにこの発動機をY′に売渡し引渡をすませた。そこで、Xは右約旨により賃貸借を解除し発動機の所有権はXにありとし、YY′に対し所有権確認およびその引渡を請求した。第一審は、Yに対する請求は認めたが（理由は明確でなく民訴一四〇条によるか）、Y′に対する請求は認めなかつた。第二審は、発動機は船舶に据えつけられると同時に船舶の構成部分となつて独立の権利客体たる性質を失うからY′はこの発動機の所有権を譲受によつて取得することは不能であるし、Xもこれに対する所有権を留保しえないという理由でXに敗訴を言渡した。そこで、Xは、発動機は据えつけによつて船舶の構成部分とならないとし、その理由として「取外シ容易ニシテ物理的ニモ毀損スルコト無クシテ之ヲ分離スルコトヲ得ベク又経済的ニモ分離ノ為メ過分ノ費用ヲ要スルモノニ非ザル」こと、本件船舶は価格約二千円で発動機は四七五〇円であるから経済的には発動機に船舶が附合したとみるべきであること、をあげて上告し、原判決は破棄差戻となつた。

【45】　「船舶発動機ヲ船舶ニ据付ルコトニヨリ其ノ両者合シテ法律上一箇ノ所有権ノ客体ト成ルモノナルヤ否ヤハ、一ニ民法第二百四十三条以下ニ所謂附合ノ状態如何乃至分離ニ過分ノ費用ヲ要スベキヤ否ヤニ依リ之ヲ解決セザルベカラズ。而シテ数個ノ物ガ附合ニ因テ事実上一個ノ物トシテ使用セラルルニ至ルモ必ズシモ常ニ一個ノ所有権ノ客体ト成ルモノニ非ザルコトハ同法第二百四十二条但書ニ徴スルモ明白ナル所ニシテ、数個ノ動産ガ附合ニ因リ法律上一個ノ所有権ノ客体ト成ル為ニハ毀損スルニ非ザレバ之ヲ分離スルコト能ハザルニ至リタルコト又ハ分離ノ為メ過分ノ費用ヲ要スルモノナルコト、同法第二百四十三条ノ規定上疑ナキ所ナリ。然ルニ船舶用発動機ヲ船舶ニ据付ケタレバトテ、両者ハ必ズシモ毀損スルニ非ザレバ分離スルコト能ハズ又分離ノ為メ過分ノ費用ヲ要シ随テ一個ノ所有権ノ客体ト為リタルモノト云フヲ得ザル場合アリ得

ベキコト勿論ナルガ故ニ、本件発動機等ガ第三喜代丸ニ据付ケラレ附合シタルニ因リ果シテ毀損スルニ非ザレバ第三喜代丸ヨリ分離スルコト能ハズ又ハ分離ニ過分ノ費用ヲ要シ随テ後者ト合シテ一個ノ所有権ノ客体ト成リタルモノナルヤ否ヤハ、一ニ其ノ附合ノ状態乃至分離ニ過分ノ費用ヲ要スルヤ否ヤヲ具体的ニ詳細審理ノ上之ヲ決定セザルベカラザルノミナラズ、其ノ法律上一個ノ所有権ノ客体ニ成リタル場合ニ於テ合成物ノ所有権ハ主タル動産ノ所有者ニ属スベキモノナルコト亦右法規ニ照シテ明白ナル所、船舶用発動機ハ据付船舶ニ比シ著シク高価ニシテ寧ロ発動機ヲ主タルモノトシテ取引セラルル場合モナキニ非ザルベキヲ以テ、発動機ニ対シ船舶ハ必ズシモ常ニ主タル動産ナリトハ云フヲ得ズ。随テ本件発動機等ト第三喜代丸トノ合成物ハ必ズシモ上告人ノ所有ニ属セザルコトヲ即断シ得ルモノニ非ズ」（大判昭一八・五・二五民集二二・四一一）。

本判決の前半について、川島教授は、物理的および経済的基準をもつて動産の附合の標準とすることに反対し、取引通念による独立性の喪失にかかるとすべきで、他人の船舶に据えつけられたまま、発動機を別の者が所有したり売渡抵当にしたり譲渡したりすることは例がなく、もし発動機のみを据えつけられた船舶からはなして処分する場合には必ず船舶からとりはずされるということであるから、本件のような場合は取引通念からすれば附合を認めることとなろうとして判旨を疑問視される（もつとも附合を認めるとすると、XY間の契約関係は所有権留保契約としては効力を有せず、むしろ解除権留保売買と解されねばならない）（判民二六事件）。この判決が物理的基準に傾きすぎる点については林教授も非難される（物権法一二九頁）。他面、これとは反対に、発動機はその据えつけにより魚船の構成部分となるとする判決がある。しかし、そこでは附合の理由づけがとかれておらず簡単にすぎるきらいがある。

【46】「物ノ構成部分ハ其一部ニシテ独立ノ物トシテ存在スベカラザルコトハ言ヲ俟タズ。然レバ該構成部分ノ上ニ独立ノ所有権ヲ認ムルコトヲ得ザルヤ又明白ナリ。原判決ノ確定スル所ニ依レバ、係争ノ発動機ハ漁船七福丸ニ据付ケラレタル

モノナレバ、七福丸ノ構成部分ヲ為シ据付後ニ於テハ独立ノ存在ヲ有セザルヲ以テ所有権ノ目的ト為シ得ザルモノト謂フベク、仮令被上告人ガ之ヲ訴外岩佐数平等ニ売渡シタル際売買ノ当事者間ニ於テ其所有権ヲ売買代金ノ皆済ニ至ル迄売主タル被上告人ニ留保スル旨ノ特約アリ上告人ガ此ノ特約ノ存スル事実ヲ知リテ右七福丸ニ付売渡担保契約ヲ締結シタルガ如キ事情アリトスルモ、該発動機ガ七福丸ノ構成部分タル状態ガ存続スル限リ、ソノ上ニ独立ナル所有権ヲ認ムルヲ得ズ」（大判昭一二・七・二判決全集四・一七・三）。

また、つぎの判決もあまりに物理的基準にかたよりすぎているとおもえる。自転車の車輪とサドルをとりはずして他の自転車にとりつけたときに附合しないとするもので、刑事事件であるので、還付等の実際的処理にあたつてきわめて便宜ではあろうが、どれほどの価値があるのであろうか。被告人がA少年の窃取してきた中古婦人用自転車の車輪二個（タイヤー・チウブ付）およびサドルをとりはずし、別にAの持参した男子用自転車にとりつけてこれをBに売却する斡旋をしたので、賍物牙保罪で起訴された。弁護人は、民法二四六条二項により主要部分である男子用車体の所有者Aにおいて車輪とサドルの所有権を取得し、これと同時に附合物の賍物性は消滅し、被告人に賍物牙保罪は成立しないと主張したが、原審は、とりつけた車輪およびサドルはたやすく分離しうるから添付に該当しないとして有罪を宣した。そこで、原審は附合についての判断をしているのであつて加工による所有権移転について判断していないこと、他の材料、部品等の価格が原材料であるサドルの価格を超過すると同時に工作により生じた価格が著しく材料の価格をこえるとみられ、またAの提供する材料の価格に工作によつて生じた価格を加えたものがサドルの価格にこえるとみられるのでその所有権は加工者たるAに移転すること、を理由に上告したが、上告は棄却され附合も加工も否定された。

【47】「組替え取付けて男子用に変更したからといって両者〔男子用自転車の車体と婦人用自転車の車輪二個およびサドル〕は原形のまま容易に分離し得ること明らかであるから、これを以て両者が分離することができない状態において附合したともいえないし、またもとより所論のように婦人用自転車の車輪及び『サドル』を用いて小林貞夫〔A〕の男子用自転車の車体に工作を加えたものともいうことはできない。されば中古婦人用自転車の所有者たる窃盗の被害者は、依然としてその車輪及び『サドル』に対する所有権を失うべき理由はなく、従って、その賍物性を有するものであること明白であるから、原判決には所論の違法は認められない」(最判昭二四・一〇・二〇刑集三・一〇・一六六〇)。

しかし、附合物が特許品であっても、その使用権は別として動産の附合は認めうる。Xはメリヤス仕上業を営むため機械二台(ブラッシュ工用剪毛機一台、仏国製カッターシャーリングマシーン一台)を買い入れて工場をつくり、Xをその主任として雇い入れ経営していたが、Xはシャーリングマシーンの一部装置をとり除き自分が特許をえた装置を熔接附置して仕事に従事していたところ、Xが収支計算を明らかにしないで不正競業をなすにいたったので、Yは工場を閉鎖しXを解雇して後自らその機械を運転して業を営んでいた。そこで、Xは別に機械を用いて営業したが、Yに対して右機械の所有権少くとも特許装置の所有権ありと主張してその引渡を求め、かつ特許装置の使用による特許権の侵害およびYの競争による損害の賠償を求めた。原審は、Xに機械の所有権を認めないで特許装置は附合によりYの所有に帰したとなし、また特許権の侵害については損害の証明なく加工賃値下による競争は正当だとしてXに敗訴を言渡した。Xは上告したが棄却された。

【48】「原審ハ……係争ノ特許装置ハ特許権利者タル上告人ニ於テ被上告人所有ノシヤーリングマシーンニ附合セシメタルニ因リ被上告人之ガ所有権ヲ取得シタリトノ事実ヲ確定シタルモノニシテ、斯カル事実関係ノ下ニアリテハ被上告人ガ右特許装置ノ附置セラレタルシヤーリングマシーンヲ使用スルハ其ノ権利ノ行使ニ外ナラズシテ其ノ特許権ニ対スル関係ニ於テモ法律上許容セラルベキコト勿論ナレバ、被上告人ニシテ該機械ヲ使用スルモノナル限リ、仮ニ上告人ガ他ニ其ノ特許装置ヲ施シ之ヲ利用シテ為ス営業ニ対シ損害ヲ及ボスコトアルモ、上告人ハ之ガ賠償ヲ被告人ニ対シ請求シ得ベキ筋合ニアラズ」（大判昭一三・九・一　民集一七・一六九七）。

この判決に対して、有泉教授は、特許品の使用権は別問題として附合を生ずることは正当としなければならないが、本件では、特許装置は特許権者Xにより製作されXの意思にもとづいてYの機械に附合しYがその所有権を取得したのだから、Yの使用権は肯定しうるであろうとされる（判民一〇八事件）。

（二）　動産の附合の効果　　附合した動産につき主従を区別することができるときは、主たる動産の所有者が合成物の所有権を取得し、主従の区別をなしえないときは、各動産の所有者は附合の当時における価格の割合に応じて合成物を共有する（民二四三・二四四）。この主従の区別はなにを標準として定まるべきかということが問題である。船舶と据えつけられた発動機の附合について、大判昭和一八・五・二五【45】はその判旨の後半において、発動機が船舶に比し著しく高価で発動機が主たる動産である場合もあるとし、その標準を価格の点に求めているが、むしろ取引通念によつて定むべきであり（林・物権法一二九頁）、これによるとつねに船舶が主たる動産であるといえよう（川島・判民昭和一八年度二六事件、柚木・前掲四六四頁）。かく解することは一見不権衡のようにおもえるが、不動産の附合において、附合する動産はその価格がいかに不動産価格より高価であつても不動産所有権に帰属することと同様である。

三　混　和

各別の所有権に属する物が混合（固形物の場合）または融和（流動物の場合）して識別することができなくなつたときは、動産の附合と同様の効果が生ずる（民二四五）。貨幣の所有権は占有そのものに伴うものであるが、特定の容器にいれられた場合には通常の動産と同じく混和の適用あることはいうまでもない。賭博のため互に同額ずつ出金して一個の容器にいれ、一方が相手方の用便中に無断でぬきとつた場合について、つぎのように判示する。

【49】「被告人等ガ互ニ出金セシ各十円札二枚宛合計四十円ハ前示容器中ニ蔵シタル時ニ混和シ且原物ハ主従ノ区別ナカリシニヨリ被上告人ハ黒川ト共ニ出金ノ割合ニ応ジ該十円札四枚ヲ共有スルニ立至リ、事実上共同保管ト為リタルモノナルガ故ニ、右共同保管ノ合意ハ法律上無効ナリトスルモ、事実上共同保管ニ係ル該四十円ヨリ窃ニ十円札三枚ヲ抜キ取リタル被告人ノ本件所為ハ正ニ窃盗罪ノ成立ヲ見ルベキコト一点容疑ノ余地ナカルベク、記録ヲ査スルモ原審ノ右事実認定ニ重大ナル誤認アリト疑フニ足ルベキ顕著ナル事由アルモノト認ムルヲ得ズ」（大判昭一三・八・三 刑集一七・六二四）。

しかし、判例はこのような場合以外にも金銭につき混和の適用を認めている。とくに刑事事件において実際的処理上便宜にかなうからであろうか。詐取された数人の被害者の金銭の一部が詐取した者一人の手中にある場合につき、被害者はその金額の割合に応じて賍金を共有するものとする。

【50】「被告ハ佐藤金太郎ヨリ金三千四百円ヲ騙取シ橋本喜助ヨリ金二千五百円ヲ騙取シ佐藤豊吉ヨリ金千九百九十円ヲ騙取シタル事実ニシテ、押収ノ金千五百円ハ被告ノ手ニ存スル賍物トシテ差押ヘラレタルモノナルコトハ領置金員目録ニ徴

シテ明カナルヲ以テ、右ノ千五百円ハ被告ガ三名ヨリ騙取シタル賍金七千八百九十円ノ一部ニシテ、被害者ハ民法第二百四十五条ノ規定ニ従ヒ騙取金額ノ割合ヲ以テ之ヲ共有スルモノナレバ、原院ガ刑法第四十八条ヲ適用シ右三名ニ還付スト言渡シタルハ相当ナリ」（大判明三六・一二・二〇刑録九・二二三二）。

四　加工

一　加工の要件

加工とは他人の動産に工作を加えて新たな物とすることをいう（通説・判例、我妻・前掲二〇七頁、柚木・前掲四六五頁、川島・前掲民法Ⅰ一二七頁、林・物権法一一九頁、末弘・物権法四〇二頁）。したがつて、

（一）　加工の規定は成立した物がその材料と同一性を有しないので所有権の所在を明確化しようとするものであつて、動産を材料として成立した物は新しい物でなければならない。なにが新しい物であるかは取引通念によつて決せられる。したがつて、判例によれば、つぎの場合は加工とならないとする。

(1)　貴金属の原形を変えて金塊とすること　強窃盗の犯人が賍物である貴金属類の原形を変更して金塊となし、これを買い受けた被告人が賍物故買罪にとわれた事件につき、つぎのように判示する。

【51】　「刑法ニ於テ賍物罪ヲ規定シ之ニ制裁ヲ科スル所以ハ賍物ノ移転ヲ防止シ以テ被害者ノ返還請求権ヲ保護セントスルニアルヲ以テ、工作ヲ加ヘタル結果民法第二百四十六条ノ規定ニヨリ加工者ガ所有権ヲ取得シタルトキハ賍物罪ノ成立ヲ認ムルコトヲ得ザルモ、単ニ物ノ原形ヲ変更シタルノミニシテ工作ヲ加ヘタルニ非ザルトキハ被害者ハ之レガ為メニ所有権

ヲ失フコトナク従テ其物ノ返還請求ヲ為スコトヲ得ルヲ以テ、此場合ニ於テハ該罪ノ成立ヲ認ムルニ礙ナシ」（大判大四・六・二刑録二一・七二一）。

(2) 他人の動産に大修繕を加えること

【52】「民法第二百四十六条ニ所謂加工ハ他人ノ動産ニ工作ヲ加ヘ之ヲ新ナル物件ト為ス事実ナレバ、単ニ自己ガ他人ノ動産ニ付キ材料ヲ供シ之ニ大修繕ヲ加ヘタルニ過ギザル事実ヲ目シテ加工ナリト云フヲ得ザルコト言ヲ俟タズ」（大判大八・一一・二六民録二五・二一一四）。

(3) 他人の木材を製材・搬出すること　盗伐した木材を製材搬出したものであることを知りながら買い受け贓物故買罪にとわれた事件につき、つぎのように判示する。

【53】「民法第二百四十六条ニ所謂加工トハ他人ノ動産ニ工作ヲ加ヘ因テ新ナル物件ヲ製作スルノ謂ナリトス。所論盗伐シタル木材ニ付更ニ製材搬出等ノ作業ヲ施スガ如キハ是レ木材ノ形状若ハ其ノ所在地ヲ変更スルニ過ギズシテ新ナル物件ヲ製作シタルモノト謂フヲ得ザルガ故ニ、縦令之ニ依リ該木材ノ価格ガ製材以前ニ比シ著シク増加シタリトスルモ、之ガ為作業者ニ於テ其ノ物ノ所有権ヲ取得スベキ謂レアルコトナシ。従テ該木材ハ依然盗贓物タル性質ヲ帯有スルモノナルヲ以テ、原審ガ其ノ情ヲ知リテ之ヲ買受ケタル被告ノ所為ニ対シ刑法第二百五十六条第二項ヲ適用処断シタルハ正当ナリ」（大判大一三・一・三〇刑集三・三八）。

(4) 自転車の車輪とサドルをとりはずし、これを他の自転車にとりつけること　前掲最判昭和二四・一〇・二〇【47】参照。

このような通説・判例に対して、新たな物が作られることは加工の要件ではないとし、民法二四六条一項本文の規定は、工作により生じた価格の増加が同項但書の程度に達しないときはなお従来の所有者に所有権を保有させる趣旨であるとし、その結果、前掲判決【52】【53】に反対される学説がある(舟橋・前掲三七〇―三七一頁)。これは、加工は工作により物と人間労働が合体することであるという点から労力を中心に考察され、加工の場合は物の価格増加に役立つ有用労働にかぎられるが、物の価格増加に役立たない労働を加えることにより合体が生じても附合ないし混和を生ずるにとどまるとされる。しかし、このような意味での附合・混和もなんらかの意味で物の価格の増加を伴うものであり、これらと二四六条一項但書の程度にいたらない価格の増加(加工)との領域の確定はきわめて曖昧となり、また、附合の場合には主たる物の所有権が従たる物の上に拡張するのに対し加工の場合には材料の所有権は死に新物の上に新所有権が生まれるとする近代法学説(Windscheid, Lehrbuch des Pandektenrechts. I. 9. Aufl. S. 980)からはずれることとなる。労力の評価は新物創造の前提のもとに加工主義の立場からなされるべきものであって、材料変形物の場合には従来の所有権がそのまま存続するもので、あえてその所有権の確認を二四六条一項本文により規定する必要はないといえよう。もし材料変形物の上にも新所有権が生まれるとするものであれば、加工により同条同項但書の程度に価格の増加がみられない場合に新物創造でないのに従来の所有権を否定することは、たとえそれにいたる他人の労力をきわめて高く評価するにしても、「物」概念からみて加えられる労力はいわゆる「物」とみられないのであるから、民法解釈学上不調和をもたらすことにならないであろうか。しかし、いずれにせよ、従来の通説・判例に大きな波紋をなげかけたものといえよう。なお、材料は動産の場合にかぎられることについては後述**三**参照。

（二）　しかし、他人の動産である材料が贓物であることは加工の成立を妨げない。賄賂として収受した反物を着物の表とした場合にも加工は生ずる。

【54】「賄賂トシテ収受シタル反物ヲ以テ着物ノ表トナシタル場合ノ如キハ、加工ニ依リ該反物ガ他ノ物ト合体シ一ノ新シキ衣類ニ変更シタルモノナレバ、現物ヲ没収スルコト能ハザルハ勿論ニシテ該反物ヲ費消シタルモノト認ムベキモノトス」（大判大六・六・二八刑録二三・七三七）。

（三）　加工者の善意・悪意はとわない（林・物権法一三〇頁、末弘・物権法四〇三頁、材料主義から加工主義への漸進的な態度の一つのあらわれとしてその占める意義につき、栗生・入会の歴史其他一一八—一一九、一二五—一二八頁参照）。

二　加工の効果

（一）　製作物の所有権は原則として材料の所有者に帰属するが、例外として、(a)　工作により生じた価格が著しく材料の価格をこえるとき、および、(b)　加工者が自分の材料をも提供しその材料の価格に工作により生じた価格を加えた額が他人の材料の価格にこえるときには、製作物の所有権は加工者に帰属する（民二四六）。

（二）　加工による製作物の所有権の帰属に関する規定は任意規定であり、当事者間で特約のあることが多いし、今日の製造工場では被用者は使用者の機関となり使用者が加工者となると解すべきことについては、前述添附一序説三（一）参照。

三　不動産の場合に類推適用しうるか

加工の規定の適用があるのは動産を材料とする場合にかぎられるのであるが、不動産についても同様の原理を認めうるであろうか。末弘博士は、水電会社が無断で他人の所有に属する土地の地下を掘さくし発電用水路をつくつた場合に、工事がすでに完成したのちには土地所有者はもはやその土地所有権にもとづいて妨害排除、つまり復旧の請求をなしえず、ただ損害賠償の請求をなしうるにすぎないという趣旨の大判昭和一一・七・一〇（民集一五・一四八一）を例にあげて、この判決の結果、地上権設定なり賃貸借なりが締結されればよいが、土地所有者がその締結を拒否すれば、この判決が契約締結の義務を課するものなのか、それとも法律上当然に使用権があることになるのかが問題であるから、このような場合には、加工原理をもちいて、「著シク材料ノ価格ニ超エル」有価物が成立したとし水路存置に必要な土地の部分を水電会社の所有に帰せしめるのが、もつともよいとされる（末弘「不動産の加工と地下の所有権」民法雑記帳上二六八頁以下、同旨、舟橋・前掲三七〇―三七一頁）。しかし、これを是認すれば、つねに建物とは別個独立の不動産である土地の所有権が創造物所有権の一部として吸収されることになるのであつて、このような土地を材料とする工作物が新物創造という加工の要件をみたすかどうかはきわめて疑問におもわれ、また、政策的にも、土地所有者は大資本による既成事実の作成の脅威にさらされる点において好ましくないといえよう。また、他人の建物に造作しても附合をもつて論ずべき事柄である。最近、地裁で、加工の規定を類推適用して、他人所有の鉄骨に造作改造を加えて建物を形成した場合に建物所有権は鉄骨所有者に帰属するとしたものがある。舟橋教授はこの鉄骨を不動産とみ、前述一（一）にのべたような附合と加工との区別の仕方のもとに、加工の規定が不動産を材料とする場合に類推されたものとして賛成されているが、この判例では、鉄骨を動産とみているようにおもわれ、本来ならば他人の意思によらないで他人の動産を材料として建物をつくりあげた場合には当然加工の規定の適用があるのに(たとえば戒能・債権各論三〇七頁、石田・債権各論一六三頁など)、創造物が不動産である点で逡巡し「類推適用」という表現がなされたのではないかと考えられる。以下、参考までにこの事案を掲げることとしよう。A所有地の賃借人Bがその地上に鉄骨コンクリート建の建物を建築しようとして鉄骨を組みたてていたが、Xはこれをとりはずして自己の営業所兼住宅を建てる目的で、右鉄骨を有姿のままBから買い受けた。ところが、Xがとりのぞく前に、YがAよりこの土地を買い受けてAB間の賃貸借契約は合意解除されるにいたり、その直後Xは鉄骨収去のためにおもむいたがYはこれを許さずに鉄骨を利用して屋根を葺きその外側に板をはって倉庫用建物をつくり、Xの屋根・側板の撤去要求に応じないで現在利用している。そこで、Xは、その所有である鉄骨にYが屋根および板囲を加工したもので附合により毀損するに非ざればこれを分離することができなくなつたのだから、その合成物の所有権は民法二四三条により主たる動産の所有者であるXに帰属するにいたつたものであると主張し、所有権にもとづきYに対し本件建物の明渡を求めた。Yは、本件建物は不動産になつたものではないが、かりにそれを認めても、Yは鉄骨に加工造作を加えたので民法二四六条により本件鉄骨の所有権を取得し、少くとも同法二四四条により共有権を取得すると主張した。Xの請求を容れて左のように判示する。

【55】「各鑑定の結果を綜合するときは、本件物件が不動産となつたと見られる昭和二十五年十二月頃の原告所有の鉄骨

と被告の造作改造を加えた部分との本件不動産（建物）構成分子としての価格を比較するに鉄骨の部分は十八万五千五百円なるに対し、その他の部分は十三万六千七百八十五円（被告主張価格）以下なることが判明する。他に右認定を覆す資料はない。このような場合、合成物たる建物の所有権を何人が取得するかについて、民法に直接の規定はないが、動産の加工に関する同法第二四六条を類推適用するのが最も合理的だと考えられる。然るときは原告が本件不動産の価格の過半の出資者として本件不動産自体の所有権を取得することになる」（大阪地判昭二八・一二・一八民集四・一二・一八九七、ジュリスト五五・六二）。

占有権の取得

田中整爾

はしがき

わが民法は占有に関する規定について主観説を建前としている。しかし、この建前を尊重しながら、解釈上、占有意思を客観的に解しようとするのが通説である。ところが、占有意思をきわめてゆるやかに解すると所持と対立的な要素としての本来の意味を失うにもかかわらず、なお主観説の建前を堅持しようとし、また、占有意思は権原により純粋客観的に一義的に決定されるとしながら、一八五条前段における「意思の表示」を厳格に解する結果、いかに客観的態様が変更しようとも、「意思の表示」のない場合には、「新権原」によらないかぎり、占有継続中における占有の性質の変更を認めないこととなり、占有の本質である事実性を無視することとなる。最近、最高裁判所は相続人の占有について一八七条一項の適用を認める旨の判決をなすにいたつた(【94】)。このことは学説がとくに強調していた点でついに学説の傾向にしたがつたものといえるが、相続人独自の占有について所有の意思の存在は権原により決せられ、相続人の占有取得原因は相続であり、相続は新権原でないから、一八五条の関係よりすれば、所有の意思の点については相続人独自の占有について判断できないこととなる。相続人独自の占有の場合は一八五条の適用外だというようにもつていけば、占有意思は権原によつて一義的に決定されるとすることと矛盾するであろう。私は、わが民法の占有規定を客観説によつて解釈すべきであると考え(民商三八巻四号五三七頁以下)、一八五条前段をきわめて客観的に解し、所持の客観的な態様の変更が認識されると占有の転換が可能であるとし(二占有の意義と態様二(一)(2)(ハ)参照)、このことによつて、相続人独自の占有の態様により異なつた性質の占有が生ずるものとする。占有の本質にかなつたものとおもう。なお、「占有訴権」という別項目があるので、不法占有・不法占拠についてはここで取り扱つていない。読者諸賢の御教示を賜わらんことを切望する次第である。

一　序説

近代物権法の構造のもとでは、私的所有権を中核とする多種の他物権は、その観念性の点において、質的に占有権と峻別せられている。観念的な物権の制度が法律上の正当な根拠にもとづき観念的物支配を保護するものであるに対し、占有制度は法律上の正当な根拠とは無関係に現実的物支配を保護するものである。占有制度は現実的な物支配状態を占有とし、これにその法律効果としての占有権を認めることにより現実的物支配そのものを保護するのであるから、占有制度の内容は占有権に与えられる法律効果であり、しかも、占有権は法律上の根拠とはまったく遮断され、その内容は現実的物支配そのものであるから、本権に関係するような占有権の効果を占有権本来の効果とすることはできず、現実的物支配の保護につとめる占有訴権のみがその本来的効果であり、占有制度の本質的な内容もこれまた占有訴権につきるとしなければならないであろう（川島・所有権法の理論一六八頁、林・物権法一四六・一六五頁、資本主義民法研究会・民法講義物権八三・一二〇頁）。しかし、その他にも、占有訴権を成り立たしめる本来的な占有権に関係はないが、本権関係における効力が占有という事実に多く結びつけられている（たとえば、取得時効、無主物先占、善意占有者の果実取得権、家畜外の動物の取得など）。したがって、観念的物支配秩序に対立する事実的物支配秩序に即してなりたつ占有の側面と、観念的物支配秩序に対立するものではなく、むしろこれに関連づけられたないし権利の現象形態としての占有の側面とがあるのである（詳細は田中「所有権と占有関係」〈阪大法学部創立十周念記念論集〉法と政治の諸問題三一七頁以下参照）。しかしながら、判例において、また多くの学説において、明確に区別しないで後者の側面をも占有権に関するものとして把握されている。そこで、「占有権の取得」という本項目は、本権に関係づけられない本来的な効果および本権に関係づけられた効果の附せられる基礎的な占有の取得一般を意味する。もつとも「占有訴権」については別項目があるから、これに直接関係する不法占有・不法占拠についてはここで考察の対象としないことをおことわりしておく。

二　占有の意義と態様

一　占有の意義

ドイツ普通法学者の間でローマ法のポセッシオ（possessio）に関して論争があり、その学説上の論議に影響されて立法例を異にすることは、周知のとおりである。占有は体素としての所持と心素としての意思からなるとする主観説——これはさらに、占有意思の内容によつて、所有者意思説、支配者意思説、自己のためにする意思説にわかれる——、体素は心素の外的表現であつて体素とならんで心素をとくに必要とせず意思は所持意思でたりこれは所持そのものに包含されるとする客観説、さらには、この種の所持意思さえ必要でないとする純客観説に大別されるが、このような推移は、普通法時代に占有制度の目的をめぐつて論ぜられたことでもわかるように、占有訴権を中心としたものであり、直接、占有訴権による保護領域の拡大につとめられた所産であつて、その結果、占有制度の近代法的特性——本権と占有権との峻別対立、占有訴権による保護領域の拡大——がもたらされたのである。したがつて、占有とはなんであるかということは各時代、各国によつて異なつたのであつて、要は、特定の社会秩序内において、どのような外部的状態を事実的支配と判断して占有と認めることが是認されるかということに帰着し、社会の進展・複雑化が直接に反映することとなり、その観念化を惹起するにいたるのである。わが現行民法では、所有者意思説によつたドイツ民法第一草案より一歩前進しはしたが、その建前としてはなお客観説にまでいたるにおよばず、主観説の範囲を脱しないで自己のためにする意思説にしたがつている。わが民法において、占有とは、「自己ノ為メニスル意思」をもつて物を「所持」することをいう(民一八〇)。しかし、以下にのべるように解釈学上きわめて客観的にみられており、さらにいつそう進んで客観説によつて解釈することも可能であり、またそう解さなければ困る場合がでてくるようにおもわれる(後述二占有の態様(一)(2)(ハ)参照)。

(一) 所　持

(1) 所持の意義

(イ) 物を「所持」するとは、物を自分の支配内におくことである。物理的に物をもつていることにかぎられるものではなく、社会秩序にもとづいてその人の支配下にあると認められること、つまり、客観的に社会観念によつて決定されるわけで、観念的な所持まで含むにいたつている。敷地いつぱいに他人が建物を建築中、その土地が自分の占有物であるとしてその建物の前後に板塀をつくつたが、建築主はその一部を取り除いて建築を続行した事案において、占有回収の訴の提起が建築着手のときより一年経過しており、侵奪行為があつたと主張する時点（板塀取り除き当時）にはすでに本件建物が存在しているからその当時には主張する占有は存しないとして、大審院は左のように判示し、その請求を棄却した。

【1】「原審ハ、民法上占有権ヲ取得スル為ニハ自己ノ為メニスル意思ヲ以テ物ヲ所持スルコトヲ必要トシ、コノ所持ハ社会観念上ソノ物ガソノ人ノ事実的支配ニ属スルモノト認メラレ得ル客観的関係ニアルコトヲ指称スルモノナル所、前記ノ板田ヲ為シタルコトニ因リテハ未ダ以テ直ニ青木新五郎〔被上告人〕ガ本件家屋及土地ニ対シ占有ヲ失ヒ上告人ガソノ土地ヲ継続的ニ自己ノ事実的支配ノ下ニ収ムルニ至リタルモノトハ認メ難ク、従ツテ上告人ハ右土地ニ対スル占有権ヲ有セザルモノト解セザルベカラズト判定シタルモノニシテ、其ノ判断ハ洵ニ正当ナリ。苟モ前記ノ自己ノ為メニスル意思ヲ以テスル所持ヲ為サザル限リ、単ニ占有回収ノ訴ヲ提起シタル事実ノミニ由リテ所論ノ如ク占有権ガ消滅セザルモノト做シ又ハ共同占有ノ状態ニ在ルモノト謂フヲ得ズ」（大判昭一五・一〇・二四新聞四六三七・一〇）。

原判決（東京地判昭一四・一二・二〇評論二九・民九五）は「物ヲ所持スルト・イフガタメニハ、ソノ物ガ社会観念上ソノ人ノ事実的支配ニ属スルモノト認メラレ得ル客観的関係ニアルコト、換言スレバ物ガ社会秩序ノ力ニヨッテソノ人ノ継続的ナ支配ノ中ニアルト認メラレル場合デナケレバナラヌノデアル」と判示し、右大審院判決はこれをうけて「土地ヲ継続的ニ自己ノ事実的支配ノ下ニ収ムル」と表現している点からみても、物についてある人が事実上の支配をしていると認められる客観的関係は、継続的確定的な支配について認められると解せられる。所持は継続的確定的な支配であることが通常であろうし、また、所持は支配関係であるから支配関係というにたる事実的な状態、つまり通常には他人の干渉を排斥しうる状態にあることが必要であろう（我妻・物権法三一四頁、柚木・判例物権法総論二八四頁。後掲〔2〕〔16〕）。人と物との間に密接な場所的関係があることを通常とするであろうが、かならずしもこれを必要としない（旅行中の者は留守宅の家財道具につき所持を有するといえる）。もっとも、これらを所持の独立不可欠な要素となしうるかについては問題がある（たとえば、林・前掲一五〇頁）。ただ、これらが所持認定のための主要なメルクマールであることはたしかである。

（ロ）判例にあらわれた事実的支配の具体的な態様を客体に応じて整理してみよう。

(A) 建物・室

(a) 家屋に施錠して鍵を所持したり、標札・貼紙等によって、自己の事実的支配中である事実が第三者にわかるようにしておかなくても、家屋の出入口の監視により出入を制止しうる状態にあるとき、所持があるといえる。Xはその所有家屋である隣家につき居住者Aから明渡をうけ、玄関を釘づけし、裏口はX方から出入できるのでそのままにし、偶々風通しをよくするためにガラス戸をあけ放していたところ、Yが湯殿より侵入し、Xの妻女の制止をきかないでその家屋に居住しているので、Yに対し家屋の明渡と損害金の支払とを請求した。Yは、本件家屋はBが婦人子供服仕立販売業に従事する仕立職人の宿舎にあてるため賃借し、その職人の一人であるAが居住していたもので、A立退後BよりYが引渡をうけ、Bの留守居として居住し、YはBの占有補助者にすぎないと主張したが、第一審X勝訴。第二審も、A居住当時Bが賃借人として間接占有を有したかいなかは別問題として、

Aが直接占有者であつて、その引渡によりXの占有に属し、かつYはBの従属関係にたたないから占有補助者といえず、YはXの占有権を侵奪したものと判示し、Yの控訴を棄却した。そこで、Yは、(i)(α)玄関のみ釘づけし裏口はX方から出入できるのでそのままにした程度では占有権取得に要する所持といえず、施錠して鍵を所持するとか明白な標札貼紙等をもつて第三者にもしりうる程度であるを要するし、(β)かりにXがAの明渡によつて所持するにいたつても、それは賃貸人として賃借人Bのため一時管理したと解すべきで、「自己ノ為メニスル意思」を欠き、(ii)賃貸借関係で占有侵奪の有無は賃借人の占有についてみなければならぬから、X・B間の賃貸借契約終了を認定していない本件では、直接占有を回復したBがYを留守居として家屋を使用せしめることは侵奪とならぬし、原判決がAからXに占有移転し、これによりA・B間の代理占有関係におけるBの占有継続の事実を否定したのは違法である、として上告したが、(ii)の点については、X—B—Aの関係は本件が占有訴訟であるから本権の判断を必要とせず、原審の判断で充分であるとなし、(i)の点について左のように判示し、上告は棄却された。

【2】「……論旨は、月村〔X〕は右家屋に錠をかけてその鍵を所持するとか標札や貼紙などで月村が現に占有することが第三者にもわかるようにしておくとか、いうような方法を講じなかつた、と指摘する。しかし、さような手段を執らなかつたからとて、必ずしも所持なしとは言えない。

……論旨は原判決が認定したところによると、右家屋の裏口には外部からの侵入を防ぐに足る何らの措置も講じてなかつたというのだから、たとい月村方が隣家であつても、所持があつたとは言い得ない、と主張する。しかし月村方が隣家であるため、問題の家屋の裏口を常に監視して容易に侵入を制止し得る状況であり、現に山田ら〔Y〕の侵入に際し月村の妻女が制止した事実を原判決が認めたような次第であつて、月村は本件家屋の所持があつたと言い得る。

……論旨は、かりに月村が頴川〔A〕の明渡によつて本件家屋を所持するに至つたとしても、それは賃貸人として賃借人たる西堀〔B〕のため一時的管理をした――すなわち西堀のためにする意思を以て所持した――と解すべきで、従つて『自己ノ為メニスル意思』なく、占有権の要素たる『心素』を欠く、と主張する。しかし、月村と西堀との間に賃貸借があつたかどうかは、……原判決の認定しないところであるが、かりに所論の様な賃貸借が有つたとしても、それゆえに月村に『自己ノ為メニスル意思』がないとは言えない」（最判昭二七・二・一九民集六・二・九五、ジュリスト九・四三、判タ一九・六二）。

この判決により、具体性をもたない所持の定義に、「常に監視して容易に侵入を制止し得る状況」という具体的内容が与えられたのであつて、これは他人の干渉を排斥しうる状態の具体化とみられ、標札・貼紙などによる公示的方法と所持を概念的に区別した点で、家屋の所持につき一つの先例的意義を有するといえよう。ただ、このような状況は所持開始の事実と合して判断の対象とされているのであるから、AのXに対する明渡の言明という所持開始の事実を欠いたなら果してXの所持が認められたであろうか、またXが所有者であるという事実も考慮された上で占有が認められたのではないかという疑問が生ずる（来栖＝清水・法協七二巻三号三〇三頁）。しかし、このような事情がない場合には、「容易に侵入を制止し得る状況」の判断そのものが覆えされるであろうから、かような判断が客観的になされる場合には所持ありと解すべきであろう。ただ、当面の問題ではないが、X―B―Aの関係を度外視してよいかはかなり疑問であつて、本件ではAは賃借人とおもわれるが、かりに転借人としてもAよりXへの占有移転は可能であるけれども（田中・民商三三巻四号六二五頁）、AがBの占有補助者とすれば独立の所持を有しないから占有移転もありえない点で、一般論としては問題を含むものである。

なお、標札、貼紙、鍵の所持がある場合には事実的支配が認められることが多いが公示的なもののみによつてこれを肯定しうるものではない。父が仮営業所として借りている家屋に、その子が標札をかかげ、そこに通勤しているからといつて、その者もまた当該家屋の占有者であると断ずることはできない（東京控判大一二・六・一八新聞二二七一・二三）となし、また、鍵を所持していても、その所持するにいたつた事由いかんによつては、その家屋を占有していると断ずることはできない（東京地判大五・四・二八新聞一一五二・一九）とする。

(b)　室に所有物を残置している場合には室の所持を認めうる　Xは転居後も依然従来の室を賃借し、ここに自己所有の寝具、鍋、釜等を残置しており、AがXの承諾のもとにこの室で五日間宿泊したところ、賃貸人Y_1はAと交渉して退去を求め、Xの残置していた所有物件を外に搬出し、施錠して、Y_2に賃貸した。そこで、Xは占有回収の訴を提起し、原審はXの請求を認容し、さらに上告審もこれを認めた。

【3】「蓋し、或る室の賃借人が他に転居しても、寝具、鍋、釜等を残置している以上はその後の賃料を支払はず、残置品も僅少無価値に等しくその室に対する所持を喪失したものとみられる事情のないかぎり、なおその室の占有を継続しているものと解すべきであり、転後一年を経て他人を五日間その室に居住せしめその他人が、貸主の要求に基き自己の携行した布団と若干の日用品とを携えて任意その室より退去したとしても、その他人が賃借人の残した寝具、鍋、釜等まで搬出したのでないかぎり賃借人のその室に対する占有はなお存続するものと解するのを相当とすべく、賃貸人が賃借人の同意を得

ず、右残置品を他に搬出し、その室の扉に施錠し、その後その室を別の他人に賃貸し使用せしめた事実があれば、右搬出、施錠の時に賃借人のその室に対する占有を侵奪したものと解するを相当とする」(東京高判昭二九・四・二七東京高時報五・四・民九二)。

ただここでも、宿泊したその他人がXの残置品を搬出すれば占有が引き渡されるような表現をしているが、この点は疑わしい。

(B)　土　地

(a)　土地の使用の場合　家屋と異なつて土地については、他人の干渉を排斥しうる状態は、その範囲の明確化を伴わなければならないこと、当然といわなければならぬ。したがつて、具体的に使用の目的・程度いかんにより、あるいは柵、塀、その他の標識の設置いかんにより、他人の使用・通行を排斥しうる状態にあるかどうか、が総合的に判断されなければならない。

(i)　通行　公道より自己の居住家屋への専用通路としてその家の者だけが使用し、その範囲が明確であり、第三者にも使用状況が明らかな場合には、その他人所有の土地につき占有を認めることができる。Xは戦災前までは賃借家屋の敷地の周囲が隣家で囲まれ、公道にでるにはその主張の他人所有の土地を通路として使用するほかはなく、その通路が公道に接する地点にはXの表札をかかげた門柱がたつており、Xの家の者だけがつねに使用していたが、戦後、Yはその通路に生垣を設けXの通行使用を禁じようとするとともに、他面Xのために新たな通路を設けたがいまだ未完成であり、それが完成したとしてもそこにいたるまで別人の土地を通らなければならないこととなつた。そこで

Xは Yに対し本件土地につきXの占有の妨害を停止すべきことを請求し、この請求は認容された。

【4】「原告〔X〕の賃借家屋の敷地は、被告〔Y〕所有の六十七番地の宅地三百九十一坪の西南隅に位置していて、戦災前までは周囲は隣家に囲まれ、公道に出るには原告のいう……通路を通るほかなかつた。この通路は、前記原告賃借家屋の居住者のために特に設けたもので、殆んどその家屋の玄関口に直線に延びていて、戦災以前には、……公道に接する地点にも原告の表札をかかげた門柱がたつており、公道から前記家屋へ出入する通路として、原告は常にこれを使用していた。しかも、この通路を専ら使用する者は、原告の家の者だけであつた。そして戦災により隣家が焼失して周囲が空地となつたのちも、原告は従前のとおり右の通路を公道への通路として使用していた。……この事実によると、原告のいう土地の部分は、原告がこれを占有していたことを認めることができる」（東京地判昭二五・一二・一 四民集一・一二・一九七八）。

これに反して、垣根、柵などを設けて通路として使用されているものであることを認識しうべき標示を欠き、また家人が継続的、表現的に通行して通路であることを一般に認識せしめえないで、ただ隣接する空地の一部を数年間通用していたということだけでは、所持は認められない、とするのは左の判決である。

【5】「戦災地跡である空地の一部を賃借した者が、賃借地に隣接する空地の一部を賃借地の便益のために数カ年にわたり所有者に無断で通行使用していた場合、かような通行という事実によつて通行地の占有権を取得するかどうかは一概には決しえないところである。およそ占有権は自己の為にする意思をもつて物を所持するによりはじめてこれを取得しうるものであるから、本件において控訴人がA、B地の占有権を取得したかどうかはその従来の目的、程度のいかん、A、B土地に柵、塀その他の標識をほどこしてその範囲を明らかにするとともにこの土地は排他的に自己が通行する土地であることを一般に認識させる方法をとつたかどうか、あるいはかかる方法によつて所有者陳の従来からの管理占有を排除して自己の占有を設定しえたかどうかなど、A地B地にたいしおよぼした具体的かつ客観的な実力支配関係を総合判断して決すべきもので

ある。ただ数年間土地を通行していたというような単純なことがらによつてはその土地の占有権を取得したものとすることはできない。よつて控訴人はA地B地をはたしてどのようにして通行・使用していたかについて観察するに、

(イ)　……コンクリートは戦災前に八七番地の一、二の宅地上にあつた建物への通路のためにひいたものであつたところ、控訴人の賃借地を区劃して定めたとき、コンクリートがたまたまa建物の北側に位置するようになつたものであつたことが認められる。またPから先はコンクリートはなく、横出入口およびその先の部分は地面があらわれていることも前記のとおりである。したがつてコンクリートがひいてあるとのことによつては控訴人がその賃借地の北側にある空地からとくにA地を区劃して控訴人方専用の通路として使用し、この土地を自己の支配内においたとのことおよびこの事実を一般外部の者にも認識せしめたとの事実を認める資料とすることはできない。その他本件には控訴人が垣根、柵などをもうけてA地がもつぱら控訴人方の私道として使用されているものであることを認識しうべき標示をしたとの事実を認めうる証拠はない。

(ロ)　仮にまた柵、塀その他の標示をもうけることがなくとも、控訴人方の家人が間断なく、ヒンパンにA地を通行し、A地が控訴人方に属する私道であることを一般に認識せしめえたものとすれば、この事実によつても控訴人のA地にたいする実力的支配が及んだものと考えてもよいかも知れない。しかし、……控訴人方においてはある場合には建物内を通ることにより、ある場合にはこの南側通路を利用することにより、公道に出入していたことが推測され、控訴人方でどの程度に北側A地を通行していたものか疑なきをえない。

(ハ)　便所の汲取回数は便所の設備のいかん、使用人数の多少により異るものであつて、一概には断定できないが、一般に一カ月に数回を出でないものと解され、控訴人がかかる程度でA地B地内を通行していたものとしても控訴人がこの土地につきその主張のような範囲の土地につき継続的な支配力をもつにいたつたとは考えられない。あるいは控訴人が汲取のためにこの土地を通行することを所有者から禁止されることがなかつたとしても、それは不表現、不継続のきわめて短い時間の土地使用であり、かつ空地となつている土地であるから土地所有者においてこれを寛容し、しいて空地の立入を禁止しなかつたものと解するのが相当であり、かかる通行により控訴人がA、B地に排他的な実力を確立したものとは肯認しがたい。

以上のとおりで、控訴人はA地、B地をその実力支配下においたものとは認めがたく、占有権の要素とする物にたいする所持はなかつたのであるから、たとえ控訴人において自己の利益のためにこれら土地を占有する意思があつたとしても、これによつて控訴人は右土地につき占有権を取得するいわれはない」(東京高判昭三〇・一一・二五東京高時報六・一一・民二八二、判タ五六・六四)。

また、たとえ他人の土地に面して通行施設を設けその土地を使用していても、他人がその土地を使用管理していることが明らかである場合には、設置物の利用者による土地使用は、他人の使用管理を排斥しうるような特別な事情が存在すればとにかく、さもなければ他人の干渉を排斥しうべき状態にあるとはいいきれない。その場合には確定的な土地使用といえない。寺の境内地として使用管理されている地域に面して家屋の出入口、庇、石段を設けて使用していた事案において、原審はその使用者の占有を認めたが、大審院は、境内地について寺の占有が失われることとならないとして、原判決を破棄した。

【6】「原判決ハ……箇所ニ面シ被上告人所有家屋ノ出入口庇及石段ガ設ケラレアリ被上告人該地域ヲ使用シ来リシモノナルノ故ニ拠リ該地所ハ被上告人ノ占有ニ属スルモノナリト判定シタルモ、上告寺ハ右ニ付原審ニ於テ該地所ヲ其ノ境内ニ属スルモノトシ以テ之ヲ境内地トシテ使用管理セルコトヲ主張シタルモノナルコトハ原判決ノ事実摘示ニ徴シ明ナレバ、若シ其ノ主張ノ如クンバ、該地所ハ上告寺ノ境内地トシテ一応其ノ占有ニ属スルモノト観ルヲ相当トシ、判示ノ如ク仮令被上告人所有家屋ノ出入口等ガ設ケラレ在リ被上告人ニ於テ其ノ地所ヲ使用セル事実アリトスルモ、幷ハ上告寺ノ寛容スルトコロタルニ止リ、之ガ為直ニ上告寺ノ占有ガ失ハレ被上告人ノ占有ニ変ズルモノト做スヲ得ズ。之ガ変更ヲ是認セントニハ須ク叙上事実ノ外ニ尚之ヲ首肯スルニ足ル特別ノ事由存セザルベカラズ。故ニ本件係争地ノ占有如何ヲ判定センニハ、先ヅ上告寺ノ主張スルガ如ク係争地ハ其ノ境内地ニ属スルヤ否ヤヲ確定シ次テ右特別ノ事由ノ存否ヲ審究スベキニ拘ラズ、原審ハ之

等ノ点ヲ顧慮セズシテ唯叙上判示ノ事実ノミニ依拠シ輙ク係争地ニ対スル被上告人ノ占有ヲ是認シタルハ審理不尽ニ非ソバ理由不備タルヲ免レ難シ」（大判昭七・六・一三裁判例六・民一八四）。

（ii）営業のための附随的利用　店舗の経営者であるXは店舗前面の、一般公衆の通行の用に供されている私道を利用していたが、Yがそこに建物をたてたので、Xの占有が妨害されたとして、占有権にもとづき妨害除去を請求し、第一審ではX勝訴したが、第二審ではその請求は棄却された。

【7】「本件係争地が被控訴人〔X〕の経営する店舗前面の道路（私道）の一部であつて、右の道路が一般公衆の通行の用に供されている往来のはげしい通路であることは当事者間に争いなく、当審における検証の結果によれば、右道路は国電蒲田駅西口へ通ずる商店街と女塚大通を結ぶ約四米のコンクリート道路で両側に商店の立ち並んでいる通路であることが認められる。ところで、店舗の経営者が店舗前面の道路を清掃したり、看板や空ビン、空箱などを置いてこれを占有している事例は世上しばしば見受けるところであるが、こうした事実があるからといつて、これによつて当該占有場所に店舗経営者の排他的な占有権が成立するものとみることは到底できない。蓋し、清掃は社会人として当然なすべき務めの一種にすぎないし、看板や空ビンや空箱などの置場としての占用も一般公衆の往来を妨げない限度で道路の一部を一時自己の便益に使用しているだけのことであつて、当該道路に対して道路としての機能を廃絶せしめて、そこに排他的な自己の事実支配を及ぼしているものと解することはできないからである」（東京地判昭三六・三・二四判時二五五・八三二三）。

また、Yが所有し経営しているマーケットの正面広場を、Yからマーケット内の店舗を賃借しているXらが、荷物の積下し場、大売出の際の景品置場、問屋・顧客の三輪車・自転車・乳母車の置場などに利用していたところ、その広場の所有者であるYが店舗兼住宅二棟を建築する計画をたてて実行しようとしたので、Xらは占有妨害予防のため占有保全の訴を提起したが、Xらに占有権がないものと判示された。

【8】「さて土地について、占有がありとするにはその土地を自己の利益のためにする意思を以つて自己の支配内におかれていることを要するのであつて、支配内におかれているか否か判別し難いときは社会通念によりこれを定むべきものと解すべきところ、本件につき右認定事実からすると被告〔Y〕はマーケットの建物を所有しマーケットを経営し、その敷地を所有又は賃貸して居り、原告等はマーケット内の建物の一部を賃借してマーケット内で営業を自主的に営んでいて、本件土地はマーケットの敷地の一部をなす空地であることが認められる。そうすると原告〔X〕等はマーケット内の建物の一部を賃借してそこで営業しているに過ぎないのであつてマーケットとしての全体的な企業は被告が営んでいることが認められるのであるから本件土地を特に原告等に限り被告がその利用に提供する等の特段の事情のない限り本件土地の占有は原告等にはなく全体的な企業主体たる被告にあるものと認めるを相当とする。即ち本件土地は被告に於て使用の必要の生ずる迄は原告等のみのためでなく、マーケットを利用する顧客、マーケット内で営業する者、マーケットに出入する問屋等一般に企業としてのマーケットの繁栄のため被告によつて被告の必要時迄一般的に開放されている土地と認めるべきであるから社会通念上このような場合に於ける土地の占有は依然として被告にあるものと認めるべきである」（東京地判昭三〇・一〇・二七民集六・一〇・三三四六、判時六七・一七六九）。

（iii）　物置場としての臨時的使用　空地になつているところに薪をおき、藁などを乾かすことがあつても、所持を認めることはできない。管理者もない朽廃した空家が倒壊し道路の通行に支障をきたすにいたつたので、近隣の者が協力して取り片づけた。その後の空地をときたま利用していても事実的支配は認められないとする。

【9】「〔本件土地は〕その後は空地となつていたので被控訴人はその一隅に薪を置いたり、収穫時期には地上に藁などを乾すこともあつた事実が認められる。然しながら被控訴人は本件土地を以上認定する如き程度にしか使用していないし、且つ

被控訴人提出援用にかかる証拠を見るも被控訴人が本件土地にこれ以上の事実上の支配をしていることを認めるに足るものがない以上、認定の如き事実関係では未だ被控訴人が本件土地を占有していたものとは認め難い」（水戸地判昭二五・六・二二民集一・六・九六九）。

(b)　占有帰属の旨を公示する方法による場合　このような方法がとられると通常所持を認めるべき場合が多いであろうが、所持は事実的支配なのであるからこれのみによってつねに肯定しうるわけのものでもない。また、どのような措置がこの方法にあたるかが問題となりうる。つぎの判例は通常の場合を前提とし、建札縄張等の方法で自己の占有に帰した旨を公示するような方法をとらないで、たんに境界に四個の石を埋めたというだけでは直接的な所持があるといえないとする。Aは大蔵省より払下が予定されている賃借地の一部をXに賃貸し、Aの居住家屋の敷地に接する側に拳大の四個の石を埋め、その他の三方は竹垣、および板塀があったのでそれらを利用して引渡をうけたが、なんら公示の方法をとらず、見まわりもせず、その土地上には灌木が生い茂り、埋められた石を識別するに困難な上、Aの建物敷地内の庭の一部のような観を呈していた。その後、Aはこの事実をつげることなく、本件土地につきYに使用を許し、Yはそこに建物をたてた。そこで、Xは占有訴権にもとづき本件建物の収去、宅地の明渡を請求するため本訴を提起したが、Xは直接占有を取得したとはいえないでAを通じて代理占有することにより間接占有を取得したものと認めるのを相当とするから、Aの占有につき侵奪の有無を判断すると任意に占有を引渡したと認められるとして、Xの請求は棄却された。

【10】「原告〔X〕は昭和二十五年頃から昭和二十七年二月頃迄に坂上ハル〔A〕に対し約二十万円を貸付けていたが、同年二月十五日弁護士飯島豊立会の上、同人から本件宅地に対する存続期間は同日から満三十カ年、賃料は停止統制額によ

るべく、これを一ヵ年毎に前納するという定めの賃借権を、代金三万六千円で譲受け（文字は譲受であるが、坂上ハルは他日所有権を取得することを予想し、原告の為に新たに賃借権を設定したと認めるのが相当である）、その旨の契約書を作成取交わし、同人から本件宅地の東北側、即ち同人の居住する家屋の敷地と接する側には、拳大の四個の石を埋め（その内一個はその後同人が物置建増をする際取除き、他の三個は現存するが、それが境界として表示すべき線は本件宅地の奥行約八間の長さであり、地上面の露出部分は三糎に満たず、その側らにはそれより遙かに大きな飛石が不規則に数個並んでいる）、その他の三方は竹垣、生垣及び板塀があつたので、それを利用することとして引渡をうけた。然し原告はその地域が自己の占有に帰した旨を表示する建札、或は繩張等の方法を以て、それを公示するような方法はとらず、又その頃巣鴨二丁目に住んでいて、自ら本件宅地を見廻りに来るような事がなかつたので、後段認定のような被告の占有の開始に、抗議を申込む機会がなかつた。当時本件宅地は焼跡であつて、低い灌木が雑然と生茂り、恰も右竹垣、生垣、板塀を以て囲われた坂上ハルの建物敷地内の庭の一部のような観を呈しており、同人が特に指摘でもしない限り、埋められた三個の石を識別することは困難であつた。原告が引渡を受けた本件宅地につき、特に右のような公示方法をとらなかつたのは、坂上ハルがその隣地の家屋に居住しているからその必要もないと考えた為であることが推認せられる。原告は右のように四個の石を埋め、坂上ハルから飯島豊弁護士立会の上口頭で引渡をうけたことを以て、必要にして充分なる占有の引渡ありと主張するのであるが、以上認定のような客観的事実（外形的には四個の石の埋没以外には何等の変化もない）に於いては、かような事実のみを以ては、原告が本件宅地につき直接占有を取得したとはいい得ないのであつて、たかだか原告は坂上ハルをして原告の為にこれを代理占有せしめることにより、本件宅地につき間接占有を取得したものと認めるを相当とする」（東京地判昭二八・四・二四民集四・四・六二〇）。

AからXへ引渡のあつた事実が認められ、XからAへ管理のための引渡もないのであるから、Xが占有代理人で、AによるYへの引渡は代理占有の本人による占有代理人の占有の侵奪ともおもわれるが、いかがなものであろうか。

(C)　建物の所持と敷地

(a)　家屋を事実的支配している者はその敷地をも所持するものと認められる。家屋は敷地と離れて存在することをえないのであるから、当然のことであろう。

【11】「土地ノ賃借人ガ該借地上ニ家屋ヲ所有シテ之ヲ他ニ賃貸シタル場合ニ於テ、家屋ノ賃借人ガ使用収益スル為該家屋ヲ占有スルトキハ之ヲ占有スルニ必要ナル程度ニ於テ其敷地ニ付占有権ヲ有スルコト勿論ナリト雖モ、是家屋ヲ占有スルノ結果ナレバ若家屋ノ占有ヲ喪失スルトキハ従テマタ其敷地ノ占有権ヲモ喪失スルモノト謂ハザルヲ得ズ。之ニ反シ土地ノ賃借人ハ、賃貸借ノ目的タル自己所有ノ家屋ガ該地上ニ存在スル間ハ其家屋ノ賃借人ヲシテ家屋ト共ニ敷地ノ代理占有ヲ為サシムルヲ以テ其占有権ヲ保有スルハ勿論、又家屋ノ賃借人ガ家屋ノ占有ヲ失フニ至リタルトキハ右代理占有ハ消滅スルモ同時ニ土地賃借人ノ有スル占有ハ決シテ消滅スルコトナク、爾後直接占有トナリテ存続スルモノト認ムルヲ相当トス」(東京地判昭四・九・二八新聞三〇四八・九)。

同旨のものに、東京控判大正二・五・二八(新聞八七七・二二)、東京地判大正七・六・六(評論七・民訴一八〇)がある。このように家屋を占有する者は、その敷地をも占有する結果、敷地を利用する権限を欠く、ないしは欠くにいたつた者の建物を賃借している場合に、敷地所有者の本権にもとづく土地明渡請求に際し、その建物賃借人も敷地の不法占有者として敷地所有者に対して損害賠償責任をおわねばならないかという問題があり、最高裁判所も昭和三一年一〇月二三日判決(民集一〇・一二五七)と昭和三四年六月二四日判決(民集一三・六・七九九、判時一九二・五九二五)とでは異なつた結論をだし興味深いところであるが、ここで取り扱うのは適当でないから省略することとする。

(b)　家屋の屋根の下の土地は、通常、家屋所有者の事実的支配に属する。

【12】「家屋ノ屋根ノ下ノ土地ハ通常家屋所有者ニ於テ之ヲ占有シ居ルモノト看ルベキコト勿論ナリ。之ヲ樹木ノ枝ガ境界ヲ越ヘタル場合ト同日ニ論ズベカラズ。蓋シ社会通念上所有家屋ノ屋根ノ下ハ其上ニ家屋ノ一部タル屋根ヲ所有スルコトニヨリ其範囲ニ於テ家屋ノ所有者之ヲ支配シ居ルモノト見ルヲ得ベキニ反シ、樹木ノ枝ガ境界ヲ越ヘタルノミニテハ之ニヨリ其下ノ土地ヲ支配シ居ルモノトハ何人モ考ヘザルベキガ故ナリ」（大判昭一六・一二・一二新聞四七五三・九）。

(D)　山林の立木

(a)　標札の設置、刻印の場合　　家屋にあつては、標札、貼紙など外部的表示と所持との関連はそれほど強いものとはいえないが、山林にあつては、その性質上、標札が一面公示方法であると同時に、第三者に認識せしめることにより他人の干渉を排斥しうる事実上の支配を設定する手段と認められよう。刻印についても同様であろう。左の判決は、実際には一部の立木を買いうけたのであるが、全部の立木に刻印を施し標札をたてていたので、その買受人は全部の立木につき取得時効の要件である占有を取得するものとなすものである。

【13】「惟フニ物ノ取得時効ノ要件トシテノ占有ハ其ノ物ニ付事実上ノ支配ヲ為スノ義ニ外ナラズシテ、而シテ如何ナル関係成立セバ事実上ノ支配アリト見ルニ足ルカハ素ヨリ各場合ニ依リ一様ナラズト雖、山林ノ立木ノ如キモノニ在リテハ適当ノ箇所ニ標木ヲ建テ又ハ樹木ニ極印ヲ施ス等他人ヲシテ立木ガ何人カノ支配ニ属スルモノナルコトヲ推測セシムルニ足ル施設ヲ為スニ於テハ、之ニ依リテ他人ノ干渉ヲ排スルノ意思明確ニ表示セラレ一般取引ノ観念上事実上ノ支配関係ヲ設定シ得タルモノト為シ得ザルニ非ラズ。而シテ本件ニ在リテハ係争山林ニ於テ上告人ノ所有ニ属スル栂樅外十一種ニ属スル樹木ノ外係争ノ立木ニモ夫々番号ヲ記入シタリトノコトハ原判決ノ確定スルトコロナレバ、他ニ特別ノ事由ナクンバ一応之ニ依

リテ事実上ノ支配関係ヲ設定シ得タルモノト認メ得ザルニ非ラズ。然ルニ原判決ハ、何等首肯スルニ足ルベキ理由ヲモ示スコトナク漫然右ノ如キ事実ノミニヨリテハ所持アリタルコトヲ認メ難シト為シ、以テ上告人ノ取得時効ノ抗弁ヲ排斥シタルハ到底理由不備ノ不法アルヲ免レズ」（大判大一四・一二・一二判例拾遺一・民一一）。

また、不法行為の成立に関し、標札の設置、立木への刻印が立木に対する不法な占有取得の手段である旨判示する。

【14】「原判決ハ、上告人ハ被上告人ノ所有スル本件山林ノ立木ニ付故意ニ（少クモ過失ニ因リ）自己ノ氏名ヲ表示セル極印ヲ打込ミ且其ノ現場ニハ該立木ガ自己ノ所有ニ属スル旨ノ標札ヲ樹立シ、以テ是等ノ方法ニ依リ被上告人所有ノ立木ヲ不法ニ占有支配シ其ノ所有権ヲ侵害シタルコトヲ認定シ、以テ上告人ニ不法行為アリト為シタルコト判文上明ナルヲ以テ、該立木ガ前記上告人ノ占有前何人ノ占有ニ属シタリヤト云フガ如キハ叙上上告人ノ不法行為ノ判示ニ付テハ之ヲ明確ニスルコトヲ要セザルモノト云フベク、従テ原判決ガ其ノ判断ヲ欠クモ理由不備ニ非ズ。又上記ノ如ク極印ノ打込及標札ノ樹立ハ一面公示方法タルト同時ニ他面本件立木ニ対スル占有取得ノ手段タルヲ妨ゲザルヲ以テ、原判決ガ援用ノ証拠ト相俟テ上告人ハ其ノ為シタル極印ノ打込及標札ノ樹立ニ依リ本件立木ニ対スル占有ヲ取得シタルモノナリト判示シタルコトハ何等違法ニ非ズ」（大判昭三・八・一新聞二九〇四・一二）。

(b)　立木周辺の柵の設置、監視、見まわり、手入れの場合　他人の出入を抑止しうる直接的手段として、立木周辺に柵を設けるとか、つねに附近で監視するのがもっとも望ましく、山林に対する典型的な事実的支配行使の態様といえる。ところが、見まわり、手入れという方法は、それが年数回というような臨時的なものである場合には、事情によって、他人の干渉を排斥するにつき完全なものと認められる場合もあり、これを否定される場合もあろう。

（ⅰ）年僅かの手入れ、見まわり、間歇的処分行為で所持が認められる場合　Xの先代は山林土地a番地をAより買いうけ、その際実際には山林土地bはa番地に含まれないのにX先代はこれをも承継したものとしてb土地内の雑木の一部を売却し、その譲受人はb土地上で炭焼までしており、相続人Xはその土地上の雑木の一部を売却したり植林したり植林部分の下刈をしていた。ところが、Y（寺院）がbは自己の所有地であるとし、その地上のX植林外の杉を伐採したので、Xは所有権の確認ならびに損害賠償を求めて本訴を提起し、AよりX先代が買いうけそれを相続したからXが所有者であり、かりにbがAの所有物でなかつたとしても先代との占有をあわせ時効取得したと主張した。第一審Y勝訴。第二審では、bがa番地の一部でないことを認定し、取得時効に関しては、土地内一部の間歇的な立木処分行為が土地全体に対する占有と認め難いからX先代の占有はなく、Xは植樹および手入により占有を開始したといえるが無過失を肯定するに証拠なく、その後の占有継続は認め難いし、二〇年経過前に村総代立会の上境界確認がなされてXは占有を失つたこと明白であるとして、Y勝訴。そこで、Xは、(i)bがX所有のa番地の一部でないとの認定には審理不尽があり、(ii)X先代およびXの本件土地内の一部の間歇的立木処分行為はその土地全部に対する占有と認め難いというのは占有の解釈を誤つている、(iii)Xの占有開始にあたり過失があつたとの点は証拠を不当に排斥したもの、として上告したが、(i)点は排斥され、(ii)(iii)点の主張については左のように判示してX先代およびXの占有は認められたが、X先代がAよりbに対する占有を承継したというX主張のような事実は認められないし、相続の場合には民法一八七条一項の適用がないから、X先代の占有の性質瑕疵をはなれてX自身の占有を主張することはできないとして、Xの上告は棄却された。

【15】「山林等の占有は家屋とか畑地とかのように間断なくなされて居るものではない。一年に一回下苅をするとか雑木の下払をするとかという程度のものであつて殊に之れを他人をしてやらしたり又他人に売却したりすることはそもそも山林を占有して居ればこそなされるものでこれを占有に非ずとするが如きは占有の解釈を誤つた違法である。原判決の説明によると山林の立木全部又はそれに近い程度を伐採するとか植林すると言う様な場合のみに占有を認めるが如く考えられるが斯様なことは実際上少いことであつて、下刈をするのもその必要程度及び個所にてするものであり、立木処分行為も山林の状況を視察し必要な程度若しくは可能な程度にて行うのを通例とするものである。又炭の原木として処分する様な場合も適材のみを売却するのであるからして一筆の山林に対する占有として認められる基礎たる事実はこの程度の事実があれば必要且つ充分と解するのが正当である。若し然らずとすれば数百町歩と云う様な山林は凡そ無占有の状態にあると云う不当な結論を招来することになる」（大阪高判昭二四・二・一六民集二・一・一）。

しかし、このことを一般化することは適切でない。なぜなら、Xの占有が無過失であったかの問題に関して、「……原判決は……占有の開始について無過失であった証拠がないとて上告人〔X〕の主張する短期時効取得を排斥しているがこれは証拠を不当に排斥した違法がある。本件の山林は深山ではない。道路から一町程隔った処にある。然もその横に被上告人〔Y〕の寺院があり隣接した土地にあるイボ水には参詣者もあり多くの人々がこの山林の附近を通行し又出入して居る山で殊に農村のことで彼の山は誰のものあの山は誰々のものというようなことは村人の間では判然としているものであって他人の山に入つて下苅したり雑木を切つたり炭焼をしたりするなどということは到底出来ないことである。本件上告人の山林は明治三六年買受け当時から上告人家が支配していて唯一人苦情のないのは勿論この山林から半町位の処にある被上告人寺院が知らないということはなく実際上被上告人代表者も本件土地が上告人所有であると信じていたので人を介してその一部である竹籔の部分を賃借したいと申出た程で数十年間上告人の所有たることは村人が認め被上告人寺院も認めて来たものであるから上告人が之れを支配するに当つても何等自己の所有と信ずる〔に〕不思議はなく下苅をした人雑木を買受けて炭焼をした人など多くの人も何等不思議なく上告人の所有と信じていたことが認定される。これを上告人に占有するに当つて何等過失ないと解するのは当然のことである。斯様な状況下に於て上告人が植林をしたり下苅をしたことは何も異常な点はなく通例のことである。斯様な状況はその儘上告人が注意義務を怠つていないこと即ち無過失であつたことを証明するものである。右の様な状況は各証人の証言、原告被告の訊問により容易に認め得られるところであるに不拘原判決がこれを看過したことは証拠を不当に排斥した違法があるというのである」とのべていることからも判明するように、山林の場所的、社会的条件よりして、標札、刻印がなされていなくとも、わずかの下苅、雑木の下払、一部の処分行為でもつて自己の事実的支配を狭隘な部落民全体に公示し、もつて他人の干渉を排斥しうる状態をつくりだすことも可能であるという場合について妥当するのである。

（ii）　年数回の見まわり、手入れなどの管理では所持が認められない場合　　Xは立木を含むものとして地盤をAから買いうけ登記したが、実はAの先代A′はすでにこれをYに移転しており、Y_1が杉立木を植えつけ生育したが立木・地盤のいずれにも対抗要件を欠いていたのであつて、Y_1から立木のみを買いうけたY_2が立木伐採をはじめてからXは地盤につき取得登記をなし、Y_1・Y_2を共同不法行為者として立木所有権の確認および損害賠償を求めて本訴におよんだ。その際、Xが登記をするまではいずれも立木のみについての対抗要件を欠いていたのであるから、民法二四二条但書の準用ありとしてもY_1はその所有権を主張しえず（「所有権の取得」第二添附二附合一不動産の附合（四）（2）（ロ）参照）、Xの主張する立木に関する時効取得につき左のように判示して斥け、Xが登記をしたとき以降は立木の所有権は地盤所有権に吸収され立木所有権をも対抗しうるので、Xの登記完了後のY_2の伐採行為についてのみ損害賠償責任ありと判決した。

【16】「およそ、時効取得の基礎となる占有があるとするためには、その物に対する客観的な事実支配としての所持がなければならず、所持があるというためには、物に対する排他的な支配が客観的に認められるべき事実がなければならないのであるが、山林立木について年数回の手入見まわりなど単なる管理をしていただけでは、他の支配を排除する支配という客観的関係が樹立されているものとはいい難い。なぜなら一人がそのような手入見まわりをしている間に、他の者もまた同様年数回の手入見まわりをすることも可能であり、それではたがいに他を排除する支配を確立しているとはいえないわけである。右のような単なる手入見まわり以上に、いわゆる明認方法といわれる処置あるいは、立木周辺に柵を設けるとか、常に附近で監視するとかして排他的な支配の事実を作らねば、所持、従つて占有があるとはいえない」（福島地判昭二七・八・三〇民集三・八・一一八六）。

(E)　その他

(a)　県知事より海岸地域に散在する貝殻払下の許可をうけた者が、その所定区域に標杭を設置しかつ監視人を配置したときは、その区域内に打ちあげられた貝殻につき当然その占有を取得するものといえる（大判昭一〇・九・三民集一四・一六四〇「所有権の取得」〔8〕参照）。

(b)　真珠貝業者が、海底を整理して真珠貝に適するように石および瓦を投置した放養場に、養殖のため真珠貝を放養した場合には、養殖業者の自主占有が認められる（大判昭元・一二・二五刑集五・六〇三「所有権の取得」〔6〕参照）。しかし、漁業権者が、海藻繁殖のため岩石にある種の加工を加えまたは附近に監守者をおいても、岩石を占有したということはできず、したがつて、海藻がこれに附着してもこれを自主占有したと認められないとするが（大判大一一・一一・三刑集一・六二二「所有権の取得」〔1〕参照）、これには賛成することができない（「所有権の取得」第一・一（無主物先占）(三)参照）。

(c)　野生の動物に対する事実上の支配の取得は、現実にとらえて殺すことを要せず、管理可能性と排他性とを具備すればたるとし、野生の狸を岩窟内に追いこみ入口を石塊で閉塞して逃げられないようにしたときに、認められるとする（大判大一四・六・九刑集四・三七八「所有権の取得」〔7〕参照）。

(d)　占有者の支配下に再びもどる習性を有するにいたつた動物は、他人の支配を排斥しうる状態をそなえているものとして、特別な事由のないかぎり、飼育者の所持が認められる。近所の飼育中の犬が入つてきたのでこれを食用に供すべく捕獲した事件において、窃盗罪で起訴されたので、飼主の占有しない犬が被告人の手中に入つてきたとすれば窃盗罪を構成しないと主張したが、つぎのように上告は棄却された。

【17】　「判示猟犬は所有者によつて八年間も飼育され、毎日運動のため放してやると夕方には同家の庭に帰つてきたこと

が認められる。このように飼いならされた犬がときに所有者の事実上の支配を及ぼしうべき地域外に出遊することがあつても、その習性として飼育者の許に帰来するのをつねとしているものは、特段の事情の生じないかぎり、ただちに飼育者の所持を離れたものであると認めることはできない」（最判昭三二・七・一六刑集一一・七・一八二九）。

同旨のものに大判大正五・五・一（刑録二二・六七二）がある。

（ハ）　所持は事実上の支配関係であるから、本権があるかどうかをとうものではない。したがつて、

(a)　本権なくしても所持を有することがある。家屋賃貸借契約解除後、もとの賃借人が明渡義務を履行せずその占有中に賃貸人が立ち入つた場合、住居侵入罪を構成するとして、

【18】「大野金蔵〔賃借人〕ガ被上告人ヨリ其ノ所有ノ判示住宅ヲ賃借シタルニ賃貸借契約解除ノ結果該住宅ニ付法律上使用権ヲ有セザルニ至リタリトスルモ、事実上之ニ居住スルニ於テハ、其ノ住宅ニ対スル占有ガ適法ニ被告人ニ回復セラレザル限リ被告人ハ其ノ所有権ニ基キ之ヲ使用スルニ由ナク、金蔵ノ住居ノ安穏ハ尚ホ保護セラルベキ状態ニアリト云ハザルベカラズ。然ラバ被告人ガ適法ニ判示住宅ニ対スル金蔵ノ占有ヲ解クコトナク之ニ立入リタル行為ハ叙上住居侵入罪ヲ構成スベキモノニシテ、正当ニ所有権ヲ行使シタルモノニ非ルハ勿論正当防衛ヲ以テ目スベキニ非ズ」（大判昭三・二・一四評論一七・刑二五三）。

と判示した。また、債権担保の目的で引渡した掛物が贈与されたが、贈与者が金融行為をなすことは法人の目的の範囲外に属する結果、即時取得が排斥されるかに関して、

【19】「原判決ハ訴外川畑要助ガ明治二十三年頃三洲社ヨリ金円ヲ借入レ之ガ担保トシテ同人所有ノ本件掛物ヲ三洲社ニ交付シ、其ノ後三洲社ガ大正三年中之ヲ南洲祠堂ニ贈与シタル事実ヲ確定シタルモノナレバ、右三洲社ガ民法施行法第十九条ノ適用ヲ受クベキ社団ナル以上仮ニ三洲社ノ右金融行為ガ所論ノ如ク目的ノ範囲外ニ属シ右貸借及担保契約ガ無効タリト

スルモ、之ガ為ニ右贈与当時三洲社ガ右掛物ノ上ニ占有権ヲ有セザリシモノト断ズルコトヲ得ズ。蓋占有ハ自己ノ為ニスル意思ヲ以テ物ヲ所持スル状態ニシテ本権ニ何等ノ関係ナクシテ成立シ得ベク、而シテ民法施行法第三十八条ニ依レバ民法施行前ヨリ占有ヲ為ス者ニハ民法施行ノ日ヨリ民法ノ規定ヲ適用スベキモノナレバ、従テ原判決ニハ所論ノ如キ法律ノ解釈適用ヲ誤リタル違法ナク、……」(大判昭五・八・二六評論一九・民一一三七)。

と判示した。

(b)　逆に、本権があつても、当然には、所持が認められない。したがつて、換地予定地の指定があつただけではその土地の占有につき変動を生じない。Xが現に野菜などを作つて占有している土地の一部にYが建築材料をもちこみ、占有を妨害しているので占有保持の訴を提起し、立入禁止、妨害排除を求める仮処分の申請をしたが、Yは宇和島市特別都市計画による換地処分として、その部分を換地予定地に指定されていた。そこで、第一審Y勝訴。第二審でも、Yは換地予定地として指定をうけた土地につき使用収益権を取得したのだから、その土地内に家屋建設の目的で建築材料をもちこんでも、法律上その土地に対するXの占有を妨害するものといえないし、Xは妨害停止請求権を有しないとして、Yを勝訴させた。そこで、Xは、本権と占有権とは別個に判断されなければならないとの理由で上告し、原判決は破棄差戻となつた。

【20】「換地予定地の指定により、指定を受けた者は指定された土地の上に、これを使用収益すべき本権を取得するけれども、指定があつただけで従来の事実上の占有状態に変更のない限り、占有権の変動移転を生ずるものではない。蓋し占有権は物を所持する事実に付せられた法律効果であつて、使用収益を為し得べき本権とは別個のものだからである。されば、原審が特別都市計画法一四条を根拠として、上告人は被上告人に対し、占有妨害停止請求権を有しないものとし、上告人の

本件申請を許すべきでないと判断したのは、法律の適用を誤ったものといわざるを得ない」（最判昭二七・五・六民集六・五・四九六、ジュリスト一四・四五、判タ二一・四七）。

占有訴訟は本権に関連づけてならないことというまでもないから、末川博士も本判旨に全面的に賛成される（民商三六巻二号一三三頁）。同旨のものに、最判昭和三〇・七・一九（民集九・九・一一一〇、ジュリスト八九・六九、判タ五一・四〇）があり、同じく末川博士の賛成批評がみられる（民商三三巻六号九一三頁）。また、本権と関係を有しないのであるから、建物の登記名義人は建物を所持するといえないことというまでもない（大判昭五・九・一七新聞三一八五・九）。

（ニ）　所持は独立的な支配状態でなければならない。したがって、

(a)　一時的ないし仮の場合　　たとえば、汽車のなかで隣客から時間表をかりてみせてもらっている場合や、芝居見物中隣客から双眼鏡をかりている場合には、従来の占有者の支配下において好意上物を手にしているにすぎないから、所持は成立しない（舟橋・物権法二八〇頁、田中「占有規定に関する客観説による解釈の試み」民商三八巻四号五四七頁）。

(b)　占有補助者ないし占有機関の場合　　本来の所持者に対し従属関係にたつかぎり、現に物を手にしていても、独立の所持者たる地位を有しないで、本人の所持の機関にすぎず、このような者は占有補助者ないし占有機関とよばれる。この場合、所持は本人に属する。「代理占有」の項目（二代理占有の成立一(一)(2)）で詳述する。

（ホ）　所持の意思の存在を認める必要があるか　　主観説を建前として心素たる意思を重視する場合、純客観説にたつ場合、には所持意思にふれる必要はないが、客観説にしたがって解しようと

する場合には、体素は心素の外的表現であり、所持の成立にはそのような意味における意思（所持意思）をもまつたく考慮にいれる必要がないのかが問題である。結局のところ、意思無能力者（後掲(三)）、法人（「代理占有」二代理占有の成立一(一)(2)(二)）、相続人（後掲三占有の取得二(二)）のように特別な法制度にもとづいて占有の帰属が認められる場合を除いて、社会観念上事実的支配があるとされる場合、つまり社会秩序にもとづいて事実的支配が帰属するとされる場合は、所持意思の存するときにかぎられるかどうかという問題に帰着する。しかし、意思をまつたくきりはなして支配ということが考えられるであろうか。具体的には、法定代理人は意思補充の法制度にもとづき意思無能力者に所持を帰することができても、逆に意思無能力者が法定代理人の占有代理人となりうるであろうか。客観的な社会秩序内において支配が認められるというときも所持意思まで無視して支配の帰属を認めようとするものではあるまい。所持意思はたんに事実的支配の客観的関係を認定するにあたつて考慮さるべき要素のうちの一つにすぎない（舟橋・前掲二八一―二八九頁）のではなくて、社会観念上所持が認められる場合には所持意思の存在が認められるのではあるまいか。

(2)　所持の客体

所持の客体は物である。

（イ）　一物一権主義のもとでも、所持は、事実的支配であるから、物の一部について成立する。したがつて、一筆の土地の一部につき取得時効が完成するのである。

【21】　「占有トハ自己ノ為ニスル意思ヲ以テ一定ノ物ニ付事実上ノ支配ヲ為スコトヲ謂フ。而シテ其ノ支配ハ必ズシモ物ニ

ノ全部ニ及ブコトヲ要セズ、物ノ一部ト雖之ヲ事実上支配シ得ベキ限リ亦之ヲ以テ占有ノ目的ト為スコトヲ得ベキモノニシテ、如何ナル部分ニ対シ事実上ノ支配ヲ為スコトヲ得ベキヤハ取引ノ通念ニ照シテ之ヲ判断スルノ外ナキモノトス。土地ハ自然ノ状態ニ於テハ一体ヲ為セルモノナレドモ、之ヲ区分シテ数個ノ土地ト為スコトヲ得ベク一旦区分セラレタル各個ノ土地モ更ニ之ヲ細分スルコトヲ得ベキモノニシテ、其ノ区分若ハ細分ニ依リテ土地ノ性質作用ヲ失フニ至ルコトナキモノナルヲ以テ、土地ハ其ノ一部ト雖之ヲ占有スルコトヲ得ルモノト解スルヲ相当トス。而シテ民法第百六十二条ニ依レバ……占有ニ因リ……所有権ヲ取得スルモノニシテ、土地ハ前記ノ如ク其ノ一部ト雖之ヲ占有スルコトヲ得ベキモノナレドモ、物ノ一部ハ所有権ノ目的ト為ルコトヲ得ザルヲ以テ、土地ノ一部ヲ占有スル者ハ同条所定ノ時効ニ因ル所有権ヲ取得スルコトヲ得ザルモノノ如シ。然リト雖前記ノ如ク土地ハ之ヲ区分シテ前ニ其ノ一部タリシ部分ヲ以テ一個ノ土地ト為スコトヲ得ベキモノナレバ、其ノ区分ハ土地ノ所有者ニ於テ之ヲ為スコトヲ得ベク、占有者ニ於テ濫ニ他人ノ土地ヲ区分スルコトハ法律上許スベカラザルトコロナレドモ、法律ガ一定ノ場合ニ土地ノ一部ヲ区分シテ之ヲ一個ノ土地ト為スコトヲ妨グルコトナク、同条ハ占有ガ物ノ全部ニ付テ行ハレタル場合ト其ノ一部ニ付テ行ハレタル場合トヲ区別セザルヲ以テ物ノ一部ヲ占有シタル場合ヲ全然除外シタルモノト解スルニ足ラズ。従テ同条ハ土地ノ如ク之ヲ区分シテ数個ト為スコトヲ得ル物ニ付テハ其ノ一部ノ占有アリタル場合ニ於テハ、時効ノ完成ト同時ニ法律上其ノ占有部分ヲ区分シテ一個ノ物トシテ占有者ニ其ノ所有権ヲ賦与スル趣旨ナリト解スルヲ相当トス」（大連判大一三・一〇・七民集三・五〇九）。

しかしながら、所有権取得の基礎としての占有の場合はとにかく、占有訴権の前提としての占有権を考えれば、事実的支配が可能であるかどうかは、かならずしも「取引ノ通念」そのものによって判断されるべきではない。このことは、つぎの、家屋の非独立的な一部につき事実的支配を認める判決が明確にといている。外務省の庁舎の一部内において、外務省消費組合から場所の提供をうけ、同組合に毎月一定の金員を支払い、パン類販売のために、中廊下の左側半分〇・八四坪を机、パン切台によつて区画し、Xが排他的継続的に営業していた場合に、第一審はその占有を認めたので、同消費組合Yは控訴し、(i)通路である廊下の一部が事実的支配に服することはない、(ii)独立の一体をなさず独立の使用価値も有せず権利の客体ともなりえず社会通念上取引の対象ともならない場所が占有の対象となりえない、(iii)官庁の庁舎は官庁が直接に管理し支配している以上一私人の占有に服するものではない、と主張したが、(i)点につきX主張部分の排他的継続的使用を認め、(ii)点につき左のように判示して、控訴は棄却された（(iii)点については〔23〕参照）。

【22】「控訴人〔Y〕の主張によれば、およそ占有の対象となる物は、独立の一体をなす有体物で、独立の使用価値を有し、権利の客体となり、取引の目的となるものでなければならないところ本件場所の如きは全く右の要件を欠くから、かかる場所の上に占有は成立しないというのでこの点を検討してみる。先づ占有の対象たる物が有体物であることは法文上明かである。そしてそれが特定性を有すべきことも当然である。しかしながらいかなる有体物が占有の対象となりうるかは占有制度の目的に遡つて考えなければならない。占有制度の歴史的機能はともかくとして、現代におけるこの制度の目的は、物に対する事実支配の外形、とりわけ物の利用関係の現状を保護するにある。しからば占有として保護される事実的支配の対象は、これを利用関係の面においてみれば、社会観念上一ヶの独立した使用価値を有するものでなければならないこと所論の通りである。しかしながら占有の対象となりうるためには、右制度の目的からして、この条件を具備すれば足り、控訴人主張のように、占有の客体はすべて物権の客体となりうるものとは限らない。制限物権については論ずるまでもなく、所有権についても同様である。即ち、所有権は物に対する事実上の支配のみならず、より包括的な支配とりわけ物の交換価値に対する排他的独占的支配を内容とするものであるから、その客体たる物は、経済的取引関係において外形的、物質的状態からみて、「一つの物」としての統一性がなければならない。しかしながら、物の事実上の支配によつて成立する占有権の場合は、物に対する事実支配とりわけ利用関係の面のみが問題となるのであるから、所有権の対象におけるような取引関係から

要請される物の統一性は必ずしも要求されるものではない。例えば木造家屋の一室の如く、家屋全体の効用からして独立した所有権の客体となしがたいような一ヶの物の部分についても、部屋としての利用関係からみれば、なお占有が成立ちうるのである。ところで本件……場所が、占有の客体となるか否かを考えるのに、右場所は前記の如く、机、パン切台によって、区劃された有体物の一部であって、その使用価値のあること、従来被控訴人がパンの販売をなして来た事実に徴して明かであるから、たとえこの場所が所有権その他の物権の客体とならないとしても、占有の客体となりうるものといわなければならない」（東京地判昭二九・六・一一四民集五・六・八七七）。

（ロ）　公用物の上にも成立する。公用物は国家または公共団体が公用に供している物であるから、一私人の事実的支配によって、その効力を左右さるべきではないとする見解もある（取得時効の目的たりえないとするもので、大判大八・二・二四民録二五・三三六、同大一〇・二・一民録二七・一六〇、同昭四・四・一〇刑集八・一七四、同昭四・一二・一一民集八・九一四）。しかし、公用に供せられる結果、公用の廃止があるまでは公用的な性格を失うものではないが、私人による事実的支配が可能であるかぎり、これに服すると解すべきであろう（柚木・判例民法総論上四四八頁以下）。したがって、

(a)　公の管理下においてとくに使用を認められた私人には、その事実的支配を認められる場合もあり、また事情によっては、占有補助者としてこれを認められない場合もあろうが、前者の場合には、公用の廃止があるまでは公用の目的によって制限をうけるとはいえ、占有訴権を行使しうるとおもわれる。判例は、いずれも下級審のもので、管理権者以外の者に対する関係において事実的支配にもとづく効果を主張しうるが、管理権者に対しては占有権という私法上の権利の効果を主張できないとし、私人による事実的支配を管理権者との関係では無意味たらしめているけれども、いずれも官庁

が庁舎の一部を職員の組織する組合に貸借契約によつてではなく管理作用にもとづいて使用させている場合をめぐる事件であつて、その場合には組合は独立的な所持を有するかどうか疑わしく、これを肯定すれば、組合は占有者でなくなり、【23】の場合にも占有補助者のような組合からなんらの占有も引渡されえないし、組合は占有訴権の被告ともなりえないとすべきであろう。その際、この営業者は官庁とは無関係に事実的支配をしていると認められえても、それは官庁の占有を侵奪するものといえよう。判旨は明確でない。上掲【22】の事案において、控訴理由(iii)に対し、

【23】「被控訴人〔X〕が本件場所につき所持即ち事実的支配を有するかの点が問題となる。即ち、被控訴人が右場所を専ら使用していることは前記㈠において認定したとおりであるが、控訴人〔Y〕の主張によれば、本件場所は行政官庁の庁舎の一部であり、行政官庁が管理占有するものであつて一私人の占有が成立することはないというによつて先づこの点について考えるのに、行政官庁のする所謂公物の管理は公法関係に属し、私法上の占有とは両者各々その法律的面を異にするものであるから、行政官庁の管理権ある公物につき、私人の占有が成立しないものと直ちに断ずることはできない。公物の管理作用は、行政主体に専属する公の権能であつて、公物の存立を維持し、これを公の目的に従つて、できるだけ完全にその本来の目的を達せしめるためにする作用である。従つてこの作用は、その目的からして、単なる物の事実的支配にとどまらず、より広範な積極的な作用である。そして、公物の管理権者は、該公物の目的に反しない限り、その管理権の作用として、その一般人のための使用を許可し、公法上ないし私法上の契約によつてそれに対する使用権を設定することもできるのである。この場合でも公物をできる限り公の目的のために供せしめるという管理権の作用は、消滅するものではなく、使用者はこの制約をうけなければならない。しかしながら右の場合、これを私法の側面から眺めるならば、管理権者とは別箇の現実の使用者が、その物を現実に支配しているものと考えても、少しも矛盾をきたすものではない。即ち公物の使用者は私法上

その物を占有することはできるが、管理権に服する関係においては、管理作用という公法上の関係にたたされるが故に、管理権者に対して占有権という私法上の権利の効果を主張できないのである。かように公法上の管理と、私法上の占有は各々その面を異にするものであるから本件の如く、私法上の関係においては、私法上の観点からのみ、占有の有無を判断すれば充分である。そしてかかる占有を理由づける本権については、それが公法上のものであると私法上のものであるとを問わず、占有の有無とは別箇に考えなければならないこと論をまたない」（東京地判昭二九・六・一 四民集五・六・八七七）と判示し、行政官庁の管理権のある公用物につき管理権者には主張できない私人の事実的支配を認める。類似のもので、郵政省の郵便局長がその管理権にもとづき、庁舎の一部を全逓信労働組合に事務室として使用を認めたが、その後同組合の承諾なしに出入口を閉鎖し、その使用および立入を禁止したので、同組合が明渡の仮処分を求めた事件において、組合が仮処分の被保全権利である占有権を有するものであるかにつき、

【24】「庁舎の管理権に基いてその一部の使用を認めた場合においての使用関係は、管理権の事実上の作用の結果生ずる使用の状態であつて、その使用を認めるのは、管理作用としてなされるもので管理の範囲を逸脱するものでないから、いわゆる権利使用や私法上の契約に基いて使用権を設定するような管理権を排除又は制限する場合とは異り、法律上管理権の作用に何等の制限を加えるものではないといわなければならない。而して公用財産たる庁舎に対する管理権の行使は公法上の関係であつて適法になされた私法上の契約による制限のない限り、私法の適用を排除しているものであるから、公用財産たる庁舎についての管理と使用者の関係では私法の適用は排除されているものと言はねばならない。勿論このような使用関係に基く使用の状態には色々の段階があつて、事実上支配も認められない一時的な使用の場合或は自己のためにする意思をもつて事実上支配を為していると認められる場合などがあり、後の場合において、その使用が第三者によつて侵奪された時には私法における占有権と同様の保護を受け得るかは格別、いずれの場合においても、管理者と使用者との間には、公法上の

管理作用があるのみであって私法上の関係の生ずる余地がないことは同様である。このことは使用者が使用の許可なく使用している場合においても異るところはない。然らば、債権者〔組合〕が本件事務室を前記のように使用していても、債務者国との間においては庁舎に対する公法上の管理関係があるのみで、私法の適用が排除されているから私法上の占有権のいれられる余地のないものと言はなければならない。而して私法上の占有権の生じない以上、債権者の主張するように、その使用関係が、管理者によつて侵奪されたとしても、それを公法上争い得るか否かは別として、私法上の訴はこれを為し得ざるものと解せざるを得ない」(東京地判昭二六・四・二一判タ一三・七二)。

と判示して、被保全権利である占有権につき疎明がないものとした。

(b)　国または公共団体となんらの関係を有しない私人には、その事実的支配にもとづき占有訴権も時効取得も認められるべきで、ただ、時効取得の場合には公用の廃止があるまで公用負担が附着すると解すべきであろう。占有訴権に関してはつぎの例がある。AはY（宗教法人大宝寺）から賃借した土地の一部だと信じて、四ツ目垣で囲い草花、小杉などを植えて支配管理し、XはAより借地権を譲りうけるとともに、同一部分を引き続き支配管理していたところ、実はその部分は鎌倉市所有の道路敷および水路敷の一部であり、かつては一般公衆の通行、排水等の用に供されていたのが、関東大震災のときの崖崩れにより本件土地は通行不能となつたもので、以後四〇年にわたってそのまま放置され、市において維持管理らしいことすらされず、雑木が生い茂り、道路および水路の痕跡はほとんど失われて、Yからも市からもXの支配管理に対しなんらの異議ものべられなかつたのに、昭和三五年頃Y所有の土地にいたる道路を新設するため、X管理の四ツ目垣を破壊しXの土地占有を侵害するので、Yの侵害を防止するため仮処分の決定をえ、本訴におよび、X勝訴。Yは控訴したが容れられなかつた。

【25】「ところで本件土地は市有のものであり、道路として公共の用に供せられていたものであることは先に認定した通りであるが、かような土地についても絶対に私権が排除されると解すべきではなく、公共の用途又は目的を害しない限り、私権の認容される余地あるものと解すべきであり、又、占有権は現実に物の支配をしているものに対し、そのものの事実的支配という外形的事実を尊重し、之を、その本権の存否とは別に或程度の法律的保護を与え、之により社会の秩序の維持をはかろうとする制度である。そして、本件土地のように道路としての使用が不可能となつて以来四十年を経過し、この間市においてはその維持管理を怠り、事実上殆ど廃道と化していたような場合には、特に公用廃止をまつまでもなく、右土地は市の現実の支配、すなわち占有を離脱したものということができるからかような土地について事実上の支配をなすものは私法上占有権を取得するものと解するのが相当である。そして、被控訴人〔X〕が右土地を自己の為にする意思を以て事実上支配していることは前記事実により明かであるから、被控訴人は右土地につき占有権を取得したものというべきである」（横浜地判昭三六・一一・八、民集一二・一一・二六九二）。

この判旨からすれば、公用物につき公用廃止がなくとも時効取得は可能であるということになろう。しかし、大審院はじめほとんどの判例は、公用の廃止が認められてはじめて時効取得の目的たりうるとする（前掲大判大八・二・二四、同大一〇・二・一、同昭四・一二・一一）。ただ、公用廃止は明確な意思表示によつてなされるを要するとするが、つぎのような判例もある。潮風防禦のための公用財産であつた土地が、その効用ならびに構造の永久の滅失により、公物たる性質を失えば、時効取得の目的となる（大判昭八・一一・二五、新聞三六六六・一一）。

（ハ）　しかし、事実的支配が可能でなければならないから、それ自体支配しえない物の構成部分について所持は成立しない。したがつて、土地の構成部分である土壌がまだ土地から分離されない間は、土壌のみにつき所持は成立しない。

【26】　「案ズルニ所謂土壌ハ土地ノ必須的構成部分ナレバ、之ヲ全然土地ヨリ分離シタル事実無キニ於テハ、土壌ノ占有ナル観念ハ法律上之ヲ認ムルコトヲ得ベカラズ。所謂土壌ノ占有ト云フモ実ハ土地ノ占有ニ外ナラズ。随テ土地ノ区域及ビ立坪数ニ於テ確定シタル土壌ノ売買アリタリトスルモ、之ヲ以テ直チニ土壌ガ占有権ノ目的タリト云フヲ得ザルハ勿論、其占有ガ買主ニ移転スベキモノニモアラズ」（東京地判明四一・七・三新聞五二二・一三）。

(二)　占有意思

(1)　自己のためにする意思の意義　　わが民法は、主観説の建前にたつて、占有の成立には所持のほか「自己ノ為メニスル意思」を要するとすること、通説である。しかし、ここにいう意思は心理的な意思ではない。このような意思を要素とすれば、刻々の変化によつて占有もかわることとなり、客観的判断は不可能で、立証も困難である。結局、占有意思はどのような場合に占有訴権により保護するに値する事実的支配があると社会関係において認められるかを決する基準として意義を有するのであり、したがつて、沿革的にも、もつぱら占有訴権に関して占有意思の概念操作により占有権成立の領域の拡大がもたらされたのである。通説は、主観説の建前を前提とするが、どのような状態が占有訴権により保護されるにふさわしいかという視点から、できるだけ「自己ノ為メニスル意思」を広くかつ客観的に解している。つまり、物の所持による事実上の利益を自己に帰せしめようとする意味であるとする（末弘・物権法二〇九頁、我妻・前掲三一五頁、舟橋・前掲二八五頁など）。そして、このような意思は所持により積極的に利益をうける場合のみならず、所持を失えば損失をうけるおそれがあるというように所持により消極的に利益をうける場合をも含むとする。したがって、およそ所持ありと認められる場合にはその意思を伴うものとみられ、このような意味での意思と同時に他人のために所持するというように、二重の意思を有することは自ら占有者であることを妨げるものではないとする。占有意思をこのようにゆるやかに解した場合には、所持とあいまって占有にまでたかめるという占有意思本来の役割はなくなり、所持意思と同一のものになり下るのであるから、そのような意思を所持と対立する要素とすること自体、もはや論理的には疑問といえるのではなかろうか（田中「客観説」前掲民商三八巻四号五三九―五四二頁）。

判例は、つぎのように占有意思を緩和して解している。

(a)　運送品につき、古くから、運送人の占有を認めて、

【27】「運送人ガ運送品ヲ所持スルハ自己ノ負担スル運送義務ヲ履行スルガ為メナルヲ以テ自己ノ為メニスル意思ヲ以テ之ヲ所持スルモノナルハ自明ノ理ナレバ、……被上告人（運送人）ガ自己ノ為メニ占有スルモノナリト断ズルニ付キ特ニ自己ノ為メノ占有タル所以ヲ示ス所ナキモ理由不備ナリト謂フヲ得ズ。然リ而シテ一物ノ所持ヲ自己ノ為メニスル意思ヲ以テスルト同時ニ他人ノ為メニスル意思ヲ以テスルコト、換言スレバ一物ノ所持ガ自己占有タルト同時ニ代理占有タルコトハ固ヨリ法理ノ容レザル観念ニ非ザレバ、原院ガ被上告人ハ一面松太郎（荷送人）ノ為メニ係争物ヲ占有スルトスルモ他面ニ於テハ自己ノ為メニ之ヲ占有スルモノナリト判示シタルハ不当ニ非ズ」（大判明四二・三・一八民録一五・二四五）。

と判示し、さらに、具体的に貨物引換証が発行された場合につき左のようにいう。

【28】「運送人ガ貨物引換証ヲ発行シタルトキハ、運送貨物ニ対シ貨物引換証ノ所持人ノ為メニ代理占有ヲ為スト同時ニ

自己ノ為メニスル自主占有権ヲ有スルモノニシテ、此占有権ハ到達地ニ於テ貨物引換証ト引換ニ運送品ノ引渡ヲ為スニ至ル迄継続スルモノトス。従テ運送人ノ占有権ガ其以前ニ於テ消滅セル事実ヲ認定センニハ特ニ其事由ヲ説明セザルベカラズ」（大判大九・一〇・二四民録二六・一四八五）。

ここで、自主占有権というのは表現の誤りであることはいうまでもない。

(b) 未成年の子の財産につき管理にあたる親権者は、子のためにすると同時に自己のためにする意思をもって所持するものである。YがA方で動産の差押をしたところ、その動産は未成年者Bの所有に属し、Bの親権者として管理しているXはその管理権にもとづき本件差押の排除を求めるため強制執行に対する異議の訴を提起し、第一審X勝訴。第二審では、この訴訟行為は未成年者の名でなさなければならぬこと、親権者は自己のためにする意思を欠くから占有権を有しないこと、を理由にX敗訴。そこで、Xは親権者も占有権を有し、これにより執行異議の訴を提起しうる旨を理由として上告し、大審院はこれを容れて、破棄差戻した。

【29】「民事訴訟法第五百四十九条ニ所謂物ノ引渡ヲ妨グル権利ニハ占有権ヲ包含スルモノト解スベキモノトス。是当院ガ従来判例ト為セル所ナリ（大正九年（ク）第百六十二号同十年二月三日当院決定、及昭和二年（ク）第六百五十四号同年七月二十七日当院決定参照）。而シテ未成年ノ子ノ財産ヲ管理スル親権者ガ其ノ子ノ所有物ヲ所持セル場合ニハ、子ノ為メニスル意思ヲ以テスルト同時ニ又自己ノ為メニスル意思ヲ以テ之ヲ所持セルモノト認ムルヲ相当トスベク、従テ子ハ其ノ代理人タル親権者ニ依リテ占有権ヲ保有スルト同時ニ、親権者自身モ亦占有権ヲ有スルモノト云ハザルベカラズ。従テ親権者ノ所持セル子ノ所有物ニ付親権者自ラ原告トシテ其ノ有スル占有権ヲ主張シテ民事訴訟法第五百四十九条ニ依ル強制執行異議ノ訴ヲ提起シ得ベキハ論ヲ俟タズ」（大判昭六・三・三一民集一〇・一五〇）。

一般には、意思無能力者は自ら占有を取得することができず、法定代理人を占有代理人とする代理占有によってのみ占有を取得することができるとする。したがつて、法定代理人の占有が中心であり、これに占有を認めれば、民訴五四九条にいわゆる「目的物ノ譲渡若クハ引渡ヲ妨グル権利」にあたることというまでもない（大判大一〇・二・三民録二七・九三）とされる（戒能・判民昭和六年度一八事件）。しかし、法定代理制度の趣旨からすれば、意思無能力者自身に占有の取得を認め法定代理人は占有補助者と解されるとすると、法定代理人は自己の占有を主張しえないこととなる（後述(三)参照）。

(c)　一時的管理者も自己のためにする意思をもつて所持する者である。空家の家主が賃借人のためにこれを一時管理する場合においても、その所持について自己のためにする意思がないとはいえないとする（最判昭二七・二・一前掲〔2〕）。

(2)　自己のためにする意思を決定する基準　ここでも占有意思は所持に対立する要素としてみられていない点に注目すべきである。

（イ）　主観説を建前とすれば、占有を生ぜしめた原因（権原）の証明によつて一応占有意思の存在が推定され、その反対証明はほとんど不可能であるから、権原が一応の判断基準となると解すべきであるが（末弘・前掲二〇九頁）、通説は、主観説をとりながらも、この点に関しては、客観的に事実的支配の状態があることをもつて判断することが合理的であるとなし、占有意思は純粋に客観的に占有の権原の性質によつて決せられるとする（我妻・前掲三一五頁、末川・物権法一九〇頁、柚木・判例物権法総論二八八頁、林・前掲一五一頁など）。ここにいう権原は事実上のものであって法律上の正権原をいうわけでないから、盗人のように正権原のない場合にも、通常正権原のある者の支配状態と同様の観を呈するかぎり、意思が認められる。

（ロ）　この意思は潜在的・包括的であってもよい。郵便受函、牛乳受函に投入された郵便物や牛乳などについて、不在中であっても占有意思があるとみられる。しかし、他面からみれば、これらの物について社会観念上所持が認められるから、意思の存在を認めてよいということになるのである。

(3)　自己のためにする意思は、占有取得の要件で、占有継続の要件ではないのか（肯定説、末川・前掲物権法一九二頁、舟橋・前掲二八八頁、林・前掲一五二頁。否定説、末弘・前掲二一三頁、我妻・前掲三一六頁など）。意思は所持に客観化されるのであるから、所持が認められる場合には意思も継続しているといえよう。

（ニ）　意思無能力者の占有・法人占有　一般には、意思無能力者については、占有意思能力を否定して自身は占有を取得することができず、代理占有において本人が代理人をして所持せしめ意思を不用とする構成のもとに、代理占有によってのみ法定代理人の占有を介して占有を取得することができるとする（末弘・前掲二一二頁、我妻・前掲三一七頁〔29〕）。また、まったく純客観説のように解し、意思無能力者独自の占有も認められるとする（舟橋・前掲二八〇・二八六・二八八頁。しかし、このようにまったくなんらかの意味における意思をもきりはなして考察することができるかどうかには疑問があろう（前掲（一）（1）（ニ）参照））。ところが、なんらかの意味で意思を要すると解しても、代理人の行為の効果は直接本人に帰属し代理人自身に効果が帰属することはまったくないのであるし、占有と意思表示とが異なることはいうまでもないけれども、法定代理制度の趣旨からして、その意思（所持意思）は法定代理人によって補充され、意思無能力者のみに占有が成立し、法定代理人は本人の占有補助者と解すべきであろう（林・前掲一五二頁は占有意思を問題とされるが結論的には同旨である）。法人占有は、法人組織内部の機関の行為がすなわち法人の行為であるわけであるから、法人制度の趣旨よりみて、法人の機関の所持はそれ自体法人の所持であり、したがつて、法人の機関は法人の占有機関にすぎないと考えられる（詳細は「代理占有」二代理占有の成立一（一）（2）（二）参照）。

二　占有の態様

（一）　自主占有・他主占有

(1)　自主占有とは所有の意思をもつてする占有をいい、ここで所有の意思とは所有者がなしうると同様の支配を事実上なさんとする意思を意味し、法律上所有の権限を有することも、また有すると誤信することも必要でない（【39】）。他主占有は限定された範囲内で支配する場合の占有であつて、ここの区別の実益は、取得時効（一六二以下）、占有者の責任（一九一）、失占（二三九）などについてみられる。

(2)　所有の意思の有無は、占有を生ぜしめた原因（権原）の性質によつて客観的に定まる。したがつて、他主占有が自主占有に転ずるには民法一八五条に規定する客観的変化を必要とする。

（イ）（ロ）におけるいずれもの要件を欠き、権原の性質によつて決せられる事例を判例にみれば、

(a)　賃借人として土地を占有する者は権原の性質上所有の意思がない。

【30】「控訴人先々代久左ヱ門ハ本件土地ヲ佐伯隆基ニ売渡シタル後直チニ之ヲ賃借シ、爾後賃貸借関係ヲ継続シテ控訴

人先代並ニ控訴人トモ土地所有者ヨリ期間ノ定メナク本件土地ヲ賃借シ大正六年頃迄賃料ノ支払ヲ為シ来リタルコトヲ認メ得ベク、……而シテ権原ノ性質上占有者ニ所有ノ意思ナキモノトスル場合ニ於テハ、其占有者ガ自己ニ占有ヲ為サシメタル者ニ対シ所有ノ意思アルコトヲ表示シ又ハ新権原ニ因リ更ニ所有ノ意思ヲ以テ占有ヲ始ムルニ非ザレバ占有ハ其性質ヲ変ゼザルモノトナルコトハ民法第百八十五条ノ規定スルトコロナルヲ以テ、控訴人先々代控訴人先代及ビ控訴人ノ占有ガ何レモ前示ノ如ク賃貸借関係ノ成立シタルモノニ基クモノナル以上ハ、控訴人ハ先々代久左エ門及ビ先代イチノ占有ヲ併セテ主張スル場合ニ於テモ亦自己ノ占有ノミヲ主張スル場合ニ於テモ何レモ権原ノ性質上所有ノ意思ナキモノト解スルノ外ナク、本件ニ於テ控訴人先々代控訴人先代及ビ控訴人ガ自己ニ占有ヲ為サシメタル者ニ対シ所有ノ意思アルコトヲ表示シ又ハ新権原ニ因リ更ニ所有ノ意思ヲ以テ占有ヲ始メタル事実ハ何等之ヲ認ムベキ証左ナキヲ以テ、控訴人ハ所有ノ意思ヲ以テ占有ヲ継続シタルモノニ非ザルコト明カナリ。尤モ……控訴人ガ被控訴人ニ対シ本件土地ノ所有権ヲ主張シテ被控訴人ノ為メニ存スル所有権取得登記抹消請求ノ訴訟ヲ提起シタル事実ハ之ヲ以テ所有ノ意思アルコトヲ表示シタルモノナリト解スルヲ相当トスルモ、右訴訟ガ第一審裁判所ニ提起セラレタルハ大正五年中ナルコト……明白ナルヲ以テ、所有ノ意思ヲ以テ二十年間又ハ十年間占有ヲ継続シ其占有ガ更ニ他ノ法定要件ヲ具備スル場合ニ於テ始メテ土地所有権ノ取得ヲ主張スルコトヲ得ベキ取得時効ガ控訴人ノ為メニ完成スベキ謂ハレナキコト甚ダ明カナリ」（東京控判大九・一〇・二二評論九・民一〇二七）。

(b)　また、信託行為にもとづく目的物の占有は所有の意思をもつてはじまつたものと認めることはできないとするものがある。

【31】「被告ハ明治十八年八月以来民法第百六十二条第二項ノ条件ヲ具備セル占有ヲ継続セルニヨリ取得時効成就セルモノナリト云フモ、敷吉ノ占有ハ信託行為ニ基クモノナルヲ以テ権原ノ性質上所有ノ意思ヲ以テ始マリタルモノト認ムベカラザルコト前段説述スル所ニヨリ明カニシテ、其後ニ於テ敷吉若シクハ被告ヨリ原告先代若シクハ原告ニ対シ所有ノ意思アルコトヲ表示シ又ハ所有ノ意思ヲ認ムベキ新権原ニ依リ占有ヲ初メタル事実ノ認ムベキモノナキヲ以テ、所有ノ意思ヲ以テスル占有タルコトヲ認ムベカラザルノミナラズ、……」（名古屋地判大四・一二・二四評論五・民四〇〇）。

なお、三占有の取得二（一）(4)占有改定（ロ）(a)（iii）参照【70】【71】。

(c)　神社あるいは鎮守の神職、もしくは別当職として土地を占有する者は、所有の意思のない占有と認めるべきである。

【32】「原審は証拠によつて、上告人家の戸主は代々被上告神社或はその前身である太田本郷鎮守の神職或は別当職であつて、右神社或は鎮守のために本件土地を占有し来たり、上告人の代に至つたことを認定し、右認定が適法であることは、上告理由第一点について説明したとおりである。したがつて、原審が、上告人家の戸主が代々本件土地を占有し来たつたのは、権原の性質上、所有の意思のない占有であると判示し、また相続による占有の取得は新権原による占有ではないから、上告人の本件土地に対する占有もまた所有の意思のない占有であると判示したのは、もとより正当であつて、なんら違法な点はない。このことは本件土地がいわゆる被上告神社の境内地ではなく、その地上に上告人家累代の住宅、墓地があり、また上告人所有の貸家があり、後にこれを病院として利用したことがあつたとしても、その占有の意思が上記のように右神社或は鎮守のためのものである以上、右の一事によつて所有の意思ある占有をなし来つたものとは認めることができないし、また自己に占有をなさしめた者に対し、所有の意思あることを表示し、又は新権原によつて更に所有の意思で占有を初めたものということができないことというまでもないから、原判決にはなんら所論のような違法な点はなく、論旨は結局、上告人の独自の見解を以て、原審が適法になした事実認定及びこれに基く法律上の判断を非難するに過ぎないものであつて、これまた採用するに由ない」（東京高判昭三〇・二・四東京高時報六・二民二八）。

寺の住職が寺の不動産を管理している場合も同様である（大阪地判大一〇・三・三一新聞一八七四・一九）。なお【36】参照。

(d)　共有者の一人が共有物の使用、管理のためにする占有につき、他の共有者の持分に関するかぎり、所有の意思をもつて占有するものではない。

【33】「控訴人はその所有の意思を以てする本件不動産に対する占有は、昭和七年一月頃開始したものであると主張するけれども、抑も、共有者の一人が共有物の使用若しくは管理のためになす占有については、他の共有者の持分に関する限り、その者に対して自己に所有の意思のあることを表示しない以上、所有の意思を以て占有しているものでないと認めるのが、共有の本質に鑑み、極めて当然であるというべきであつて、本件についてこれをみるに、被控訴人が占有中の本件共有不動産に関し、その主張の頃被控訴人に対してその持分につき、自己に所有の意思あることを表示した事実は、これを認めるに足る証拠がないから、取得時効の完成に関する控訴人の主張は、それがいずれの時効であるを問わず、既にこの点において、採用するに由ないものといわざるを得ない」(広島高松江支判昭三〇・三・一八民集八・二・一六八、ジュリスト八一・七六)。

なお、以下の判例参照。

(ロ)　民法は自主占有への転化をつぎの場合にかぎつて認める。

(a)　他主占有者が自己に占有をなさしめた者に対し所有の意思あることを表示すること(一八五前段)。

AはYの経営する運送店を到達地運送取扱人に指定してYに貨物を売り渡す旨約定し、B運輸会社を通じて荷為替付で運送したが、到達後もYが代金を支払わないので、貨物引換証をYに交付せずにBに返還して新たな貨物引換証の発行交付をうけ、同一貨物をXに譲渡し、Xの代金支払と同時にこれを交付した。Yは一面運送取扱人として他面荷受人つまり所有者として占有している旨を主張し、原審はこれを容れて、Yの占有は運送取扱人としての占有から買主としての占有に転じたものと判示したが、大審院は、運送取扱人の地位で貨物を保管する者が自主占有者となるためには荷送人に対し所有の意思あることを表示しなければならないとして、これを破棄した。

【34】「本件貨物ガ被上告人〔Y〕ノ手ニ帰シタルハ到達地運送取扱人タル地位ニ於テ其ノ占有ヲ為スニ至リタルモノニシテ、偶々本件ニ於ケル如ク到達地運送取扱人ト荷受人トガ同一人ナル場合ニ於テモ、貨物ガ荷為替付ニテ発送セラレタルトキハ荷受人ハ其ノ代金ノ支払ヲ為シテ始メテ貨物ヲ受領スルコトヲ通例トスベキガ故ニ、遂ニ代金ノ支払ヲ為サザリシ被上告人ハ特別ノ事情ナキ限リ運送取扱人ノ地位ニ於テ貨物ノ保管ヲ為スニ止ルモノト認ムルヲ相当トスベシ。然ルニ原審ハ前示ノ如ク之ニ反スル判断ヲ下シタルニ拘ラズ、右ハ被上告人ガ民法第百八十五条前段ノ規定ニ則リ所有ノ意思アルコトヲ表示シタルモノナリヤ、而シテ之ヲ表示シタルモノトセバ果シテ荷送人ニ対シテ之ヲ為シタルモノナリヤ、将タ又運送人ニ対シテ之ヲ為シタルモノナリヤノ点ニ関シ全然説明ヲ欠如スルヲ以テ理由ニ於テ尽サザルトコロアリ、又若シ原審ガ同条後段ノ規定ニ依拠シテ本件ノ判断ヲ為シタリトセバ、右規定ハ本件ノ如キ荷為替付ノ取引ニ付テハ当然ニ之ヲ適用スベキモノニ非ザルコト前示ノ如クナルガ故ニ法規ノ誤解アルモノト云フベク、之ヲ要スルニ原審ハ其ノ判断ノ根拠ヲ明示セザルニヨリ少クトモ理由不備ノ違法アルモノニシテ論旨ハ結局理由アルモノトス」（大判昭四・七・四評論一八・高五五二）。

(b)　他主占有者が新権原により所有の意思をもつて占有をはじめること（一八五後段）。

(ｉ)　たとえば、賃借人が賃貸人より賃借物の所有権を取得した場合のごときである。その他、買戻約款付で土地を売り渡すと同時にこれを賃借した者が買戻代金を提供して所有権を取得したときも、同様にその占有は自主占有となる。左の判決はこの旨を明示し、それ以後支払われた賃借料（小作料）は不当利得として返還すべしとするものである。

【35】「上告人〔買戻権者〕ハ其ノ買戻ノ意思表示ヲ為ス迄ハ本件土地ヲ賃借人トシテ占有スルト同時ニ所有者タル被上告人〔買戻義務者〕ノ為ニ代理占有ヲ為セルモノナレドモ、其ノ買戻ノ意思表示ヲ為シ本件土地ノ所有権ヲ取得シタルトキハ反証ナキ限リ、上告人ハ民法第百八十五条末段ニ依リ新権原ニ因リ更ニ所有ノ意思ヲ以テ占有ヲ始メタルモノト謂フベ

ク、従テ上告人ハ爾後本件土地ヲ所有ノ意思ヲ以テ占有スルモノニシテ被上告人ノ為ニ代理占有ヲ為サザルモノト謂ハザルヲ得ズ。賃借人ガ賃貸借ノ目的物ノ所有権ヲ取得シタルトキハ、賃貸借ヲ為スベキ利益アル場合例ヘバ其ノ物ガ質権又ハ地上権等ノ目的トナリ賃借人ニ於テ所有権ヲ取得スルモ之ガ使用収益ヲ為スコトヲ得ザルガ如キ場合ヲ除クノ外ハ、賃貸借関係ヲ存続セシムルノ必要ナク従テ賃貸借ハ終了スルモノト解スルヲ相当トス。而シテ上告人ガ本件土地ノ所有権ヲ取得シタル明治四十四年十二月頃以来所有ノ意思ヲ以テ之ヲ占有シ使用収益ヲ為セルコト叙上ノ如クナル以上ハ賃貸借ヲ存続セシムル必要ナキヲ以テ、本件賃貸借ハ爾後終了スルモノト謂ハザルヲ得ズ」（大判昭五・六・一二民集九・五三二）。

もっとも、この判決は占有の転換を賃貸借の終了に関連づけている点、妥当を欠くというべきであろう（柚木・前掲判例物権法総論二九四頁）。

(ii)　相続はここでいう「新権原」でないとするのが通説である（我妻・前掲三一九頁、末川・前掲物権法一九四頁、舟橋・前掲二九六頁、林・前掲一五七頁。反対説、石田・物権法論二七一頁）。判例もまた同様である。Y寺の境内地はA住職の占有管理下にあったが、その死亡後B、Bの死亡後Cが家督相続し、境内地所有権をも相続により取得したものと信じて占有を継続し、Xの先代X′に譲渡、X′死亡後Xが相続した。ところが、A住職死亡後廃寺処分がなされないでD寺住職、さらにE寺住職がY寺住職を兼ね、EはY寺名義でその境内地につき保存登記した。そこで、Xは所有権確認、移転登記を求めて本訴におよび、第一審ではX勝訴したが、第二審で敗訴した。Xは、Cが相続により所有権を取得しなかったとしても時効取得しているとして、上告し、ここにCが所有の意思を有したかどうかが問題となったが、大審院はこれを容れなかった。

【36】「権原ノ性質上占有者ニ所有ノ意思ナキモノトスル場合ニ於テハ、其ノ占有者ガ自己ニ占有ヲ為サシメタル者ニ対シ所有ノ意思アルコトヲ表示シ又ハ新権限ニ因リ更ニ所有ノ意思ヲ以テ占有ヲ始ムルニ非ザレバ占有ハ其ノ性質ヲ変ゼザル

モノナルコト民法第百八十五条ノ規定スル所ニシテ、相続ニ因リ占有権ヲ承継スル者ハ前者ノ占有権其ノモノヲ承継スル者ナレバ、前主ノ占有ガ所有ノ意思ナキモノトナル場合ニ於テハ相続人ノ占有モ亦所有ノ意思ナキモノニシテ、相続ヲ以テ右規定ニ所謂新権原ナリト解スベキニ非ザルナリ」（大判昭六・八・七民集一〇・七六三）。

左の判決も同旨である。

【37】「取得時効ノ要件タル占有ニ関シテハ、相続人ハ謂ハバ被相続人ノ人格ヲ承継シタルモノトシテ被相続人ト同様ニ取扱ハルベキモノニシテ、相続人自身相続以外ノ新権原ニ基ク新ナル占有ヲ開始セザル限リ、相続人固有ノ占有ヲ主張スルヲ得ズ」（大判昭一四・九・一五評論二八・民八七五）。

これらの判例からも明らかなように、相続による占有の取得の場合には、被相続人からの占有の承継の面だけしか判断されておらず、相続人固有の占有の面は看過されている。占有の事実性という特性から、相続の場合にも当然に承継の面と固有の面という二側面からの考察が可能である。したがつて、一八七条一項の適用ありとし、たとえ被相続人の占有が他主占有であつたとしても、相続人固有の占有に関する判断から時効取得も可能性あるものといわなければならない（末弘・判民昭和六年度七八事件）。しかし、相続は新権原でないとすると所有の意思は権原の性質によつて決定されるから、相続人固有の占有はいかにして自主占有となりうるかに関しては、（ハ）および三占有の取得三（二）(1)参照。

（ハ）　民法一八五条は多くの問題を含んでいる。なぜなら、占有意思は権原により客観的に推測されるのではなくて、一義的に決定されるとすることは、主観説を尊重するかぎり調和しないからである。もつとも、主観説としても内心的意思が法律上問題となりえないことはいうまでもなく、その外部的表現にもとづき意思が法的判断に服するのであつて、意思の外部的表現は、外部に対して明白に意思表示するか、あるいは所持の状態に関する認識可能な外部的挙動のかたちでなされるであろう。その意味では、同条前段は意思の外部的に認識可能な変更によつて占有の性質を変ずるとする点主観説の建前につらなるが、その場合にはどこまでも、所持を取得するにいたつた原因事実は占有意思を客観的に推測せしめる事実であると解すべきである。さらに他面、同条後段は、まつたく主観説の建前をすてさり、客観的な事実に決定的な意義をもたせているのである。したがつて、一般にとかれているように権原が意思の判断につき一義的決定的な意義をもつとするときは、少くともこの点に関するかぎり意思要素の後退を認めているのであるから、同条前段を解釈するにあたつても、矛盾のないように調和をもたせることが必要である。私は、同条前段は、所持の態様の変更が客観的に認められることが所持の基礎にある意思の変更となるという意味から、占有者が権原と明白にあい容れない行為によつて所持の態様が客観的に変更し、所有の意思あることが事実上表示され、占有を取得せしめた者がこれをしつて変更状態が確定的となることと解すべきであろうとおもう（田中「客観説」前掲五五〇・五五三—五五四頁、なお「代理占有」四代理占有の消滅一（二）参照。二〇四条一項二号も同様に解釈しうる）。通説ではつぎのような事態を処理できないのではないかとおもう。

最近、最高裁判所は大審院以来の従来の態度を覆して、相続人の占有についても民法一八七条一項の適用を全面的に認めて、相続人固有の占有のみの主張を許す旨の判決をなすにいたつたのであるが（【94】）、相続が新権原でないとすると、一八七条一項の適用のもとに相続人固有の占有は被相続人の占有の瑕疵を承継しないこととなつても、「所有の意思」の点では、一八五条により権原の性質により客観的に決定されるのであるから、相続人固有の占有の態様で判断されないという結果を生ずる。そこで、相続は新権原ではないが、相続により客観的権利関係に変更が生じたときは新権原となるとみるべき場合があるとしたり（我妻・前掲三一九頁）、相続人固有の占有については一定の権原にもとづいて取得した占有といえないから一八五条の適用の範囲外に属するとされることがあるが（舟橋・前掲二九六頁）、一八五条の適用を認める以上は、新権原でないものが占有の存続中において客観的権利関係の変更によりいかにして新権原になるのかが理解できないし、また、ここで権原とは占有取得原因をいうのであるから相続人固有の占有も相続という権原によつて取得されたものであつて、それが新権原でないにすぎず無権原ではなく、どんな占有取得にもその取得原因があり、それにより占有の性質を客観的に決しようとするのが一八五条であるから、もし一八五条の適用外に属する占有を認める（鳩山・民法研究二巻一六四―一七六頁）ならば、占有意思が権原により純粋に客観的に決定されるという立場を放棄することとなり、占有者は権原によつて判断されるとは異なる意思をもつことができこれを立証した際には権原による判断を覆すことができる、としなければならないであろう。上述のような私の解釈をとる場合には、相続人固有の占有における所有の意思の存否は、一八五条前段の問題として取り扱うことができるのである（三占有の取得二（二）（1）参照）。

(a)　従来とは異なつた所持の客観的な態様が相手方にも明白に認識されて確定的状態となつた場

合には、同条前段の要件をみたして占有の性質も転換するのであり、このように解して、はじめて、以下の具体的に妥当な判例を解釈論的に説明することができよう。この私の解釈の基礎には、占有の事実性という特質の重視と、解釈論上事実性から解放されて強力なものとされる観念的権利も現実の社会的関係においては事実性とつよく結びついており、これとまつたくはなれては完全な機能を営みえないという観念（田中「所有権と占有関係」前掲法と政治の諸問題三〇五頁以下）が存するのである。

不動産質権者およびその相続人が、明治六年太政官布告一八号地所質入規則によれば質権者の名において公租公課を納入すべしとなすものではないのに、自己の名において納入しつづけ、質権設定者死亡後四〇年にわたつて使用収益してきたが、同村内の質権設定者の親族故旧より質物取戻につきなんらの交渉もなく平穏裡に占有してきた場合に、所有の意思を認めてよいものとする。

【38】「上告人先代〔質権者〕又ハ上告人ガ自己ノ名ニ於テ納入シ来リタルノ事実アリトセバ、斗ハ特別ノ事由ナキ限リ上告人等ガ所有ノ意思ヲ以テ占有シ来リタルノ依拠タルベキモノト云フベク、原判決ノ説クガ如ク上告人ノ主張ヲ認ム可キ資料タリ得ザルモノト為スヲ得ズ。又本件土地ハ訴状ニ依リテモ明ナル如ク兵蔵〔質権設定者〕ノ住所タリシ地並ニ上告人ノ住所ト同村同字内ニアルヲ以テ、若上告人主張ニ係ル兵蔵死亡ノ日時ヲ肯認スレバ、上告人等ガ兵蔵ノ死後四十年ニ亘リ之ヲ占有シ使用収益シ来リタルコトトナルガ故ニ、仮ニ質権者トシテ之ヲ占有シタルモノトセバ其ノ間兵蔵ノ親族故旧ヨリ質物取戻ニ付何等カノ交渉アルベキヲ想像シ得ベク、如上長年月ニ亘リ何等ノ紛議ヲモ醸シタルコトナク平穏裡ニ之ヲ占有シ得タルノ事実ハ、特別ノ事情ナキ限リ自他共ニ上告人等ヲ以テ所有者ナリト認ムルヲ相当トスル状況ニアリシモノト推定スベク、凡ソ如上特別事情ノ有無ヲ定メズシテ本件請求ヲ棄却シタル原審ノ認定ハ審理不尽又ハ理由不備ノ憾アルモノト云フベク、原判決ハ此点ニ於テ破棄ヲ免レザルモノトス」（大判昭八・一二・一二八判決全集三・一三）。

もっとも、当初質権者の占有はたとえ自己名義で公租公課を負担しても他主占有であるが、自他ともに認められた所有者的支配のもとにおいて少くともその相続人にとっては、特別な事情のないかぎり、他主占有とあい容れない所持の態様があるといえる（ここで、二〇四条一項二号の解釈が問題となる。「代理占有」四参照）（我妻・前掲三一九頁、舟橋・前掲二九六頁は判旨の結論に賛成される）。また、売買契約の成立した事実はないが地券の交付をうけて土地を占有せる者が所有者の名で公租公課を納付してきた場合につき、

【39】「売買ノ事実ニシテ認メ得ベクンバ始ヨリ問題無シ。其ノ認メ得ラレザル場合ニ於テ一面ニ明治十年中上告人先代ハ被上告人称平ノ先代ヨリ地券ノ交付ヲ受ク。爾来上告人家ニ於テ引続キ当該土地ヲ占有シ使用シ其ノ収益ヲ為シ、且土地ニ関スル租税ハ被上告人ノ名ヲ以テ之ヲ納付シ来レル事実アリ。這ハ原審ノ確定スルトコロナリ。而モ此ノ長年月ノ間被上告人称平若ハ其ノ先代ニ於テ何等異議ヲ申出デタル事実ノ主張モ無キ本件ニ於テ、原裁判所ハ如何ナル特別ノ事情ノ観ルベキアリテ夫ノ占有者ハ所有ノ意思ヲ以テ占有スルモノナリト云フ法律上ノ推定ヲ覆シ、当該判示ノ如ク此ノ意思ノ存在ヲ否定スルトコロアリシヤ、判文上得テ知ルベキモノ無シ。理由不備ニ非ザレバ則チ法律ノ不適用ナリ。但原判決ニハ其ノ下文ニ於テ上告人ハ被上告人『称平ノ所有ニ属スル事実ヲ知リテ占有シ居タルモノト認定スベク』ト判示セルモ、他人ノ所有ニ属スル事実ヲ知レリト云フコトト所有ノ意思ヲ以テ占有スト云フコトハソレ自体両立シ得ザル事柄ニ非ズ。善意悪意ノ点ヨリ問題ト為リ得ベケムモ而モ悪意ノ場合独リ取得時効ノ完成ヲ見ザラムヤ。原判決ノ意味那辺ニ在リヤ。悪意ノ事実ヲ認メテ以テ十年ノ取得時効ノ完成ヲ否定スルノ趣旨ナルカ、抑モ亦所有ノ意思ヲ否定シテ以テ全然取得時効ノ完成ヲ排斥スルノ趣旨ナルカ、是レ亦得テ解シ難シ。原判決ハ竟ニ瑕疵アルヲ免レザラムナリ」（大判昭三・五・九裁判例二・民一）。

と判示する。売買の事実がないのに地券の交付をうけて占有する際には、たとえ所有者名義で公租公課を負担しても権原の性質上当初は他主占有であったと考えられるが（贈与の事実もないものと仮定する）、その状態が永続

し所有者およびその相続人からなんらの異議もなく自由に占有しておれば、少くとも占有者の相続人にとっては、本来所有者以外の者が公租公課を負担する必要はないのであるから、他人名義ではあっても自己の所有物であるが故に公租公課を負担するものとみられ、たとえ相続人が悪意であったとしても長年月なんらの異議もなく社会関係において自他ともに認められた所有者的支配をしてきたのであるから、他主占有とあい容れない所持の態様が確定的に存する結果、自主占有に転ずるものとみることができるであろう（ここでも、二〇四条一項二号の解釈が問題となること前掲判決の場合と同じ）。本判決は、売買の事実なくして地券の交付をうけているのに自主占有のみの推定をしている点において問題を含むが、その結論は具体的妥当を有するものとおもわれる。

さらに、一八五条は他主占有が自主占有に転ずる場合の規定であるが、その性質上、逆に自主占有が他主占有に転ずる場合にも当然に準用されること後述のとおりであるが（ホ参照）、自主占有もまたその途中において客観的態様により他主占有となりうると解されるのであって、判例も、土地の贈与をうけたとしても、登記もせず公租公課も二〇数年にわたって支払っていない場合には、大審院は、所有の意思をもって占有したものとすることはできないとして、

【40】　「訴外筑後軌道株式会社タルモノ斯カル土地ノ贈与ヲ受ケ所有権ヲ取得シタリト信ジナガラ三十年ニ垂ソトスルノ間登記ヲ受ケズシテ経過シタリト云フガ如キハ取引上ノ常態ニ非ズ。又土地ノ所有者ト為リタル以上之ニ付地租其ノ他公課ヲ納付スベキハ当然ノ事ナルノミナラズ、従前所有者タリシ他人ガ其ノ納付ヲ為スママニ放置スルトキハ動モスレバ紛糾ノ端ヲ生ズルコトアルベキハ理ノ看易キ所ナレバ、苟モ自ラ土地所有権ヲ取得シタリト為ス者ニシテ二十数年ノ久シキニ亘リ

当該土地ニ対スル地租其ノ他公課ノ賦課ヲ受ケザルニ於テハ之ヲ怪シミテ適宜其ノ賦課ヲ受クルノ手続ヲ採リ、以テ其ノ納付ヲ為スヲ事ノ常態トス。訴外筑後軌道株式会社ガ其ノ所有権ヲ取得シタリト信ジタリト云フ本件土地ニ対スル公租公課ハ原判示ノ贈与以前ヨリ今ニ至ルマデ引続キ上告人ニヨリテ納付セラレ、右訴外会社ハ原判示ノ売買ニ至ルマデ二十数年ノ久シキニ亘リ当該土地トハ恰モ風馬牛相関セザルモノノ如ク毫モ前叙ノ如キ措置ニ出デズ、徒ラニ上告人ガ納付ヲ為スママニ放置シ居タリト云フモ、亦又取引上ノ常軌ニ反セリ。之ヲ要スルニ本件土地ガ従前ノママ登記簿上上告人名義ト為リ居レルノ事実ノミヲ考フルモ又本件土地ノ公租公課ガ永年間上告人ニヨリテ納付セラレ来リシ事実ノミヲ考フルモ、訴外筑後軌道株式会社ガ原判示ノ如ク本件土地ニ付所有ノ意思ヲ有シタリト認ムルハ甚ダ吾人ノ取引観念ト軒軽スル所、況ンヤ是等両個ノ事実ノ儘存スルニ於テヲヤ。若シ夫レ是等ノ事実アルモ仍ホ右訴外会社ニ右ノ意思アリタリト認ムル妨トナラズト謂ハンニハ其ノ然ル所以ヲ説明スベキナリ。原判決ニハ何等這般ノ説明ヲ与フル所無シ。然ラバ則チ原判決ハ実験則ニ背キテ事実ヲ認定シタルモノニ非ザレバ理由不備ノ違法アルニ帰ス。論旨理由アリ」（大判昭一〇・九・一八判決全集二三・四）。

と判示する。

大審院が、きわめて総括的に、

【41】「自主占有ニ於ケル所有ノ意思ハ、所有権ヲ取得スベキ実体法上ノ法律関係ガ具体的ニ確定スルコトヲ要セズシテ、外形的ナル事実関係並ニ当事者間ノ身分関係及納税関係或ハ継続的ナル使用収益ヲ為シ来タレル事実等ノ事情ニ鑑ミテ判断スベキモノニシテ、ソノ判断ハ別段ノ事由ナキ限リ一般取引上ノ通念ニ照合シテ行ハルベキモノトス」（大判昭一八・七・二六法学一三・三八九）。

となすのは、占有成立に際しての取得原因のみではなく、取得原因とははなれて占有存続中における所持の客観的な態様によって、所有の意思の決定がなされうる、ことを意味するものと解される。

(b)　したがって、つぎのような少数の判例の態度は占有の事実性にそむき一八五条前段を誤解するものといえよう。

Xの先代X'の所有であつた山林が畦畔丈量の際錯誤により登記簿上Aの所有名義となつたため、Aは明治三二年五月一日、同年九月までにX'に移転登記をなすことをX'に約しながら、これをなさずに引き続き占有し、AはYに、YはBに、BはさらにYに売却し占有を継続していた事案において、原審は、同年一〇月一日より起算し二〇年でBが時効取得したと判示したが、大審院はこれを破棄した。

【42】「占有者ハ所有ノ意思ヲ以テ善意平穏且公然ニ占有ヲ為スモノト推定スベキモノナルコト民法第百八十六条ノ規定スルトコロナルモ、権原ノ性質上占有者ニ所有ノ意思ナキモノトスル場合ニ於テハ、其ノ占有者ガ自己ニ占有ヲ為サシメタル者ニ対シ所有ノ意思アルコトヲ表示シ又ハ新権原ニ因リ更ニ所有ノ意思ヲ以テ占有ヲ始ムルニ非ザレバ、占有ハ其性質ヲ変ゼザルモノナルコト、同法第百八十五条ノ規定ニ依リ明ナリ。今本件ニ付之ヲ観ルニ、……伊藤鶴蔵〔A〕ノ占有ハ権原ノ性質上所有ノ意思ナキ場合ナルコト判文上明白ナルニ拘ラズ、上告人先代〔X'〕ニ対シ所有ノ意思アルコトヲ表示スルカ又ハ更ニ所有ノ意思ヲ以テ占有ヲ始メタル事実アリヤ否ヤニ付何等ノ審理判断ヲ為サズシテ明治三十二年十月一日以後直ニ所有ノ意思ヲ以テ占有ヲ為シタルモノト推定シタル点ニ於テ、原判決ハ法律ノ解釈ヲ誤リ審理不尽理由不備ノ違法アルニ帰シ破棄ヲ免レズ」（大判昭六・五・一三新聞三二七三・一二）。

所持の客観的な態様が変更し、その確定的状態が生じたときには、態様が変更したときから時効期間に算入されるべきであろうとおもわれる。

また、兄が妻と同居の弟妹を残して家出し、よそで他の女と同棲して女子をもうけたまま郷里に帰らずに死亡し、その娘も父の故郷に戻らないので、弟の死亡後分家した妹が一人で家出した兄の土地を使用していたが、兄の娘も昭和二年に死亡し、子供もなかつたので、旧民法上相続人を選定しなければならなかつたところ、従来管理占有していた妹は、本件土地が自分の所有に帰したものと誤信し、親戚の者らが登記簿上の所有名義人を兄の娘から妹に変更するようすすめたけれども、「手続をするには金がいるし、誰も土地を取りに来る者はないから、ほっておいてくれ」といって、二六年余にわたり登記名義はそのままで兄の娘名義で地租を納付し占有しつづけ、昭和二九年に死亡した事案において、妹の子は親が時効取得したと主張し、第一審はその自主占有を認めたが、第二審は左のように判示してそれを他主占有であるとした。

【43】「たつ〔妹〕は、所有者ふさ乃〔兄の娘〕の生存中より本件土地を占有しており、同女の死亡後も引き続きその占有を継続していたものである。そしてたつは、ふさ乃の生存中は、土地の管理人としてこれを占有していたものと認めざるを得ないから、ふさ乃の生存中におけるたつの本件土地に対する占有は他主占有であるといわなければならない。そして他主占有が自主占有に転換するためには、占有者において上記認定のように自分に占有をなさしめている所有者が相続人なくして死亡したために占有土地が自分の所有に帰したものと信じた、という事実が存在するだけでは不十分であり、民法第百八十五条所定の『占有者カ自己ニ占有ヲ為サシメタル者ニ対シ所有ノ意思アルコトヲ表示シ又ハ新権原ニ因リ更ニ所有ノ意思ヲ以テ占有ヲ始ムル』事実の存在することを必要とするのである。なお、占有者に占有をなさしめた者が本件のように相続人なくして死亡した場合において、占有者が同条所定の意思を表示しようとするときは、相続財産管理人選任の手続をした上、その管理人に対してこれをなすべきものと解する。ところが、本件においては、占有者たつに民法第百八十五条所定の事実があったことの主張も立証もなく、かえって上記認定事実より同条所定の事実の存在しなかったことを推知し得る次第である。したがってふさ乃死亡後におけるたつの本件土地に対する占有もまた他主占有であるとみなければならない」（名古屋高判昭三五・八・一〇下級民集一一・八・一六九八、判時二四一・七七五五六）。

この判決はきわめて不当なものであり、したがって、同種の事案について逆の判決が見出されるこというまでもない。分家の単身戸主が死亡して絶家した場合に、本来その分家財産は本家より贈与されたもので事実上本家に吸収されて独立の存在をなさなかったので、本家戸主が分家絶家後自由かつ安全に支配しうるものとおもい、故人である分家戸主の名義で租税を納付しつづけ、その土地上に建物を所有している際の土地占有は、自主占有であると認める。

【44】「卯之助〔分家戸主〕名義ノ本件土地ハ卯之助死亡後ハ自己ノ所有ニ帰スルモノト做シ、爾来所有ノ意思ヲ以テ平穏且ツ公然ニ之レヲ占有シ来リタルモノト認定スルヲ相当トスベク、而モ占有ノ権原ガ法律上無効ナル場合ニ於テモ其ノ権原アリトシテ始メタル占有ノ性質ハ之レガ為メ何等ノ変更ヲ受クルモノニアラザルヲ以テ、直道〔本家戸主〕ノ本件土地占有ガ所有ノ意思ヲ以テスルモノナルコトヲ否定スルヲ得ザルモノトス」（東京控判昭一三・一一・一〇評論二八・諸一九〇）。

もっとも、この判決は新権原にもとづく転換を認めたものである点に注意しなければならない。

（二）以上いずれかの要件をみたさないかぎりは、他主占有が自主占有に転ずることはない。たとえば、占有代理人として他主占有している株式会社の取締役が、その業務上保管する物件を自己の債務のため無断で質入しても、これによつて取締役が自主占有者となることなく、本人たる会社は代理占有を失うものではない、とする判例がある。

【45】「笠間靖〔取締役〕ハ元来上告銀行ノ為メ代理占有ヲ為スモノナレバ、更ニ上告銀行ノ適法ナル代表者ニ対シ自己ノ為メニ所有スルノ意思ヲ表示スルカ又ハ新権原ニ因リ所有ノ意思ヲ以テ占有ヲ始ムルニ非ザルヨリハ、其占有ヲシテ代理占有タル性質ヲ変ゼシムルコト能ハザルハ、民法第百八十五条ノ規定上疑ヲ容ル可カラズシテ、同人ガ単ニ自己ノ債務ノ為メ右占有物ヲ中井銀行ニ入質シタル事実ハ未ダ其占有ノ性質ヲ変ゼシムルニ必要ナル条件ヲ具備スルモノニ非ザルガ故ニ、同人ハ依然上告銀行ノ為メ代理占有ヲ持続スルモノト謂フ可ク、随テ上告銀行ハ同人ニ依リ間接占有ヲ保持スルモノト謂ハ

ザル可カラザルヲ以テ、此点ニ関スル原判旨モ亦正当ニシテ所論ノ如キ不法アルコトナシ」（大判明四三・五・七民録一六・三五〇）。

代理占有に際して二〇四条一項二号の消滅原因は、占有代理人の従来とは異なる所持の客観的な態様が外部にまた代理占有の本人に明白に認識せられ確定的状態となることを意味すると解するから（「代理占有」四代理占有の消滅一（二）参照）、代理占有の本人が客観的な態様の変更を認識してただちに異議を主張すれば、新しい確定的状態は生ぜず、代理占有は消滅しないし、一八五条からしても占有代理人は自主占有者とならないことはいうまでもない。しかし、会社取締役は会社の占有代理人ではなく占有機関と解すべきであるが（「代理占有」二代理占有の成立一（二）（2）（ニ）参照）、占有機関もその職務とは無関係に所持しようとする場合には同じことが準用されるといえよう。

なお、前掲【30】【31】【32】【33】【34】【48】がある。

（ホ）なお、一八五条の趣旨は自主占有より他主占有への転換についても（〔40〕、林・前掲一五七―一五八頁）、他主占有が他の態様の他主占有に転ずる場合にも準用さるべきであろう（通説）。たとえば、土地賃借人としての占有から永小作権者としての占有に転ずるためには、一八五条に規定するいずれかの事由を要するものとして、

【46】「時効ニ因リテ永小作権ヲ取得スルニハ自己ノ為ニスル意思ヲ以テ一定ノ期間内永小作権ノ行使ヲ為スコトヲ要スルモノトス。而シテ原判決ノ認定シタル事実ニ依レバ上告人ハ本件土地ニ付賃借権ヲ有スルモノニシテ其ノ権原ノ性質上自己ノ為ニ永小作権ヲ行使スルノ意思アルモノト謂フヲ得ザルヲ以テ、被上告人ニ対シ永小作権行使ノ意思アルコトヲ表示スルカ又ハ新権原ニ因リ更ニ永小作権行使ノ意思ヲ以テ占有ヲ始ムルニアラザレバ、本件土地ニ付自己ノ為ニスル意思ヲ以テ

永小作権ノ行使ヲ為スモノト謂フヲ得ザルコト民法第二百五条第百八十五条ノ規定ニ依リ明ナリトス。故ニ原裁判所ガ是ト同一趣旨ニ依リ上告人ガ被上告人ニ対シ永小作ノ意思アルコトヲ表示シタル事実又ハ新権原ニ因リ永小作ノ意思ヲ以テ占有ヲ始メタル事実ナシト認メ上告人ノ取得時効ノ抗弁ヲ排斥シタルハ不法ニ非ズ」（大判大一五・一〇・二一新聞二六三六・九）。

と判示し、また、左のように同条前段の準用を認める。

【47】「原判決ハ上告人ハ賃貸借契約ニ因リ係争地上ニ賃借権ヲ有スルコトヲ確定シタルモノナルヲ以テ、民法第二百五条第百八十五条ノ適用ニ依リ上告人ガ被上告人ニ対シ永小作権トシテ土地ヲ使用スル意思ヲ表示スルコトナケレバ、上告人ノ借地権ハ賃借権タル性質ヲ変ゼザルモノトス。而シテ上告人ハ原審ニ於テ単ニ時効ニ因リ永小作権ヲ取得シタルコトヲ主張シタルニ止リ、右意思ノ表示ヲ為シタルコトヲ主張シタル事実ナキモノナレバ、原判決ガ論旨所掲ノ如ク判示シ上告人ハ永小作権ヲ有スルモノニ非ズト為シタルハ正当ニシテ、右判示ハ上告人ノ時効取得ノ抗弁ヲ排斥シタルモノニ外ナラザルヲ以テ、原判決ハ所論ノ如キ不法アルモノニ非ズシテ論旨理由ナシ」（大判大一〇・三・一六民録二七・五四一）。

(3)　占有者は自主占有者であると推定される（一八六I）。権原の性質上いずれとも判定しがたいときの意思推定に関するものであるから、賃借権にもとづいて占有をはじめた者に対しては、所有の意思をもってする占有でないと決定されるのが相当であり、その後の転換については特段の事情（所持の客観的な態様の変更があったとすればその確定的となつた事情）を占有者側で立証しなければならない。

【48】「上告人先代ハ被上告人先代トノ賃貸借ニ因リ賃借人トシテ本件宅地ノ占有ヲ初メタルモ其ノ後右賃貸借ハ解除セラレタルニ拘ラズ尚引続キ権原ナクシテ之レガ占有ヲ継続シタルモノナルコト原審ノ確定シタル事実ナルガ故ニ、右宅地ノ占有者タル上告人先代ガ同人ニ占有ヲ為サシメタル被上告人先代（賃貸人）ニ対シ所有ノ意思アルコトヲ表示シタル事実アルニ非ザレバ、賃借ノ意思ヲ以テ始メタル該宅地ノ占有ガ其ノ性質ヲ変ジテ所有ノ意思ヲ以テスルモノト為ルコトナキハ民法第百八十五条ニ照シ一点ノ疑ナキ所ナリ。而シテ賃借権ニ基キ占有ヲ始メタル者ニ対シテハ占有ノ権原不明ナル場合ノ意

思推定ニ関スル同法第百八十六条ノ規定ノ適用ナキコト多言ヲ要セザル所ナリ。左レバ上告人又ハ其ノ先代ガ本件宅地所有者タル被上告人又ハ其ノ先代ニ対シ右宅地占有ニ付所有ノ意思アルコトヲ表示シ又ハ新権原ニヨリ所有ノ意思ヲ以テ占有ヲ始メタルコトノ立証ヲ為サザルコト記録ニ依リ明ナル本件ニ於テ、原審ガ以上説示スル所ト同趣旨ニ出デテ上告人先代及上告人ノ右宅地ノ占有ハ所有ノ意思ヲ以テスル占有ニ非ザル旨論旨摘録ノ如ク判示シタルハ正当ナリ」（大判昭一三・五・三一判決全集五・一二・三）。

（二）　善意占有・悪意占有

(1)　本権なくしてなす占有の区分であって、占有すべき権利がないのにあると誤信してする占有を善意占有という。善意につき、

【49】　「十年間所有ノ意思ヲ以テ平穏且ツ公然ニ他人ノ不動産ヲ占有シタル者ガ時効ヲ援用シテ其所有権ノ取得ヲ主張セソニハ、其占有ノ始メ善意ニシテ且過失ナカリシ事項ヲ必要トスルコトハ民法第百六十二条第二項ノ明示スル所ナリ。而シテ茲ニ所謂善意トハ占有者ニ於テ其不動産ハ自己ノ所有ナリト信ズルコト換言スレバ其ノ所有権ノ自己ニ存セザルコトヲ知ラザルノ謂ニシテ、苟モ其不動産ノ所有権ガ明ニ他人ニ皈属スルモノナルコトヲ知了スル以上ハ決シテ之ヲ善意ナリト云フヲ得ズ。然ルニ控訴人ノ主張スル所ニ依レバ、本件係争地所ハ被控訴人正喜知ノ先代栄三郎ヨリ其処分ヲ委託セラレタル時即チ控訴人ガ自己ニ所有スル意思ヲ以テ占有ヲ始メタリト云ヘル当時ニ於テ其地所ガ栄三郎ノ所有ニシテ登記簿上亦同人ノ所有名義ナリシコトハ其認ムル所ニシテ、当時毫モ其不動産ノ所有権ガ自己ニ属スルコトヲ信ズベキ何等ノ事由ナク、却テ他人ノ所有物ナルコトヲ認識セシモノナレバ、之ヲ以テ控訴人ハ善意ニ其不動産ノ占有ヲ開始シタルモノト云フヲ得ザルナリ。果シテ然ラバ十年ノ短期取得時効ヲ援用シテ自己ノ所有ナリト主張スル本訴控訴人ノ請求ハ全ク其理由ナキ者トス」（前橋地判大三・一・三一新聞九二五・二六）。

とする。これに対し、占有する権利のないことをしりまたはこれを疑いつつする占有を悪意占有という。たとえば、抵当権者に対抗しえない賃借人は競落の通知をうけると同時に悪意の占有者となり、

【50】「民法第六百二条ノ規定ニ違背シタル契約ニ依リ既ニ抵当権ヲ設定シタル地所ヲ賃借スルモ、其賃借権ハ無効ニシテ抵当権者ニ対抗スルヲ得ズ。従ツテ右抵当権ノ実行トシテ抵当ノ地所ヲ競売ニ付スルトキハ、競落ニ因リ地所ノ所有権ヲ取得スル者ハ完全ナル所有権ヲ取得スル者ニシテ固ヨリ賃借権ノ対抗ヲ受ケザル者トス。故ニ競落者ニ於テ其競落ヲ賃借人ニ通知スルニ於テハ賃借人ハ直ニ其地所ヲ競落者ニ返還スベキ義務アルヲ以テ、此通知アルト同時ニ悪意ノ占有者トナルハ当然ナリ」（大判明三八・一・二五民録一一・四一）。

と判示する。一般には、善意とはある事実についての不知をさし、事実の存否につき疑いを有する場合でも善意とされるが、善意占有の効果が強力なものであるから、疑いを有する場合には悪意とされる（我妻・前掲三二〇頁、末川・前掲物権法二〇四頁、舟橋・前掲二九七頁、柚木・前掲物権法総論二九五頁、林・前掲一五八頁など通説）。判例も同様である（【52】）。この区別の実益は、取得時効（一六二以下）、占有者の果実取得（一八九・一九〇）、回復者に対する占有者の地位（一九一・一九六）、即時取得（一九二、ただし、正確には若干異なり前主に本権ありと誤信する場合である）などにみられる。

(2)　占有者は善意で占有するものと推定される（一八六Ⅰ）。

【51】「占有者ガ善意ニ占有ヲ為スコトハ法律ノ推定スル所ナルヲ以テ、本件ニ於テ上告人ハ被上告人ノ占有ガ悪意ナルコトヲ主張シ之ヲ立証スルニ非ザレバ、被上告人ヲ善意ノ占有者ト推定ス可キハ当然ナリ。且占有ノ無過失ニ付テハ原院ハ前点ニ対スル説明ノ如ク判示シ敢テ上告人ニ挙証ノ責任ヲ負ハシメタル者ニアラズ」（大判大元・一〇・三新聞八二七・二七）。

ただし、果実の取得については特則がある（一八九Ⅱ）。

(三)　過失ある占有・過失なき占有

(1)　善意占有のうち、善意であることについての過失の有無による区別である。区別の実益は、取得時効（一六二以下）、即時取得（一九二、ただし、正確には多少異なる）などについて生ずる。

(2) 無過失については、一八六条のような規定がないから推定されないとするのが通説である(我妻・前掲三二一・三二五頁(ただし、即時取得に際しては推定をうけるものとみる)、末川・前掲物権法二〇四頁以下、柚木・前掲物権法総論二九六頁(即時取得の場合は別)、林・前掲一五九頁)。判例も同様に、取得時効に関し、

【52】「民法第百六十二条第二項ニ所謂過失トハ占有者ガ注意ヲ尽サバ自己ガ所有権ヲ有セザルコトヲ知リ得ベカリシニ其不注意ニ因リ所有権ヲ有スト誤信シタル場合ヲ云フモノニシテ、善意トハ単ニ自己ガ所有権ヲ有スト確信スルヲ云フモノナレバ、無過失ト善意トハ同一ノ意義ニアラズ。又民法第百八十六条第一項ニ善意トアルハ占有者ガ占有ヲ正当トスル本権アリト誤信スル場合ヲ云ヒ、過失ノ有無ニ関セザルモノナレバ亦無過失ト同一義ニアラズ。故ニ民法第百八十六条第一項ノ規定ハ無過失ノ場合ヲ包含スルモノト謂フベカラズ。而シテ時効ニ因リテ権利ヲ取得シタルコトヲ主張スル者ハ其時効完成ニ必要ナル条件ヲ立証スル責任アルヲ原則トスルモノニシテ、民法第百八十六条第一項ニ依レバ占有者ハ所有ノ意思ヲ以テ善意平穏且公然ニ占有ヲ為スモノト推定セラルルヲ以テ此等ノ事実ハ之ヲ立証スル責任ナケレドモ、同条ニ規定セザル無過失ニ付テハ民法第百六十二条第二項ノ取得時効ヲ主張スル者ニ於テ之ヲ立証スル責任アルモノトス。故ニ民法第百六十二条第一項ニ善意ト云フハ無過失ヲ包含スルモノニシテ無過失ハ之ヲ立証スル責任ナシトノ上告人ノ所論ハ当ヲ得ズ」(大判大八・一〇・一三民録二五・一八六三)。

【53】「上告人ガ係争不動産ヲ十余年以上所有ノ意思ヲ以テ善意平穏且公然ニ占有セル事実ニ付テハ、被上告人ヨリ何等ノ反証ヲ提出セザルヲ以テ民法第百八十六条ニ依リ当然之ヲ推定スルニ難カラザルコトハ原判決ノ判示セル所ナルモ、之ト同時ニ上告人ガ係争不動産ヲ買受ケ之ヲ占有スル始メニ於テ被上告人ガ準禁治産者ナリシコトハ原審ノ確定セル事実ナルガ故ニ、上告人ガ係争不動産ニ対スル十余年ノ取得時効ヲ主張セントスルニハ、其占有ノ始被上告人ガ準禁治産者ニシテ且其売買ニ関シ保佐人ノ同意ヲ得ザリシコトヲ知ラザリシコトハ唯其善意ナリシコトヲ表明スルノ事実タルニ外ナラザルヲ以テ単ニ此事実ノミヲ以テ足レリトセズ、其知ラザリシコトニ付過失ナカリシコトハ民法第百六十二条第二項ニ依リ上告人ニ於テ之ヲ立証スルノ責アルヤ固ヨリ論ヲ俟タザル所ナリ。而シテ明治四十一年一月本件売買当時ニ於テハ戸籍法上準禁治産者ナルコトヲ知ルノ途ナカリシコトハ所論ノ如クナレドモ、人事訴訟手続法第五十三条第六十七条第一項ニ依リ其宣告シタル

決定ハ公告セラルベキモノニシテ、被上告人ニ対スル右宣告モ亦此方法ニ依拠セラレタルモノナルコトヲ想定スルニ難カラズ。故ニ縦令夫レヨリ十年ヲ経過シタル後ト雖モ能ク被上告人ノ素性ヲ探究スルニ於テハ其宣告ヲ知リ得ラルベキ筋合ニシテ、普通ノ店舗ニ於テ物品ノ購買ヲ為ス場合ト異ナリ苟モ不動産ヲ購求スル場合ニ於テ善良ナル管理人タル者ノ須ラク講ズベキ手段タルヲ失ハズ。斯ノ如クニシテ尚且何等カノ障礙ニ因リ之ヲ知ルコトヲ得ザリシ場合ニ於テ始メテ過失ナカリシモノト謂フコトヲ得ベシ。果シテ然ラバ原判決ガ本件売買契約ハ準禁治産宣告後十年以上ヲ経過シタル時ニ於テ成立シタルモノナリト雖モ単ニ右ノ事実ノミニ依リテハ上告人ニ於テ被上告人ガ保佐人ノ同意ヲ得ズシテ結約シタルモノナルコトヲ知ラザリシコトニ付過失ナカリシモノト謂ヒ難キ旨ヲ判示シタルハ適法ニシテ、論旨ハ採用スルニ足ラズ」(大判大一〇・一二・九民録二七・二一五四)。

とき(なお〔92〕参照)、即時取得に関し、

【54】「占有者ハ民法第百八十六条ニ依リ所有ノ意思ヲ以テ善意平穏且公然ニ占有ヲ為スモノト推定セラルト雖モ、占有ニ過失ナキヤ否ニ付テハ此ノ如キ法律上ノ推定アルコトナキヲ以テ、同第百九十二条ニ依リ動産ノ上ニ行使スル権利ヲ取得シタルコトヲ主張スル占有者ハ自己ノ占有ニ過失ナキコトヲ立証スベキコト当然ナリ」(大判明四一・九・一民録一四・八七六)。

【55】「本件ノ場合ニ於テ上告人主張ノ如ク民法第百八十六条ノ準用アルモノトスルモ、無過失ノ事実マデモ当然ニ推定セラルベキモノニアラズ。故ニ原裁判所ガ本件ニ付キ民法第百九十二条所定ノ事項ニ関シ上告人ノ立証ナシト判示シタルハ結局相当ト謂ハザルヲ得ズ」(大判大六・七・二六民録二三・一二〇三)。

と判示する(なお、鈴木「即時取得」総合判例研究叢書民法(6)八五頁以下参照)。学説上は、即時取得の場合に、取引の安全の保護の立場を前面化させ、一八八条との関連から無過失も推定されるとかれることがあるが(我妻・前掲一三五頁、柚木・前掲物権法総論三四七頁)、即時取得の場合にかぎらず、無過失の立証を要するとすると、無過失な善意、つまり完全な善意の立証を要することとなつて一八六条が善意を推定していることと矛盾するとし、善意が推定されるかぎり無過失も推定されるともなされる(舟橋・前掲二九八頁)。結局は、取引の安全の保護の点から無権利者と取引した者の

保護がきわめて重視される即時取得の場合には当然その趣旨に賛しうるが、取得時効のような場合にあたつては、所有者の権利喪失との権衡上、占有者にどの程度の善意の推定にとどめるのが妥当であるかの視点から判断されるべき事柄であつて、当然にすべての場合に無過失まで推定されるとするべきでもないかとおもわれる。

(四)　瑕疵ある占有・瑕疵なき占有

(1)　悪意・過失・強暴・隠秘・不継続など、完全な占有としての効力の発生を妨げる事情を伴う占有を瑕疵ある占有といい、これらの事情を伴わない占有を瑕疵なき占有という。瑕疵については【86】参照。強暴に対して平穏とは法の認めない暴力によつてなされたのではないことをいい、真の権利者から抗議をうけたというだけで強暴に転ずることはないとする判例がある。

【56】　「民法第百六十二条第二項ニ所謂平穏ノ占有トハ強暴ノ占有ニ対スル語ニシテ、即チ占有者ガ其占有ヲ取得又ハ保持スルニ法律上許サレザル強暴ノ行為ヲ以テシタルニ非ザルノ義ナレバ、苟モ占有者ガ斯ル強暴ノ行為ヲ以テ占有ヲ取得又ハ保持シタルニ非ザル限リハ、其占有ハ仮令之ヲ不法ナリト主張スル他人ヨリ異議ヲ受ケタルガ如キ事実アルモ、為メニ平穏タルコトヲ失ハザルモノトス。故ニ占有者タル被上告人ガ其占有ニ付キ上告人ヨリ異議ヲ受ケタル事実アレバトテ、之ガ為メニ直ニ其占有ヲ平穏ナラズト謂フ可ラズ」（大判大五・一一・二八民録二二・二三二〇）。

この区別の実益は、取得時効（一六二以下）、即時取得（一九二）などに関して生ずる。

(2)　占有の平穏・公然・継続は推定される（一八六 I II）。継続に関し、先々代が占有していたことが明らかで、かつ、先代を経た相続人が現に有しているときには、その間占有は継続していると推定すべきであると、左のように判示する。

【57】「被上告人ハ、原審ニ於テ、上告人先々代坂野六三郎ガ明治三十八年十月十九日平田与三衛ヨリ十八番地ノ土地ヲ買受ケタル後被上告人ヨリ同番地ニ接続セル係争地域ヲ年二円ノ賃料ニテ賃借シ該地域内ニ納屋ヲ建築シテ之ヲ使用シ来リタル旨陳述シタルコトハ記録上明白ナルガ故ニ、上告人ノ主張事実中右六三郎ガ当時係争地域ヲ占有シ居リタリトノ点ハ原審ニ於テ当事者間ニ争ナカリシモノト云フベク、又右六三郎ヨリ坂野正行ヲ経テ上告人ヘ順次家督相続ヲ為シタル事実モ亦原審ニ於テ当事者間ニ争ナカリシコト記録上明白ナリトス。而シテ相続ノ場合ニハ特別ノ事情ナキ限リ被相続人ノ有シタル占有権ハ相続人ニ移転スルヲ通例トスベク、且上告人ガ現ニ右係争地域内ノ納屋ヲ使用シ之ヲ占有セル事実ハ原判決ノ証拠ニ依リ確定シタル所ナリトス。故ニ以上ノ各事実ニ基キ反証ナキ限リ、上告人先々代六三郎ガ係争地域ニ対シ有セシ占有ハ、同人ヨリ先代正行ヲ経テ上告人ニ承継セラレ現在ニ至ル迄継続セルモノト推定セザルベカラズ。然ルニ原判決ハ六三郎ガ十八番地ノ土地ヲ買受ケタル当時ヨリ大正十二年四月二十九日迄ノ間同人及正行ニ於テ係争地域ヲ引続キ占有シ来リシ事実ハ控訴人ノ立証ニ依リテハ之ヲ認ムルニ足ラザル旨判示シ、此ノ理由ノミニ基キ上告人ノ取得時効ノ抗弁ヲ排斥シタルハ立証ノ責任ヲ誤リテ事実ヲ否定シタル違法アルモノニシテ、原判決ハ此ノ点ニ於テ全部破棄ヲ免レズ」（大判昭七・一〇・一四裁判例六・民二七七）。

（五）　単独占有・共同占有

(1)　一物について一人が占有する場合の占有を単独占有といい、同一物を数人が共同で占有する場合の占有を共同占有という。同一物について、代理占有における本人の占有と占有代理人の占有が重畳し、自主占有と他主占有が成立しても共同占有ではない。同居人が一つの家屋につきおたがいに単独の所有物として自主占有が競合することは占有の排他的事実性から認めえないとしても、相互の占有状態は当然に制約されるであろうから、共同占有としてはこれを是認してよいであろう。判例は、一つの物の上に二人が各自単独の所有物として継続して占有することはありえないとする。

【58】「原判決ハ、被上告人薄上リイハ大正十二年中ヨリ上告人ノ先代薄上文次ノ家ニ在リテ文次ヲ扶ケテ家政ヲ処理シ本件不動産ノ使用収益ヲ為シテ之ヲ占有シ居リタル所、大正十五年二月二十二、三日頃右薄上文次ハ該不動産ヲ被上告人薄上リイニ贈与シタルヲ以テ、其ノ当時同被上告人ハ其ノ引渡ヲ受ケ贈与契約ハ其ノ履行ヲ終リタリト判示シ、其後段ニ於テ同被上告人ハ昭和三年三月中右不動産ノ占有ヲ為サザルニ至リタルモノト認定シタリ。然ラバ被上告人薄上リイハ大正十五年二月二十二、三日頃ヨリ昭和三年三月ニ至ル迄該不動産ヲ自己ノ所有物トシテ之ヲ占有シ居リタルモノト謂ハザルベカラズ。然ルニ原判決ハ一方ニ於テ上告人ハ大正十五年三月其ノ先代薄上文次死亡ノ数日前帰郷シ被上告人薄上リイト同居シ本件不動産ノ使用収益ヲ為シ現今ニ及ビタル事実ヲ認定シタリ。以上ノ如ク上告人ガ本件不動産ヲ使用収益スルニ至リタルハ、上告人ガ之ヲ先代薄上文次ヨリ承継シタル相続財産ナリト認メタルニ因ルモノナル趣旨ハ、原判決文上之ヲ肯定セザルヲ得ズ。果シテ然リトセバ大正十五年三月ヨリ昭和三年三月ニ至ル迄ノ間ニ於テハ被上告人薄上リイ及上告人ハ各共ニ自己単独ノ所有物トシテ本件不動産ヲ継続占有シ居リタルコトトナラザルヲ得ズ。此ノ如キハ事実上有リ得ベカラザル所ナレバ原判決ハ此ノ点ニ於テ理由齟齬ノ違法アリト謂フベシ。若シ昭和三年三月被上告人薄上リイガ本件不動産占有ヲ抛棄シ其ノ以後上告人ノ占有開始シタルモノトシ其ノ占有ガ民法第百六十二条第二項ノ要件ヲ具備スルニ於テハ、昭和十三年三月ヲ以テ取得時効完成スベク、上告人ハ登記ヲ要セズシテ其ノ当時ノ登記名義人タル被上告人日向佐吉ニ対シ其所有権取得ヲ対抗シ得ルヲ以テ、上告人ノ抗弁ハ之ヲ排斥シ得ベキモノニアラズ」（大判昭一五・一一・八新聞四六四二・九）。

(2) 共同占有にあっては、果実取得（一八九）、費用の償還請求（一九六）、占有訴権の行使（一九七以下）などについて、共有に関する規定を類推しなければならない（舟橋・前掲二九九頁、林・前掲一五六頁）。共同占有者相互間における占有訴権については、

【59】「或る物を共同に占有している者の一人が、他の共同占有者の意思に反して、自己の単独占有に移した場合は、い

わゆる占有の侵奪があつたものというべく、被侵奪者たる共同占有者は、侵奪者たる共同占有者に対し、占有回収の訴により、その物全部の返還を請求することができるものと解するを相当とする」（東京高判昭三一・一二・一九下級民集七・一二・三七〇六、東京高時報七・一二・民三一一、判時　〇〇・二七二一、判タ六七・七二、新聞三七・五）。と判示する。

三　占有の取得

一　占有の取得と承継

前掲「占有の意義」においてのべたような占有の意義にかなう事実行為がある場合に、占有は取得される。本人のみならず代理人によつても占有を取得することができることに注意を要する（「代理占有」参照）。また、占有そのものが社会観念上の関係であるから、社会観念上、前主の支配がその同一性をたもちながら後主に移つたと認められる場合には、占有そのものの承継ないし移転も認められる。

二　占有の承継

（一）意思にもとづく占有の承継　　この場合における占有の承継は、当事者の占有移転に関する合意と所持の現実的な移転によつてなされるのが原則であるが（現実の引渡）、民法は、一定の場合には、所持の現実的な移転なくとも合意だけで、占有を承継しうる簡易な方法を認めている（簡易の引渡、占有改定、指図による占有移転）。占有移転の実質的な意味は、動産物権変動の対抗要件を充足する点にあり、その他、とくに不動産にあつては、果実の帰属の問題（五七五）、贈与の取消の問題（五五〇）、請負契約の実際において完成後の引渡を所有権移転と関連せしめる場合などにある。

(1)　現実の引渡（一八二I）

（イ）　占有移転の合意と占有物の引渡とによつてなされる。占有は事実的な支配関係であるから、原則としては、合意のみによつて移転されない。

（ロ）　「引渡」とは物に対する事実的支配（所持）を移転することであるが、それ自体社会観念上のものであるから、物理的な意味で移転することではなく、社会観念上物が譲受人の事実的支配内に移転することを意味する（〔60〕〔61〕〔62〕）。占有それ自体の観念化がその移転の観念化をもたらす傾向にある。その結果、つぎのような事態を生ずる。

(2)　現実の引渡に属するとされる観念的引渡

判例は、つぎのような事情のある場合に、事実的支配の移転があるとし、現実の引渡を認める。

（イ）　不動産的な目的物について、当事者双方が熟知していて実地に臨む必要がない場合には、事実的支配の移転はその合意だけでたる。薪炭用の雑木売買につき、買主が目的物の状態を知悉しているときには、実地に臨んで引渡をなさずとも代金の授受あれば引渡ありとする慣習のもとに、このような慣習による意思で契約し、売買代金の授受があれば、買主は以後目的立木の監視、手入、および伐採をなしうるにいたると同時に、売主は一切これに関与しえないこととなり、買主の事実的支配内に移つたと認めうるとする。

【60】「物ノ引渡トハ当事者ノ一方ガ其所持即チ実力的支配ニ係ル物ヲ他ノ一方ノ実力的支配ニ移属セシムルコトノ謂ヒナレバ、引渡ノ有無ハ事実問題ナルノミナラズ、法律ハ引渡ノ方法ニ付キ何等規定スル所ナク当事者ハ適宜ノ方法ヲ以テスルコトヲ得ベキガ故ニ、唯ニ其方法ノ如何ニ依リテ之ヲ断ズベキニ非ズ。要ハ目的物ガ一方ヨリ他ノ一方ノ実力的支配ニ移属セラレタル事実アルヤ否ヤニ存スルヲ以テ実際ノ事情ヲ斟酌シテ之ヲ定メザル可カラザルモ、果シテ其事実アルニ於テハ引渡アリタリト為スコト固ヨリ当然ナリ。殊ニ不動産ハ所在確定シテ移転ヲ許サザルモノナルノミナラズ、之ガ引渡ヲ為スニ何等特別ノ手段方法ヲ要セザルコト前叙ノ如クナルガ故ニ、双方共ニ目的物ヲ熟知シ実地ニ臨ムノ必要ナキトキノ如キハ、単ニ之ヲ一方ヨリ他ノ一方ノ実力的支配ニ移属セルムルコトノ合意ヲ為スニ依リテ引渡ヲ完了スルコト法律上毫モ妨ゲナシトス。蓋シ此如キ場合ハ第三者ニ於テ引渡ノ有無ヲ知ルニ由ナキコトアルハ勿論ナルモ、不動産ニ関スル物権ノ得喪変更ニ付テハ公示方法ヲ為スコトヲ以テ第三者ニ対抗スルニ必要条件トスルガ故ニ、当事者間ニ於ケル引渡ノ有無ハ動産ニ関スル物権譲渡ノ場合ニ於ケル夫ノ如ク第三者ノ権利ニ消長ヲ来スノ虞ナキヲ以テナリ。本件ニ付キ之ヲ按ズルニ、原院ハ、第一審証人多田鶴次郎ノ証言ニ依リ、富山県婦負郡八尾町地方ニ於テハ薪炭用ノ雑木売買ノ場合ニ買主ガ既ニ目的雑木ノ状態ヲ知悉シ居ルトキハ別ニ実地ニ就キ其山林ヲ見分スルコトナクシテ売買契約ヲ締結スルノミナラズ、特ニ実地ニ臨ミテ目的雑木ノ引渡ヲ為サズ、代金全部ノ授受ヲ了スルトキ引渡ヲ完了スルモノトシ爾後買主ニ於テ樹木ノ監視手入伐採等ヲ為シ売主ハ一切之ニ関セザルノ慣習アルコトヲ認メ、且ツ上告人ハ予テ係争立木所在ノ山林ヲ知悉シ居タルモノニシテ薪炭用ノ為メ之ヲ被上告人ヨリ買受クルニ付テモ、共ニ右慣習ニ依ル意思ヲ以テ契約ヲ締結シ而カモ代金全部ノ授受ヲ為シタル事実ヲ認メタルガ故ニ、係争立木ノ引渡アリタリト判定シタルモノナルコト判文上明白ニシテ、当事者ガ合意ノ上地方ノ慣習ニ従ヒ売買代金ノ授受ヲ了スルコトニ依リ目的立木ノ引渡ヲ完了スルト定メ而シテ其代金ノ授受ヲ了シタルニ因リ買主タル上告人ハ爾後目的立木ノ監視手入及伐採等ヲ為シ得ルニ至リタルト同時ニ売主タル被上告人ハ一切之ニ関セザルコトトナリ、即チ係争立木ガ上告人ノ実力的支配ニ移属セラレタルコトヲ認メ仍デ既ニ引渡アリタリト為シタルニ外ナラザルコト自明ナレバ、

法律ニ悖ル所ナキコト前説明ノ如シ。而シテ原院認定ノ如ク被上告人ノ実力的支配ニ属セシ係争立木ガ上告人ノ実力的支配ニ移属セラレタルニ於テハ、縦令実地ニ就キテ為サレタルニ非ザルニセヨ現実ノ引渡アリタルニ外ナラザレバ、現実ノ引渡ナシトシ民法第百八十二条第二項乃至第百八十四条ニ違背スルモノナルコトヲ理由トシテ、前示地方慣習ノ無効ヲ主張シ原判決ヲ非難スル本論旨ノ失当ナルコト更ニ多言ヲ俟タズ」（大判大九・一二・二七民録二六・二〇八七）。

また、このような慣習がない場合であっても、建物の新築工事が完成して後請負人から注文者への所有権移転に関する事件で、当事者双方当該建物につき熟知しているから、本件建物に関する一切の精算をなし請負代金残額の支払を協定し引渡の合意があれば、現実の引渡は完了し、所有権は移転するとする。

【61】　「物ノ引渡トハ当事者ノ一方ヨリ他ノ一方ニ対シ物ノ実力的支配ヲ移属セシムルノ義ニ外ナラズシテ、其ノ之ヲ為ス方法形式ニ付テハ法律上別段ノ規定存スルナキガ故ニ其ノ有無ハ各場合ノ事情ヲ斟酌シテ之ヲ定ムルノ外ナシ。而シテ凡ソ家屋ハ其ノ所在確定シテ容易ニ移動スベカラザルモノニ属シ当事者双方共当該家屋ノ如何ヲ熟知シ敢テ実地ニ臨ム必要ナキ場合ニ至リテハ、実地ニ臨マザルモ単ニ之ヲ一方ヨリ他ノ一方ノ実力的支配ニ移属セシムルコトノ合意ヲ為スノミニ依リテ其ノ実力的支配ノ移転即引渡ノ完了アルモノト為スモ敢テ不当ト云フベカラズ。是レ当院大正九年（オ）第五百八十四号事件ニ付同九年十二月二十七日言渡シタル判決ガ其ノ趣旨ニ於テ是認スルトコロナリ。而シテ本件建物ハ訴外山田善之助ノ注文ニ係リ請負人タル伊藤巳之吉ト共ニ当該建物ノ所在及其ノ如何ナル建物ナルヤヲ熟知セルコト勿論ナルヲ以テ、原判決ガ『本件請負契約ニ於ケル目的物ノ所有権ハ巳之吉（請負人）ヨリ善之助（注文者）ニ対スル目的物ノ引渡ニヨリテ移転スル約定ナリ』トノ前提ニ立チ、右両名ガ工事完成後ニ鈴木三次郎宅ニ会合シテ『本件建物ニ関スル一切ノ精算ヲ遂ゲ善之助ヨリ巳之吉ニ請負代金残額三千五百円ヲ支払フコトニ協定シタル上本件建物ヲ巳之吉ヨリ善之助ニ引渡シ以テ其ノ所有権ヲ取得シタル事実』ヲ肯定シ得ル旨判示シ、右両名ノ合意ノミニヨリ目的物タル本件家屋ノ引渡ヲ了シタルモノト断ジタルハ

毫モ違法ト云フベカラズ」（大判昭二・一〇・一九新聞二七六一・五）。

動産とは異なる不動産ないし不動産的な性格をそなえる物にあつては、その引渡は、目的物そのものの所在を移転しえず、利用管理を相手方に委ねることによつてなされるのが通常の場合であり、目的物を熟知している場合には、合意のみによる事実的支配の移転が認められてよいであろう。

しかし、同一家屋に同棲していた内縁の夫が内縁の妻にその家屋ならびに敷地その他附随せる土地を贈与した場合に、その事実的支配を移転する合意によつて引渡が完了するものとし、

【62】「物ノ引渡トハ当事者ノ一方ガ其所持即実力的支配ニ係ル物ヲ他ノ一方ノ実力的支配ニ移属セシムルコトヲ謂ヒ、如何ナル行為ニ依リ引渡アリト為スベキカハ各場合ニ於ケル事実問題ニシテ、如何ナル方法ニ依ルモ社会観念上物ニ対スル実力的支配ガ一方ヨリ他ノ一方ヘ移属セラレタリト認ムベキ行為存スル以上ハ引渡アリタリト為サザルベカラズ。土地建物ノ引渡ニ付テモ特別ノ方法ヲ要セズ双方共ニ之ニ居住シ之ヲ使用シ来リタル場合ニ於テハ単ニ之ヲ一方ヨリ他ノ一方ノ実力的支配ニ移属セシムルコトノ合意ヲ為スニ依リ引渡ヲ完了スルコトハ法律上毫モ妨ナシ（大正九年（オ）第五百八十四号同年十二月二十七日当院判決参照）。原判決ノ説明ハ措辞妥当ナラザル所アルモ、要スルニ受贈者タル被上告人ガ贈与者タル中村鈴次郎ノ内縁ノ妻トシテ本件建物ニ同棲シ居リタルコトノ争ナキ事実ニ因リ被上告人ガ該建物ト其敷地並ニ之ニ接続シテ事実上宅地ノ用ヲ為セルコトノ争ナキ土地（本件土地二筆）トヲ鈴次郎ト共ニ使用シ来リタル事実ヲ認メ、此事実ト原判決ニ説明セル贈与契約成立ノ動機及其ノ当時ノ状況等ニ基キ贈与契約成立ノ際其ノ当事者間ニ目的物タル右土地建物ノ実力的支配ヲ鈴次郎ヨリ被上告人ニ移属セシムルノ合意ヲ為シ之ニ依リテ引渡完了シ被上告人ハ自己ノ為ニ之ヲ占有スルニ至リシ事実ヲ認定シタルモノト解シ得ベク、斯カル認定ハ法律上妨ゲザル所ナルコト前説明ノ如シ」（大判昭二・一二・一七新聞二八一一・一五）。

と判示するが、内縁の妻自身共同占有者ないし占有補助者とみられるべきであるから（「代理占有」二代理占有の成立一（一）（2）

（ハ）参照）、簡易の引渡をもつて認定すべきであろう（（3）参照、舟橋・前掲三〇四頁）。

（ロ）　不動産についての登記済証を交付する場合には、不動産の引渡があつたものと推定されるとする。贈与契約の成立ならびにその履行の有無をめぐる事件で、登記済証が任意に交付されているから、贈与契約の成立および物件の引渡が推定されると判示する。

【63】　「原院ハ甲第一号証ノ一乃至十九ノ権利証ガ上告人（被控訴人原告）ノ手裡ニ存スル事実ヲ認定シ此ノ事実ニ依リテハ未ダ本件贈与契約ノ成立シタル事実及本件不動産ノ引渡アリタル事実ヲ認ムルコトヲ得ズト判断シタリ。然レドモ右甲第一号証ノ一乃至十九ハ本件訴訟物中土地ニ関スル売渡証書ニシテ被上告人先代亀与ノ為ニ所有権移転ノ登記アル旨ノ登記所ノ証明アル証書即通常権利証ト称スルモノニ係リ、斯ル証書ガ上告人ノ手裡ニ在ルハ即チ被上告人先代亀与ニ於テ任意ニ之ヲ交付シタルモノト推測セラルベキモノニシテ亀与ガ斯ル証書ヲ任意ニ上告人ニ交付シタル以上ハ反証ナキ限リ此ノ両者間ニ該物件ニ付贈与契約成立シタルモノト推定セラルベキノミナラズ、占有ヲ移転スル為権利証ヲ交付スルハ通常ノ状態ナレバ同証書ノ交付アリタルトキハ亦該物件ノ引渡アリタルモノト推定セラルベキモノトス。故ニ原院ガ被上告人ノ反証ナキニ拘ラズ前示ノ権利証ガ上告人ノ手裡ニ存スルコトニ依リテハ直ニ贈与契約ノ成立並本訴不動産引渡ノ事実ヲ認ムルコト能ハズト認定シタルハ、少クトモ本訴不動産ニ付テハ立証責任ヲ顚倒シタル不法アルモノトス。而シテ本訴不動産ニ付贈与契約成立シ其ノ引渡アリタルモノトセバ贈与契約ノ履行アリタルモノト解スルヲ相当トスルヲ以テ（大正九年（オ）第四一九号同年六月十七日当院判決参照）被上告人ガ履行ヲ終ラザルコトヲ理由トスル贈与契約ノ取消ハ其ノ効ナキモノト謂ハザルヲ得ズ。故ニ原院ガ其ノ取消ヲ有効ト判示シタルハ不法ナリトス」（大判昭六・五・七評論二〇・民六八三）。

しかしながら、権利証の交付そのものが物に対する事実的支配を移転せしめるものではなく、権利証の交付を伴う占有移転の合意により引渡の成立することがあることを認めるとする意味であろう。

（八）　これらの判例をみると、まず最初の【60】は、その性質上所在の移転をなしえないということ、および、「此如キ場合ハ第三者ニ於テ引渡ノ有無ヲ知ルニ由ナキコトアルハ勿論ナルモ、不動産ニ関スル物権ノ得喪変更ニ付テハ、公示方法ヲ為スコトヲ以テ第三者ニ対抗スルニ必要条件トスルガ故ニ、当事者間ニ於ケル引渡ノ有無ハ動産ニ関スル物権変動ノ場合ニ於ケル夫ノ如ク、第三者ノ権利ニ消長ヲ来スノ虞ナキヲ以テナリ」ととくように、不動産および不動産的な性格をそなえる物で引渡とは異なる公示方法が存する物については、第三者の本権関係に影響するところがないということ、の二点から占有の観念的な引渡を是認しているといえよう。ところが、判例は、下級審においてではあるが、さらに進んで動産についてまでも、かなりその場所的移転が性質上ならびに状況上困難な場合に、観念的引渡を認めようとする。このことは動産所有権の取得にとつて引渡の果す機能がきわめて大きいからである。取引の安全の視点から、目的物の性質が不動産に準ずるほどに場所的移転が困難である場合であつても動産であるかぎり否定さるべきではないであろうか。なるほど動産物権変動の対抗要件としての引渡は意思表示のみによる法定の簡易な方法によつても可能であり、これにくらべて現実の引渡としての観念的引渡も大差ないと考えられるが、即時取得の面において観念的とはいえ現実の引渡とみるかぎりきわめて大きな効果を発揮するからである。たとえ場所的移転が困難であつても、その場所において買主が事実的支配取得の手段をとればよいのである。A部落よりその所有立木を代金完済の上で所有権を移転する約定のもとにBが譲りうけ、Bはその取得前にCに所有権移転を約し、Cはその契約上の権利をXに譲渡したが、Bは残代金の支払をしなかつたためCに所有権を移転できなかつた。そこで、ABC協議の上CがBの売買契約上の地位を譲りうけ、買戻約款付でYと売買契約を締結しその代金をAに支払つて立木の所有権を取得した。その後、XYいずれも立木に明認方法を施さず、Cは一方ではXの代理人としてXから伐採搬出の費用をうけながら他方ではYからも許可をえてYの所有物として立木を伐採し、前記の買戻期間がすぎたのでその買戻約款付売買契約の趣旨を確認する意味において右伐採木につき譲渡担保契約を締結し、前の契約での代金五〇万円と利息をあわせた債務を負担して、内外部ともその所有権をYに移転しかつ引渡を了したこととしたが、Cは債務を履行しなかつたので、Yは代物弁済の予約完結の意思表示をするとともにDにこの伐採木を売却した。そこで、XはYが自己の所有権を侵害する不法行為をなすものとして損害賠償を求めるため本訴におよび、第一審ではX勝訴。第二審では、XYとも立木につき対抗要件をそなえていないし、CはXとの関係ではXの代理人として、Yとの間ではYの所有物として伐採にあたつたのであるから、伐採により動産となつた伐採木の所有権もXYの双方に帰属したものと解すべきであり、相互の間では依然として所有権取得を対抗しえない関係にあつたものとし、さらにその後の法律関係につき、左のように判示する。

【64】　「控訴人〔Y〕も右認定の通り本件立木及び伐採木の所有権を取得しながらも、その所有権を被控訴人〔X〕に対抗し得ない関係にあつたものであるが、その後福島〔C〕から前記認定の譲渡担保契約により右伐採木の所有権を移転せられ（この移転は前の移転と重複し、結局前の移転を確認したものとみるべきであろう）、同時にその占有の移転（この占有の

移転は右譲渡担保契約における意思表示を以てその移転がせられているのであるが、本件のように立木が現地において伐採せられてその場に放置せられている状態にあり、譲受人において何時でも現地につき現実の支配を為し得る場合にあつては、右のような意思表示を以て現実の引渡があつたものと認めて差支えがないであろう）を受け現実にその占有をすることとなつたのであり、従つてこの時から右伐採木の所有権取得を被控訴人にも対抗し得るに至つたものと解するのが相当であつて、この意味からすれば控訴人の本件伐採木の売却は、正に所有権を以て被控訴人に対抗し得る自己の所有物を任意他に売却したにすぎないもので、この売却によつて被控訴人の所有権を侵害すべきいわれは毫もないのであり、これを不法行為としてその損害の賠償を求める被控訴人の本訴請求は益々その理由なきに帰着するのである」（東京高判昭三一・一〇・三一下級民集七・一〇・三〇七四、東京高時報七・一〇・民二四九、判時九七・二六四一、判タ六五・九一）。

ここで現実の引渡を認めている理由はきわめて不明確である。その引渡を認めないでも、伐採木の所有権は立木の所有権の継続であり、その同一性を変ずるものではないから、立木あるいは伐採木の所有権取得につき公示方法をそなえるのでないかぎり、その伐採木の所有権についても立木のときの第三者に対抗することができない（東京高判昭二三・二・九民集一・一・五七）ということにもとづき、Xの所有権取得がCの取引相手であるYに対抗しえないとするだけでXはYに対し損害賠償を請求できないこととなるであろう。

（二）　これらに対し、つぎのような場合には引渡は認められない。境界争いに際し、協定の上境界杭をうつことにきめ、協議に際し図面を作成して図面上境界を定め同意のような態度をとつていたので、これにより占有移転があつたとして争われた事件において、別に標杭を設ける特約がある場合には、その設置があるまでは占有の移転がないとする。

【65】　「或ハ控訴人ガ明治四十五年一月二十四日ノ会合ニ於テ被控訴人ニ対シ一号地並ニ二号地間ノ経界線ヲ自己ノ占有ニ

地域内ニ定ムベキコトヲ承諾シタルヤモ知ルベカラズト雖モ、右ノ証拠ニヨリテハ未ダ控訴人ガ被控訴人主張ノ如ク現実ニ其占有ノ引渡ヲ了シタリトノ事実又ハ其占有ノ意思ヲ抛棄シタリトノ事実ヲ認定スルニ足ラズ。何ントナレバ現時一般ノ事情ヨリ推ストキハ、新ニ土地ノ経界ヲ定メントスルニ当リ標杭ヲ打ツハ単ニ両地ノ所有権ノ及ブベキ限界ヲ明ニセントスルコトヲ目的トスルニ止マラズ、又新ニ之ニ伴フ占有状態ノ変更ヲ明確ニシ爾来互ニ相侵スナカランコトヲ約スルノ意ニ出ヅルモノト看ルベキヲ相当トスルガ故ニ、仮令当事者間ニ経界ノ確定ヲ為スモ更ニ別ニ標杭ヲ設クベキ特約ヲ為ストキハ右標杭ノ設置アルマデハ占有ノ移転又ハ占有ノ意思ノ抛棄ナキモノト看ルヲ以テ寧ロ事実ニ適セルモノト謂フベケレバナリ」（東京地判大三・二・二七新聞九六四・二六）。

また、会社支店備付の金庫を売買した場合に、支店長が金庫の鍵を把持する間は引渡がないとする。

【66】「売買後差押ノ当時ニ於テ当金庫ノ鍵ハ同会社支店長ニ於テ所持セシモノト認定ス。而シテ売買後差押ノ当時ニ於テ金庫ノ鍵ヲ尚支店長ガ所持セシハ即差押ノ当日迄金庫ノ引渡ナカリシ為メナリシモノト認定ス」（浦和地判大六・六・一九新聞一二八九・二八）。

(3)　簡易の引渡（一八二Ⅱ）

（イ）　譲受人より譲渡人への返還のための引渡、および譲渡人より譲受人への譲渡のための引渡を省略するものである。

（ロ）　したがつて、簡易の引渡が成立するためには、物の譲受人となるべき者が現にその物を所持していることを要する。消費貸借に関し、現金の授受をなさないで意思表示により貸付けるとともに預つたこととしても、物の譲受人が現に所持していないのであるから簡易の引渡ありとはいえず、消費貸借は成立しないとする。

【67】「民法第百八十二条第二項ニ依リ簡易ノ引渡ノ行ハルルニハ、物ノ引渡ヲ為スベキ者ガ現ニ其物ヲ所持スル場合ナ

ルコトヲ要シ、現ニ其物ヲ所持セザル場合ニ於テハ当事者ノ意思表示ノミニ依リテ引渡ハ行ハルルモノニ非ザルノミナラズ、消費貸借ハ現物授受ノ方法ニ依ルカ簡易引渡ノ方法ニ依ルカ又準消費貸借ノ方法ニ依ルカニ非ザレバ成立スルコトヲ得ザルハ原判示ノ如クニシテ、本件ノ内金二百円ニ付テハ、現金ノ授受ヲ為サズシテ単ニ引渡ノ意思表示ニ因リ一旦庸蔵ニ於テ松四郎ニ貸付ケ更ニ之ヲ同人ヨリ預リタルコトト為シタル事実ニ因リテ、消費貸借ノ成立セザルコト勿論ナリ」(大判明四一・一二・二一新聞五四八・一八)。

(ハ)　ここに譲受人となるべき者は現に占有者である場合が多い。たとえば、従来の小作人が地主からその耕作地を譲りうける場合のごときである。

【68】「本件ニ於テハ土地ノ売買契約ノ成立セシコトハ当事者間ニ争ヒナクシテ、其争フ所ハ唯其売買ノ履行アリシヤ否ヤニ在リテ、其履行ハ土地ノ引渡アリト認ムルコトヲ得ベキヤ否ヤニ因テ岐ルル所ナリトス。而シテ本件ニ於テハ売買ノ当時ハ勿論其以前ヨリ被上告人ガ小作人トシテ土地ヲ占有シタル事実ハ原院ノ確認スル所ナルヲ以テ、民法第百八十二条第二項ニ依リ売買契約ヲ履行スルニ付キ現実ニ土地ノ引渡ヲ為スコトヲ要セズ、当事者間ノ意思表示ノミニ因リテ土地ノ引渡アリタリト認ムベキ場合ナリトス」(大判明四四・一二・一六民録一七・八一九)。

しかし、さらに譲受人が占有補助者ないし占有機関である場合にも差支えないとすること通説である(我妻・前掲三一七頁、末川・前掲物権法二〇九頁、舟橋・前掲三〇〇—三〇一頁、柚木・前掲物権法総論三〇四頁、林・前掲一六〇—一六一頁など)。

(4)　占有改定(一八三)

(イ)　譲渡人が譲渡の後譲受人の占有代理人として引き続きそれを所持する場合には、占有移転の合意だけで占有は譲受人に移転する。代理占有を成立せしめることにより簡易な便法を認めるのである。本条にいう「代理人」とは占有改定後に占有代理人となるべき者、つまり譲渡人をいい、「本人」とは譲受人を意味する。したがつて、本条にいう「代理人」はあらかじめ代理人であることを要しないことというまでもない（【69】）。

（ロ）　占有代理関係の設定であるから、本人より占有が伝来した形態、つまり物の返還請求権の関係が成立しなければならない。

(a)　占有改定が認められる具体的事例

（ｉ）　売却後賃借した場合にも、買主は占有改定により動産物権変動の対抗要件を具備し第三者にその所有権取得を対抗しうるものと判示する際に、つぎのように説明している。

【69】　「民法第百八十三条ハ占有改定ノ規定ニシテ、占有改定ハ甲権利ニ基キテ物ヲ占有スル改定者ガ其権利ヲ本人ニ譲渡スルト同時ニ其譲渡シタル権利ニ伝来スル乙権利ヲ本人ヨリ取得シ乙権利ニ基キテ物ノ所持ヲ継続シ乙権利ノ為メニスル直接占有者トナリ本人ハ同一物ニ付キ返還請求権ニ基キテ甲権利ノ為メニスル間接占有権ヲ取得スル場合ヲ指スモノナリ。此場合ニハ甲権利ノ為メニスル占有権ヲ本人ニ譲渡スルノ意思ヲ黙示シ本人モ亦之ヲ取得スルノ意思ヲ黙示シタルモノト為スベキハ当然ナルベク、前示法条ハ之ヲ指シテ『爾後本人ノ為メニ占有スベキ意思ヲ表示シタルトキハ』ト謂ヒタルニ外ナラズ。若シ夫レ甲権利ノ譲渡人ガ乙権利ノ伝来取得ヲ為サズ甲権利ノ為ニスル譲受人ノ占有ニ付キ単純ノ所持人ト為ルニ過ギザルトキハ譲渡人ハ譲受人ノ占有機関ナルヲ以テ譲受人ハ甲権利ノ為メニスル直接占有者トナルベク、之ニ付テハ第百八十一条ノ規定ヲ以テ足リ別段ノ規定ヲ要スルコトナキガ故ニ第百八十三条ハ譲渡人ガ単純ノ所持人トナル場合ヲ包含セザルモノト解スルヲ正当トス。又第百八十三条ニ『代理人ガ云云』トアルハ改定者ノ所持スル物ニ付キ本人ガ間接占有権ヲ有スル状態ニ就キ立言シタルマデニシテ改定者ガ予メ代理人タルコトヲ必要トスル法意ニアラズ、殊ニ所謂代理人モ占有権取得ノ法律行為ニ付テノ代理人ヲ指スモノニアラズシテ間接占有者ニ対シ物ノ現実ノ所持者ヲ指称スルニ過ギザルモノトス」

所持を認められない占有補助者のごときを「単純ノ所持人」とよんでいる点、表現上正確を欠くが、占有改定の本質を適切にのべるものである。（大判大四・九・二九民録二一・一五三二）。

（ii）占有改定はとくに売渡担保にもちいられて重要な機能をいとなむ。売渡担保契約がなされ債務者が引き続き担保物件を占有している場合には、契約の成立と同時に占有改定の成立を認めている。

【70】「原審ノ認定ニ係ル売渡担保ニ基ク信託的所有権譲渡行為ニ在テハ、第三者トノ関係ニ於テノミ当事者間ニ所有権移転ノ効果ヲ生ズベク当事者内部ノ関係ニ於テハ同一ノ効果ヲ発生セズト雖モ、之ニ依リテ担保セラレタル債権ノ弁済ヲ受ケザルトキハ債権者ハ外部関係ニ於テ有スル権利ニ基キ相手方ノ占有スル目的物ノ交付ヲ受ケ之ガ処分ヲ為シ得ベキ権利ヲ有スルモノナルガ故ニ、債務者ガ譲渡ノ目的物ヲ占有スルハ、一面内部関係ニ於テ自己ノ為メニ占有スルト同時ニ他ノ一面ニ於テハ将来其債務不履行ノ場合ニ於テ債権者ニ交付スルガ為メ債権者ヲ代理シテ之ヲ占有スルモノト謂ハザルベカラズシテ、債務不履行ノ事実到来ニヨリテ始メテ代理占有ノ関係ヲ認ムベキモノニアラズ。本件ニ於テ係争物件ハ訴外矢野簾左ガ之ヲ上告人ニ売却シ直チニ簾左ガ之ヲ上告人ヨリ賃借シタルモノナルコトハ原判決ノ確定シタル事実ナレバ、適切ニ如上説明ノ占有改定ニ該当シ、上告人ハ係争物件ニ付間接占有権ヲ取得シタルモノナリ」（大判大五・七・一二民録二二・一五〇七）。

同様の趣旨のもとに、占有改定により占有を取得し、担保物件の所有権取得をもつて第三者に対抗できるものとする最高裁判所の判決がある。Aは B を支配人として映画館を経営していたところ、両名が代金完済されていないAの映写機その他の機械を売渡担保に供してXより金を借りうけ約定期限に支払をしなかつたので、本件物件はXの所有に帰したがなおAの手もとにあつたから、その物件の代金未払分をYに払つてもらつてその所有権をYに移転し、同映画館の経営をYに委ね、本件物件を含む同映画館を引渡した。そこで、Xは、所有権を取得し占有改定により占有も移転しているからYは不法占有であるとして、所有権にもとづきその妨害の排除を請求したが、Yもその所有権取得、予備的に即時取得をもあわせ主張した。第一審X勝訴。第二審は、本件物件がXの所有に帰したとしてもなお引渡をうけない間にYがさらにこれを譲りうけ引渡をうけたのだから、Xはその所有権取得をもつてYに対抗しえないという理由で、Xを敗訴させた。そこで、Xは売渡担保契約がなされたときは占有改定により占有を取得するから対抗要件を備えるというべきだとして上告し、最高裁はこれを容れて原判決を破棄差戻した。

【71】「売渡担保契約がなされ債務者が引き続き担保物件を占有している場合には、債務者は占有の改定により爾後債権者のために占有するものであり、従つて債権者はこれによつて占有権を取得するものであると解すべきことは、従来大審院の判例とするところであることも所論のとおりであつて、当裁判所もこの見解を正当であると考える。果して然らば、原判決の認定したところによれば、上告人（被控訴人）〔X〕は昭和二六年三月一八日の売渡担保契約により本件物件につき所有権と共に間接占有権を取得しその引渡を受けたことによりその所有権の取得を以て第三者である被上告人〔Y〕に対抗することができるようになつたものといわなければならない。しかるに、原判決は、被控訴人（上告人）において占有改定による引渡を了したことを認むべき証拠なく、被控訴人は右所有権取得を以て控訴人に対抗し得ないものとし、被控訴人の本訴請求を排斥したのは違法であつて、論旨はその理由あるものというべく、原判決は破棄を免れない」（最判昭三〇・六・二民集九・七・八五五、ジュリスト八七・七六、判タ五一・三五、金融法務七八・五）。

これにつき、於保教授は、物権変動の公示としての対抗要件と動産占有の公信力による即時取得とは観念的にまつたく異なつたものであり、動産物権の変動においては対抗要件よりも即時取得を第一義的としなければならないのに、原審はこの根本的考慮に欠け、即時取得の問題を対抗問題にすりかえてその解決をはかつたのではあるまいかとされ、原審が即時取得の主張につき十分審理せず先例を無視したために、本判決がとつた態度は正当であるととかれる（民商三三巻五号六九六頁）。

下級審においても同旨のものがみられる。A会社はその所有のモーター等の機械をもつてXと売渡担保契約を締結し、買戻期間まで無償で借りうけていたが、その後同モーターにつきYと売渡担保契約を締結し、その期限内に支払いがなされなかつたので、YはAに対する債務名義にもとづきその物件を差押えた。そこで、Xは自己の所有権を主張して執行異議の訴を提起し、認容された。

【72】「債務者が債権者との間に一個の契約を以て従来自己の占有にあつた特定の動産につき外形上物件の授受をなすことなく担保の目的を以てする譲渡と共に使用貸借を為し、引続き右物件の使用を続ける場合には、爾後債務者は右物件を債権者のためその代理人として占有する意思を有するものと解すべきであるから、特別の事情がない限り、右譲渡担保及び使用貸借契約と同時に右物件につき債務者は爾後右物件を債権者のために占有する意思表示すなわち占有改定の意思表示が為されたものと推定すべきであり、又動産物権の変動の公示方法としての占有の取得は代理占有を以て足ると解すべきである。従つて、本件においてもまた、前記訴外会社〔A〕は前記譲渡担保及び使用貸借の契約と同時に爾後前記譲渡物件を原告〔X〕の代理人として占有する意思を表示したと認めるべきで、之により原告は右物件取得につき代理による占有を取得し公示方法を充たすに至つたと解すべきである」（東京地判昭三一・三・一八新聞五〇・一四）。

(iii)　土地の売買当時一年間だけ売主が借りて耕作する旨の契約が成立した場合に占有改定を認める。Yは小作人Aから自分の土地の返還をうけXと売買契約を締結した際、一年間だけ耕作したいというのでXはこれを承認したところ、その後、YはXに対して引渡をしない。そこで、Xは土地引渡および移転登記を訴求するにいたつた。ところが改正農地調整法四条により引渡なければ売買が効力を生じないので、売買の有効、無効をめぐつて土地の引渡の有無が争われ、第一審はXの請求を棄却。第二審も「その後引続いて同被控訴人〔Y〕が右土地を耕作しており控訴人〔X〕はまだその引渡を受けていない事実は控訴人の主張自体で明らかである」とし、右売買を無効としたが、Xは占有改定による引渡ありと上告し、最高裁はこれを容れた。

【73】「上告人は本件土地の売買当時、売主たる被上告人〔Y〕と買主たる上告人〔X〕との間に、昭和二一年度だけは被上告人が右土地を上告人から借受けて耕作することとし、同年以後はこれを上告人に返還する旨の契約が成立したというのであるから、右主張の中には、その際両者間に本件土地については、『占有の改定』等による土地の引渡があつたとの主張を包含するものとも解せられないことはないのであつて、少くとも上告人においてその際何等の引渡をも受けなかつたことを自認する趣旨とは到底解することはできない。とすれば、原判決が、上告人は右土地の引渡を受けなかつたことは上告人の主張自体から明らかであると判示したのは上告人の右主張の趣旨を正解せず、かつその点に関する審理不尽の違法あるものと云わなければならない」（最判昭二八・七・三裁判集民九・六三一、判タ三二・二九）。

(b)　原因行為の無効と代理占有の成立とは無関係であるから（「代理占有」二代理占有の成立1(二)(1)）、たとえ原因行為が無効であつても占有改定は成立する。A会社代表者であるBは同会社取締役であるCに会社債務の代物弁済としてA会社の物件を譲渡するとともに賃貸借契約を締結したが、適法な取締役会の承認をえなかつたのでその譲渡契約自体無効であつた。ところが、CはこれをX会社に自己の債務の代物弁済として譲渡するとともにXの占有代理人として右物件を保管する旨の契約をなし、その後A会社はこれをY会社に譲渡した。そこでXはYがその物件を持ちさることをおそれて、事前にこれを引き取り、即時取得による所有権取得の確認を請求した。左のように判示して、C自身の占有改定による占有の取得は認められたが、Xのために指図による占有移転がなされず、その後においてもXは即時取得の要件をみたさないとしてその請求は棄却された。

【74】「訴外会社〔A〕が昭和二十七年八月三十日本件物件を訴外北野笑二〔C〕に譲渡する旨の契約を締結した際同時に同訴外人において右物件を訴外会社に賃貸する旨契約を締結したものである。即ち右譲渡契約については同訴外人において右物件の引渡を受けないで占有の改定を行つたことは明かである。而して占有改定の目的を成す法律行為が有効であることは占有改定に必要な要件ではないと解すべきであるから訴外会社の訴外北野笑二に対する前記本件物件譲渡契約（従つて又同訴外人の訴外会社に対する右物件の賃貸契約）が前段認定の如く無効なるに拘らず右占有改定はそれ自体としての無効原因の存することの認められない本件においては有効と認める外ない。従つて訴外北野笑二は昭和二十七年八月三十日以降本件物件につき訴外会社を代理人とする代理占有を取得したものというべきである。そうすると原告〔X〕が同訴外人から本件物件を民法第百九十二条により取得するについて必要なる占有権の移転は民法第百八十四条により同訴外人より占有代理人たる訴外会社に対し原告のために占有すべき旨の指図あることを要するわけである」（大阪地判昭二九・八・一〇民集五・八・一三〇三、判時三五・八七三）。

(c)　しかし、判例がつぎのような場合に占有改定を認めるのは、占有改定の本質を誤るものといえるのではなかろうか。XはAより賃借せる建物の一部をYに転貸後、BはAよりその建物の所有権を取得し、転貸借期間満了によりXがYにその明渡を請求した事件で、YはBがXとの間の賃貸借を解除したからBX間の賃貸借は終了し、Bから直接賃借したからXに対して明渡義務がないと主張したが、第一審、第二審ともYを敗訴させた。Yは原審の「転借人タルYハ右転貸借契約終了後XB間ノ賃貸借契約ガ解除セラレタルト否ト又Yガ所有者タルBヨリ右撞球場ヲ新ニ賃借シタルト否トヲ問ハズ転貸人タルXニ対シ転借物ノ返還ヲ為スベキ契約上ノ義務アルヤ勿論」との判示に不服で、本件事実のもとではXはもはや転貸物の返還を求める法律上の利益がないから、原審がBX間の賃貸借の解除の有無、BY間の新たな賃貸借契約の成否を顧慮しないでXの請求を認容したのは違法であるとして上告し、大審院はこれを容れて、占有改定によりBに転借物を返還したともみうる余地があるという理由で、原判決を破棄差戻した。

【75】「案ズルニ民法第六百十三条ニ依レバ賃借人ガ適法ニ賃借物ヲ転貸シタルトキハ転借人ハ賃借人（即転貸人）ニ対シ転貸借契約ニ因ル義務ヲ負担スルト同時ニ賃貸人ニ対シテモ直接ニ其ノ義務ヲ負担スルモノトス。故ニ其ノ転貸借ガ終了スルトキハ転借人ハ賃借人ニ対シ転借物返還義務ヲ負担スベキハ勿論ナルモ、賃貸借モ亦既ニ終了セル場合ニハ転借人ハ転貸人ニ対シテモ直接ニ転借物返還義務ヲ負担スベク、賃貸人ニ対シ其ノ返還義務ヲ履行シタルトキハ之ニ因リテ転借人ニ対スル返還義務ヲモ免ルベキハ論ヲ俟タズ。……故ニ若シ右上告人〔Y〕ヘノ転貸ガ賃貸人ノ承諾ヲ得テ適法ニ為サレタルモノナルニ於テハ後日賃貸借モ亦終了シタル場合ニ上告人ハ其ノ転借セル地下室ノ一部ヲ直接ニ賃貸人タル右保険会社〔B〕ニ返還シ之ニ因リテ被上告人〔X〕ニ対スル返還義務ヲ免レ得ベキコト前説明ニ徴シテ明カナリ。然ルニ上告人ハ抗弁トシテ其ノ後昭和十一年三月十九日右賃貸借モ亦右保険会社ノ解除ニ因リ終了シ同月二十日ニ於テ直接ニ右保険会社トノ契約ニ依リ右地下室ノ一部ヲ賃借シ之ヲ占有セル旨主張スルモノニシテ、其ノ趣旨ハ即同月二十日上告人ガ自己ノ占有シ来リシ右地下室ノ一部ヲ爾後右保険会社ノ為占有スベキ意思ヲ表示シ引続キ之ヲ占有セル旨ノ主張ヲ包含セルモノト解シ得ベキガ故ニ、此ノ上告人ノ抗弁ハ畢竟転借人タル上告人ハ占有ノ改定ニ依リ転借物ヲ賃貸人タル右保険会社ニ返還シ之ニ因リテ被上告人ニ対スル返還義務ヲモ免レタル旨ヲ主張スルモノニ外ナラズ。故ニ原判決ニ於テハ須ク先ズ上告人ヘノ転貸ガ賃貸人ノ承諾ヲ得テ適法ニ為サレタルヤ否ヤヲ判断シ其ノ適法ナルニ於テハ右保険会社ト被上告人トノ間ノ賃貸借ガ解除セラレタル

ヤ否ヤ又右保険会社ト上告人トノ間ニ直接ノ賃貸借成立シ賃借物ノ占有改定アリタルヤ否ヤ等ヲ判断シテ本訴請求ノ当否ヲ決スベキニ拘ラズ、此等ノ点ニ付毫モ判示スル所ナクシテ本訴請求ヲ認容シタルハ審理不尽理由不備ノ違法アリ」（大判昭一二・四・一九民集一六・五二四）。

転借人Yが目的物を賃貸人Bに返還すればBX間の賃貸借が終了しているときには、賃借人Xはもはや占有すべき権限を失いまた賃貸人Bに対する返還義務を免かれているのだから、その返還請求権は消滅するものと解してよいという理由にもとづき、YをしてXに対する返還義務を免かれしめるためBYの新たな賃貸借の面をとらえ占有改定により転借物を賃貸人に返還したものとなそうとする判旨の意図は理解できるのであるが、占有改定は本人に代理占有を新たに取得せしめることを目的とするものであるから、賃貸人がすでに代理占有の本人である場合には占有改定が行われるとみる理由も必要も存しないのではなかろうか（来栖・判民昭和一二年度三六事件）。たんに占有代理人が本人との間でその占有の原因関係を変更するにすぎず、占有の性質の変更とみうるにすぎないであろう（林・前掲一六一頁）。

（ハ）　譲渡人が譲渡の後譲受人の占有補助者ないし占有機関となる場合には、占有補助者ないし占有機関を通じての占有を代理占有とみないで本人の直接占有と解すると、占有改定の成立を否定することとなり（我妻・前掲三一八頁、柚木・前掲物権法総論三〇五頁）、前掲【69】の判示するところである。これらによる代理占有の成立を認める見解では肯定的に解することというまでもない（末川・前掲二一〇頁、林・前掲物権法一六一頁）（「代理占有」一序説および二代理占有の成立一（一）参照）。しかし、前説をとつても、現実の引渡をしないで意思表示のみによる占有移転の効果を認めるべきであろうから占有改定に準ずるものというべきであろう(舟橋・前掲二三一・三〇二頁)。

(5)　指図による占有移転(一八四)

(イ)　譲渡人がすでに占有代理人によつて占有している場合に、譲受人が譲受の後も引き続き同一人を占有代理人として占有しようとするときには、代理占有関係を転換して存続させ、現物を動かさないで占有移転の合意のみにより占有が移転することを認めるものである。本条にいう「代理人」は占有代理人をいい、「本人」は占有の譲渡人を、「第三者」は占有の譲受人を意味する。

(ロ)　その成立要件は、

(a)　譲渡人と譲受人との間に占有移転の合意あること　「第三者之ヲ承諾シタルトキ」とあるのはこの意味である(通説)。

(b)　譲渡人が占有代理人に対して、爾後は譲受人のために占有すべき旨を命ずること　占有物を譲受人に返還すべき旨を命じた場合はこれにあたらないとする判例があるが、どれほどの意味を有するか疑問におもわれる。

【76】　「原審記録ヲ閲スルニ被上告人ハ原審ニ於テ従参加人小林近一ガ上告人ニ対シ本件係争物ヲ被上告人ニ返還スベキコトヲ命ジタル旨ヲ陳述シタルコトハ明白ナルモ被上告人ガ之ヲ承諾シタルコトヲ陳述シタル事蹟モ之ヲ証明スル為メニ立証ヲ為シタル事蹟モ倶ニ存スルコトナシ。然ルニ原判決ガ甲第二号及三号証ニ拠リ従参加人ハ上告人ニ対シ本件係争物ヲ被上告人ニ返戻スベキコトヲ命ジ被上告人ニ於テ之ヲ承諾シタル事実ヲ確定シタルハ当事者ノ陳述セザル事実ヲ他ノ目的ノ立証方法ニ拠リテ確定シタル批難ヲ免カレズ。仮ニ被上告人ハ暗黙ニ此事実ヲ陳供シ且立証シタリトスルモ民法第百八十四条

ニ所謂第三者ノ承諾トハ本人ガ其代理人ニ対シ第三者ノ為メ占有物ヲ占有スベキ旨ヲ命ジ第三者之ヲ承諾スルコトヲ謂フモノニ非ズ。随テ原判決ガ寄託者タル従参加人ガ受寄者タル上告人ニ対シ寄託物ヲ被上告人ニ返還スベキコトヲ命ジ被上告人ニ於テ之ヲ承諾シタル事実ヲ確定シタルノミニテ直ニ民法第百八十四条ヲ適用シ得ベキガ如ク説明シタルハ法則ヲ不当ニ適用シタルニ非ザレバ理由ノ不備ナルモノト謂ハザルヲ得ズ」（大判明三六・三・五民録九・二三四）。

譲渡人は一方的に命ずるだけでよく、占有代理人の承諾を必要としない。このことは、指図による占有移転にもとづき譲渡されるのは代理占有であり、代理占有関係は一種の返還請求権を基礎とし、これを譲渡するにあたつては、譲渡人が占有代理人に通知することにより返還請求権の譲渡が従来の占有代理人の占有を譲受人から伝来せしめる形態を客観的にそなえることとなるからである。しかし、質権設定以前にその目的物がすでに他人に賃貸されている場合、質権設定者である賃貸人が賃借人に対し以後質権者のために当該不動産を占有すべきことを命ずれば質権は適法に設定されるのに、その際、賃借人がこれを承諾するを要するがごとき判例がある。

【77】「不動産質権者ハ設定行為ニ別段ノ定ナキ限リ質権ノ目的タル不動産ヲ其ノ用方ニ従ヒ使用及収益ヲ為スノ権能ヲ有スルモノナルガ故ニ他人ニ賃貸シテ其ノ賃金ヲ収ムルコトモ亦之ヲ為シ得ルモノト謂ハザルベカラズ。然リ而シテ質権ノ目的タル不動産ガ質権設定以前既ニ他人ニ賃貸シアル場合ニ於テハ、質権設定者タル賃貸人ガ賃借人ニ対シテ爾後質権者ノ為ニ該不動産ヲ占有スベキ旨ヲ命ジ賃借人之ヲ承諾スルコトニ依リ茲ニ質権ハ適法ニ設定セラルベク、且反対ノ事情ナキ限リ、爾後賃貸借ハ質権者ノ間ニ其ノ効力ヲ生ジ質権者ニ於テ其ノ賃金ヲ収取スル権利ヲ取得スルモノト解スベキモノトス」（大判昭九・六・二民集一三・九三一）。

この判決が占有代理人の承諾を必要とするのはなんらかの誤解にもとづくものであろう（来栖・判民昭和九年度七四事件、柚木・前掲物権法総論三〇七頁)。

これに対し、つぎの下級審判決はかなり適切に指図による占有移転の本質をとくものである。これは、占有代理人が第三者に目的物を賃貸しているような代理占有の重畳している場合にも、本人がその占有代理人に対して占有移転の通知をすれば譲受人は占有を取得しうるとするものである。Bはその所有の撚糸機を債権者Aに対し買掛代金債務の支払にかえて譲渡し、Aとの合意のもとに占有代理人Cに対し譲渡の事実および以後Aのために保管占有すべき旨の通知を発したが、その当時直接占有していたのはCより賃借していたYであつた。他方、CはXに対する債務の履行を担保するためその物件をXに信託的に譲渡し債務履行期まで無償で使用する旨の契約を締結し、その後債務の履行をなさなかつたのでXは使用貸借を解除しその引渡を求めたが、YはCから賃借した旨を主張し引渡を拒否した。そこで、XはYに対し所有権にもとづきその引渡を求めるため本訴におよんだ。裁判所は、目的物の所有権がAにあることを確認し、BからAへの所有権移転につき左のように判示して対抗要件をも具備するものとなし、Xの予備的な即時取得の主張も占有改定によつては認められないとする。

【78】「そこで、中山製作所〔B〕のした右指図による占有移転の効力について考察する。先ず、右通知の当時、本件撚糸機を直接占有していた者は、芙容絹織〔C〕ではなくて被告〔Y〕であつたことは、当事者間に争がないから、右の如く直接占有者に非ざる芙容絹織に対しなされた通知の効力については、一応、問題にする余地がないでもない。しかしながら、本件撚糸機は中山製作所の所有たること及びこれを芙容絹織が、第一で叙述したような経緯で保管していたことは、すでに縷々述べたとおりであるから、中山製作所は、芙容絹織を代理人として、本件撚糸機を占有していたものというべきところ、

被告が本件撚糸機の占有を取得するに至つたのは、芙容絹織からこれを賃借したことに由来するものと認められるのであるから、このような場合、本件撚糸機に対する占有代理関係は重畳して成立しているものと解するのが相当であり、従つて、中山製作所は、依然、本件撚糸機に対する占有を保持しているものとみるべきである。すなわち、中山製作所は、芙容絹織が被告を代理人として本件撚糸機の上に取得した占有を、芙容絹織を介して保持しているものと断ずべきであるから、かかる場合、本人たる中山が、占有物を指図による占有移転の方法によつて譲渡するには、自己の占有代理人たりし芙容絹織に対する通知を以て足るものと解するのが相当である。このことは、所謂指図による占有移転なるものが、本人と代理人との間の代理占有関係をそのまま存続せしめ、現物を移転させることなくして、単に占有移転の合意のみで、本人の有する間接占有を第三者に譲渡するものであること、換言すれば、右観念的占有の単なる移転という性質を高度に具有している点からしても、前叙の如く解することが妥当であると思料されるのである」(福井地判昭三六・四・一〇民集一二・四・七四八)。

(二)　相続による占有の承継

(1)　相続により被相続人の占有はそのまま相続人に移転する。ドイツ民法(八五七)、フランス民法(七二四(一八九六年三月二五日法))、スイス民法(五六〇)はこの旨の明文規定を設けているが、その規定を欠くわが民法においても、通説・判例はこれを肯定している。学説上では、相続制度の本旨にもとづき個々の相続人について具体的に占有意思や所持を問題とする必要なく法律が相続開始の事実に対し直接に与えた効力として占有権、したがつてまた占有の相続による移転が承認されるとし(末川・前掲物権法二二一—二二三頁、柚木・前掲物権法総論三〇七—三〇八頁、石田「相続人の占有権」民法研究一巻一三〇頁以下)、あるいは、社会観念を基準とするものであるから被相続人の事実的支配のなかにあつた物は原則として当然に相続人の支配のなかに承継されるものと社会観念上みるべきであるとする(我妻・前掲三二九頁、舟橋・前掲三〇四頁、林・前掲一六二頁、末弘「占有権の相続」穂積先生祝賀論文集九三三頁以下、なお、高木「相続と占有権の承継」神法九巻四号四八三頁以下参照)。つまるところ、被相続人の死亡により相続人が現実に占有するにいたるまで相続財産を無占有の状態におくことに起因する混乱を防止し、もつて、占有訴権を生ぜしめる占有権ならびに種々の法的効果を伴う事実たる占有の、相続による承継を是認することが、相続制度の本旨にかなうものと解されよう（田中「所有権」前掲法と政治の諸問題三二〇頁以下参照）。

(2) 判例をみると、

（イ） 相続による占有の承継を原則として肯定する。

(a) 被相続人が死亡して相続が開始するときは、原則として、被相続人の占有は相続人に移転するものとする。XおよびYの父AはC寺院の敷地を借りて家屋を建築し家族とともに居住していたところ、Aは昭和一四年に死亡し、その妻Bもその後死亡したが、XはBの生前より現在までこの家屋に居住しており、YはかつてXとここで居住したことはあるが昭和二三年から転出しており、現在Yが家督相続によりその所有権を取得している。Yは立木を伐採したり庭石を搬出したり畳建具等を撤去したりし、その後もなおこれを継続しようとするので、Xは占有権により右侵奪物の回収、保全、侵奪防止のため本件仮処分を求めたが、第一審、第二審ともX敗訴。原審は、「本件土地は現にC寺院が所有し、その占有にあることが窺えるのであつて……Xが本件家屋に居住しているとしても、右家屋の敷地を除くその余の広大な境内地たる本件土地を占有しているものとは容易に考えられない。

次に右家屋の占有関係について考察するならば、右家屋はAの生存中は同人に於いてこれを占有し、Xはその家族として同家屋に起居を共にしていたに過ぎないのであつて、固より独立の占有を有せず、右Aの死亡後はYに於いて家督相続により右家屋の所有権と共にAの有していた占有権をも法律上当然承継取得したのであつて、右Yが右小屋に居住して以来はXはA生存中と同様その家族として右家屋に起居し独立の占有は有しなかつたものというべく、Yが他に転出した後も、特に右占有権を拋棄したものと認むべき資料のない限りYは依然として占有権を有するのであつて、Xに独立の占有ありとは認められない。従つて現に右家屋を独立して占有することにより本件土地をも現在占有しているとなすXの主張は首肯できない」と判示した。そこで、Xは所持とは現実の直接支配のことだから共同居住人は各自所持しており身分関係とは無関係であるし、家督相続によりYの承継した占有はXの所持を通じてする間接占有権ではないか、しかも転出後はYには占有もないのではないか、という理由で上告したが、棄却された。

【79】「本件家屋は比田井鴻〔A〕が建築所有し、上告人〔X〕はその家族として共にこれに居住中、比田井鴻死亡し、被上告人比田井漸〔Y〕が家督相続により右家屋所有権を取得したというのであつて、被上告人比田井漸は右家屋に対する比田井鴻の占有権を承継したものと認むべく、従つて上告人は比田井鴻の生前は同人の家族として、その死後は被上告人比田井漸の家族として何れも、占有補助者として本件家屋に居住するものと認むべきであるから、上告人に本件家屋について の独立の占有を認め得ず従つてこれを前提とする本件土地についての上告人の独立の占有を認め難しとする原判示には違法は認められない」（最判昭二八・四・二四民集七・四・四一四、ジュリスト三七・四八、判タ三〇・四〇）。

これにつき、福島四郎教授は、原則的な立場から、賛成されるが（民商二九巻三号七〇頁）、このような原則論自体にも疑問をもち、相続人が相続開始当時所持していたり開始後遅滞なく目的物の支配を始めた場合にはとにかく、占有の事実性という点から相続によつて当然に移転するものとは解しがたいとし、ただ本件が家督相続の場合でありYが相続後一時居住していた場合であるからこのような結論がだされたのであろうが、新法下でどうなるかは今後の判例によつて明らかにさるべきで、現在の親族相続法のもとでは身分関係により占有の有無を左右することは許されずYに占有ありとしてもXにも独立の使用権原が認められるべきであるとする批評もある（西原・法協七三巻四号四九三頁）。しかし、一般論としては、その史的過程も示しているように、相続による占有の承継はきわめて特殊なものである点に注目すべきであり、これは代理占有とともにきわめて本権との結びつきがつよいものであつて（田中「所有権」前掲参照）、本権的秩序の機能を完全に発揮せしめるための、事実的支配秩序への反映として、相続による当然の承継を是認すべきであろう。しかし、具体的に本件についてみれば、Yが占有を有するとしてもXはたんに占有補助者にすぎないかには問題があろう。もともと判例は原則として家族を占有補助者とみるが、下級審では独立の生計をいとなむ程度の家族を共同占有者としようとする傾向がつよい（「代理占有」二代理占有の成立1（一）(2)（ハ）参照）。とくに弟が兄と社会的従属関係にたつとすることは現在の社会生活において到底観念しえないことであり、たとえ本件で旧相続法下の家督相続がなされたとしても、占有が問題になつている時点は戦後かなりの年月を経ており占有は社会観念を判定の基準とするものであるから、X自身に直接占有を認めYは代理占有の本人にあたるとすべきではあるまいか。なお、前掲【57】は、占有継続の推定に関するものであるが、相続により特別の事情のないかぎり占有を承継するものとする。

(b)　その際、相続人が所持ないし管理を開始する必要はない。隠居相続の場合に（【83】参照）、その被相続人が自分の占有を主張し第一審、第二審で請求は棄却されたが大審院で認容された事件において、

【80】「占有権ハ相続開始当時被相続人ガ占有ヲ有スルトキハ他ノ財産権ト同ジク原則トシテ相続ニ因リ相続人ニ移転スルモノトス。而シテ其移転スルニハ上告人主張ノ如ク必シモ相続人ニ於テ物ノ所持ヲ為スコトヲ必要トセズ。何トナレバ此場合ニ於テ占有権ガ相続人ニ移転スルハ法律ガ相続開始ノ事実ニ対シ直接ニ附シタル効力ニシテ占有物ノ引渡ニ因リ占有権ガ相続人ニ移転スルモノニアラザレバナリ」（大判大四・一二・二八民録二一・二二八九）。

と判示し、また前掲【15】の事案において、

【81】「思うに死亡相続の場合においては、相続開始の際相続人が数千里の遠方にいて、相続の開始を知らず且つ相続財産を現実に所持することが不可能であつても、他日相続人が実際所持をはじめるまで、相続財産が無占有の状態にあることは、相続財産を暴力の前にさらすことになり、対物的社会秩序を破壊することになるから相続人は相続の開始と同時に所持の取得如何を問うことなく、相続財産に対する個々の物件につき当然占有権を承継するものと解すべきである。して見ると本件においては上告人は取得時効の原因として、専ら死亡相続により、その要件を具えた先代の占有を承継したと主張しておるに過ぎないから、上告人の取得時効による係争地所有権の取得如何を判断するには第一に果して上告人先代が係争地を所有の意思をもつて占有していたかどうかを究めることを要し、その結果それが肯定せられると、上告人が係争地の占有を承継したことは、上告人がその先代の死亡によりその家督を相続したことにより、推論せられなければならない法理当然の結論に外ならないから、これがため、別に上告人が係争地について事実上所持を取得したかどうかを判断する必要はない」（大阪高判昭二四・二・一六民集二・一・一）。

とく。

(c)　また、相続人が相続の開始をしつている必要はない。【81】参照。なお、強盗殺人事件におい

て殺人後被害者の金品を奪取する行為は遺失物拾得ではなく、相続人が占有を承継した金品を奪取するものとなす際に、

【82】「抑モ強盗殺人罪ハ財物ヲ奪取スルノ目的ヲ以テ人ヲ殺シタルニ因リテ成立シ、財物ヲ得ルト否ハ犯罪構成ニ影響ナキノミナラズ、相続人ナルモノハ相続ノ開始ト同時ニ被相続人ノ有セシ権利義務ヲ承継スルハ勿論、仮令相続開始ノ事実ヲ知ラザル場合ト雖モ、被相続人ガ死亡ノ時ニ於テ占有セシ物件ノ占有ハ法律上当然之ヲ承継スルモノトス」（大判明三九・四・一六刑録一二・四七）。

と判示する。

（ロ）例外として、相続人の占有とならないことがあり、(a) 被相続人の占有が被相続人の死亡と同時に当然に消滅し（物が被相続人とともに海に沈んだ場合）、または第三者に移転する場合（被相続人が他人に貸しておいた者をその人に遺贈する場合）、(b) 改正前の隠居相続の開始後被相続人自身が依然として占有を継続する場合、などの事情の存することによつて生ずる。前掲【80】の事案において左のように判示する。

【83】「然レドモ此相続ニ因ル占有権移転ノ原則ニハ多少ノ例外ナキニアラズ。即チ相続開始スルモ占有権ガ相続人ニ移転セザル場合アリ。例ヘバ占有権ガ被相続人ノ死亡ニ因リ当然消滅シ又ハ第三者ニ移転スベキ場合ノ如シ。又相続人ガ占有ヲ取得スルコトヲ得ル機会ヲ失ハシムル状態ニ於テ相続開始シタルガ如キ場合モ其一例ナルベシ。何トナレバ元来占有権ナルモノハ占有物ノ所持ヲ失フニ因リテ消滅スベキ性質ノ権利ナルニ若シ右ノ如キ場合ニ於テモ占有権ガ相続人ニ移転スルモノトセバ其相続人ノ取得シタル占有権ハ永久消滅セザル権利トナリ民法第二百三条及ビ第二百四条ノ規定ノ適用ナキニ至ルベケレバナリ。其他隠居ニ因リ相続開始シ且隠居者タル被相続人ガ其相続開始後モ尚依然トシテ占有ヲ継続スル場合ニ於テモ占有権ハ相続人ニ移転セザルモノト解セザルベカラズ。何トナレバ若シ此場合ニ於テモ占有権ガ相続人ニ移転スルモノト

セバ事実上隠居者タル被相続人ガ依然トシテ占有ヲ有スルニ拘ハラズ之ヲ占有者ニアラズトスルカ相続人ノ代理占有者ト為スカ若クハ相続人ノ占有ヲ侵奪シタル者ト看做スト謂フガ如キ法律上ノ仮定ヲ設ケザルベカラザルニ至ルベケレバナリ。故ニ隠居ニ因リ相続開始シタル場合ニ於テ占有権ガ相続人ニ移転シタリトノ事実ヲ判定セント欲セバ、必ズ先ヅ被相続人ガ相続開始後依然トシテ占有ヲ継続スルモノニアラザル事実ヲ確定スルコトヲ要ス。然ラザレバ占有権ノ相続人ニ移転シタルコトヲ断定シ得ベキモノニアラズ」（大判大四・一二・二八民録二一・二二八九）。

ここに「又相続人ガ占有ヲ取得スルコトヲ得ル機会ヲ失ハシムル状態ニ於テ相続開始シタルガ如キ場合」というのは本権の承継があっても占有を取得しうる機会がないという意味であろうが、具体的にどういう場合をいうのか明確でなく、相続による占有の承継を直接法律規定のうえに基礎づける態度と論理一貫を欠く感がある。その直前にあげられている(a)の諸場合の総括的表現とし並列的な例示でないとすべきか。

三　占有承継の効果

（一）　民法一八七条の意味

(1)　占有が承継される場合には、承継人の地位は二面性を有することとなる。一面では前主の占有を継続するものとみられ、他面では自分自身が原始的に占有をはじめたものとみられる。したがつて、占有の承継人は、その選択にしたがい、自分の占有のみを主張することもまた自分の占有に前主の占有をあわせて主張することもできる（一八七Ⅰ）。後掲【91】参照。

（イ）　ここに前主とは現占有にさきだつすべての前主をさすのであるから、特定の前主以下の前主の占有をあわせて主張することができる。

【84】「民法第百八十七条ニ所謂選択ナルモノハ明文ノ示ス如ク自己ノ占有ノミノ主張又ハ自己ノ占有ニ前主ノ占有ヲ併セ主張スルコトニ付キ選択権アリトノ意ニ外ナラザルヲ以テ、其前主数人アル場合ニ於テ特定ノ前主以下ノ前主ノ占有ヲ併セ主張スルコトヲ得ベク、而シテ一度総前主ノ占有ヲ併セ主張シタルコトアル場合ト雖モ之ヲ変更スルヲ得ルハ勿論、全然自己ノ占有ノミヲ主張スルヲ妨グルモノニアラザルヲ以テ、本論旨ノ前段ハ理由ナシ。又所謂前主トハ現占有ニ先ツ総テノ前主ナルコトハ法文上疑ナキヲ以テ論旨後段亦理由ナシ」（大判大六・一一・八民録二三・一七七二）。

しかし、時効取得を援用するにつき、前主の占有をあわせ主張する場合、前主が真の所有者であってもさしつかえなく、したがって、所有権にもとづく占有者も前主であるとすべきか。Aはa番・b番の相隣接する土地を明治二六年先代より譲りうけ、公簿上b番地の一部として登録されている部分をa番地が包含するものとして明治四三年Bに譲渡し、Bはこれを Yに売却した。ところが、AはCのためにb番地に抵当権を設定しCは競落後Xに譲渡した。そこで、Xはb番地の一部がYの占有するa番地に含まれているとして境界確認および土地引渡を訴求した。第一審はYに有利に境界を認定したが、第二審はYの時効取得を認めた。Xは、(i)Bより譲りうけたYはBの占有をあわせて主張しても二〇年にならないし、それ以前はa・b番地ともにAの所有に属していたのだから時効は完成しないし、(ii)原審は前主の占有をもあわせてというが前主とはBだけをさすのか、Aをも含めるのか明瞭でない、として上告したが、大審院はこれを棄却した。

【85】「原判決ノ認定シタル事実ニヨレバ、林弥七〔A〕ハ本件係争地ヲ包含スル長崎日之出町二十番（旧一〇八三番）〔a〕

ノ土地ヲ林増五郎〔A先代〕ヨリ明治廿六年九月二日譲受ケ爾来所有ノ意思ヲ以テ之ヲ占有シ明治四十三年八月十日之ヲ東辰三郎〔B〕ニ売渡シ東辰三郎ハ其ノ土地ヲ地上建設ノ家屋ト共ニ被上告人（被控訴人）〔Y〕ニ売渡シ各所有ノ意思ヲ以テ之ヲ占有シタルモノニシテ、又右ノ地番ハ其ノ隣地ニアル十九番〔b〕其ノ他ノ土地ニ対シ地域明確ナルモノニ係リ（二十番ノ周囲ニ石垣、河川、下水溝等アルコトハ争ナキトコロトス）林弥七ハ右両地ヲ或ル年月日間所有者トシテ占有シタル後ニ十番地ノ土地ヲ東辰三郎ニ売渡シタルモノナリトス。此場合ニ於テハ右二十番地ニ付林弥七ノ占有ニ因テ得タル地位ハ他ノ番地ニ於ケルト独立シテ東辰三郎ニ承継セラルルモノニシテ林弥七ガ隣地ヲ併有シタル事実ニ依リ何等ノ障礙ヲ来スコトナキモノナレバ、被上告人ハ右ノ占有ニ因ル地位ヲ承継シ之ヲ以テ係争地ニ於ケル取得時効ノ基礎ト為スコトヲ得ルモノトス。故ニ之ニ反スル上告人〔X〕ノ抗弁ハ理由ナシ。又右ノ事実ニ依レバ明治四十三年八月九日以前ニ於テハ林弥七ハ係争地ニ付所有権ヲ有シタルモノニシテ又明治四十三年八月十日以後ニ於テモ或ハ東辰三郎ガ其ノ真ノ所有者タリシ時代アリシヤモ知ルベカラズト雖右両名ハ相継テ孰モ係争地ニ対シ自己ノ為ニスル占有ヲ為シタルモノニシテ、民法第百六十二条ニ規定シタル占有者ハ権利ナクシテ占有ヲ為シタル者ハ勿論所有権ニ基キ自己占有ヲ為シタル者ヲモ包含スルモノト解スベキモノナレバ、右ノ占有ヲ以テ取得時効ノ基礎ト為スコトヲ得ベキモノトス。而シテ被上告人ハ林弥七及東辰三郎ノ占有ノ地位ヲ承継シタルモノナレバ被上告人ガ本件係争地ニ付二十年ノ取得時効ヲ援用スルニ当リテハ林弥七等ノ占有ヲ為シタル期間ヲモ算入スルコトヲ得ベキモノトス。蓋シ法律ニ定メタル期間内物ヲ占有スル者ハ其ノ権利ニ関スル証拠ヲ失ヒ若ハ其ノ権利ノ所在不明ナル場合ニ於テモ該期間ニ相当スル取得時効ヲ援用スルコトヲ得ルモノニシテ後日ニ至リ其ノ者ガ真ノ権利者ナルコトノ確証ヲ発見シタルトキト雖右ノ時効ノ完成ヲ妨ゲザルモノト謂フベク、此場合ニ於テハ其ノ権利者ハ選択ニ従ヒ或ハ本権ヲ主張シ或ハ取得時効ニ因ル権利取得ヲ主張スルコトヲ得ルモノナレバ、時効期間中ノ或時期ニ於テ占有者ガ其ノ所有者タリシ事実ハ時効ノ進行ヲ妨グルモノニ非ザレバナリ。而シテ被上告人（被控訴人）ガ原審ニ於テ東辰三郎ハ本件土地ヲ三十年余所有ノ意思ヲ以テ占有シタリト主張スルハ前主ノ占有ヲモ併セテ二十年ノ取得時効ヲ援用セルモノト謂フベク、東辰三郎ノ占有期間ニシテ不足ナリトセバ其ノ前主ナル林弥七ノ占有期間ヲモ主張スルノ趣旨ナリト解スルニ難カラズ。然ラバ上告人ガ其ノ主張ノ如ク係争地ヲ所有シタリトスルモ民法施行ノ日（明治三十一年七月十六日）ヨリ起算シ二十年ノ経過ニ因リ係争地ニ於ケル被上告人ノ取得時効完成シタルモノト謂フベク、従テ原裁判所ガ被上告人ノ前主等ハ明治二十六年以来係争地ヲ継続シテ占有セリト認メ前主等ノ占有ヲ被上告人ノ占有ト併ストキハ二十年ノ取得時効完成セリト判示シタルハ不法ニ非ズ」（大判昭九・五・二八民集一三・八五七）。

もともと、取得時効制度とは、他人の権利を取得する点にその本質があるのだから、自分の物をいくら占有しても時効取得ということはありえず、取得時効の中核である占有とは他人の物の占有でなければならず、したがって、後主が前主の占有をあわせ主張する場合にも前主の占有が本権にもとづくときは取得時効の要件たる占有でないのだから、所有者の占有期間を前主の占有期間として後主の占有期間と通算しえないと解すべきであろう（野田・判民昭和九年度七〇事件）。むしろ、本件では、土地が通常売買される場合と同様に、a番地とあわせてb番地の一部を含んだ土地が譲渡の客体とされ、Yは有効に所有権を取得しているのだが、b番地の抵当権設定は実地に境界を明確に画定しないで公簿にもとづいてなされ、Xはa番地としてYに占有されているb番地の一部についても登記による公示方法をそなえるが故に、Xはその所有権取得をYに対抗しうるものではないかとおもわれる。

（ロ）　この選択は、選択債権の選択（四〇六以下）のようにいったん選択すればこれを撤回することができないものではなく、撤回もでき、また、いったんなされた後に前とは異なる選択に変更してもよい（末川・前掲物権法二一四頁、舟橋・前掲三〇五—三〇六頁、柚木・前掲判例物権法総論三一〇—三一一頁、林・前掲一六三頁）。前掲【84】参照。

(2)　前主の占有をあわせ主張する場合には前主の瑕疵をも承継する（一八七Ⅱ）。

（イ）　瑕疵とは、占有が完全な効力を生ずるのを妨げる事情をいうのである（二占有の意義と態様二(四)(1)参照）。したがつて、悪意・過失・強暴・隠秘・不継続などをさすが、占有者が僭称相続人であるというようなことはこれに入らない。X女は父Bの死亡により戸主たる祖父Aを承祖相続すべき推定家督相続人であつたが、Mと養子縁組した旨戸籍に記載されていたので、Aが明治四二年に死亡するとBの弟Cが家督相続し、これについで数次の家督相続および遺産相続がなされ、その財産の一部不動産は現に遺産相続によりY_1等が、また大正九年に売買によりY_2等が取得していた。ところが、XMの養子縁組が無効であるとの判決確定しついで現在の戸主とXとの間の家督相続回復の判決もX勝訴に確定した。そこで、XからY_1等Y_2等に対し登記抹消手続および引渡を訴求した。Y_1Y_2等はC以来本件不動産を占有し一六二条二項の取得時効が完成したと主張したが、第一審、第二審ともX勝訴。Y_1Y_2等は、かりに相続法旧規定九六六条（家督相続回復請求権）の適用あるとき一六二条二項の時効が完成しないとしてもそれは僭称相続人たる身分の効果であつて、僭称相続人の占有も一六二条二項の規定する厳格な要件をみたす以上は承継人たる第三者がこれを取得時効に加算してもよい筈である、として上告し、大審院はこれを容れて破棄差戻した。

【86】　「占有者ノ承継人ハ自己ノ占有ニ前主ノ占有ヲ併セテ之ヲ主張スルコトヲ得ルモ此ノ場合ニ於テハ前主ノ占有ノ瑕疵モ亦之ヲ承継スルモノナルコトハ民法第百八十七条ノ規定スル所ニシテ、同条ニ所謂瑕疵トハ占有権ガ完全ナル効力ヲ生ズルニ付障碍トナルベキ事実ヲ総称スルモノナルコト論ナキ所ニシテ、之ヲ取得時効ニ付テ云ヘバ占有ヲ為スニ付所有ノ意思ナキコト強暴或ハ隠秘ナルコト悪意又ハ過失アルコト等ヲ指称スルモノニシテ占有者ガ僭称相続人ナル事実ノ如キハ之ヲ

包含セザルモノト解スルヲ相当トス。蓋シ僭称相続人ハ相続財産ニ属スル不動産ヲ占有スルモ時効ニ因リテ其ノ所有権ヲ取得スルコトヲ得ザルモノナリトスルモ井ハ民法第九百六十六条ニ於テ家督相続回復請求権ニ付特殊ノ時効期間ヲ定メタル結果取得時効ニ関スル同法第百六十二条以下ノ規定ハ僭称相続人トノ関係ニ於テハ自ラ其ノ適用ヲ排セラルルガ為ニ外ナラズシテ僭称相続人トシテ占有スル事実自体ガ直接ニ右総則ノ規定ニ因リ所有権取得ノ効力ヲ発生スルニ付障碍トナルモノニ非ザレバナリ」（大判昭一三・四・一二民集一七・六七五）。

相続法旧規定九六六条（家督相続回復請求権）と一六二条とが僭称相続人について相互排除的な関係にあるかどうか、第三者保護の制度に欠陥のあるわが民法の解釈としてきわめて問題の存するところであるが、とくに相続回復請求権を規定する趣旨からすれば、僭称相続人については一六二条の適用を排除するものといえよう。Y_1等は僭称相続人であるからその点でY_1等に関しては本判決による全面的な破棄差戻は問題を含むものとはいえるが、Y_2等は僭称相続人ではなく、九六六条の適用をうけないで一六二条二項の適用のもとに取得時効の利益をうけるものであり、したがつて、C以下の僭称相続人としての占有も一六二条二項の要件をみたすかぎりあわせ主張しうることというまでもないであろう。もつとも、一般論としては、客観的に僭称相続人の占有が一六二条二項の要件をみたしている場合に直接当事者である僭称相続人が時効を援用しえないのに、譲受人である第三者が自分のために僭称相続人の取得時効を援用しうるかというような問題も附随してくるであろう（有泉・判民昭和一三年度四三事件）。相続法旧規定九六六条は同九九三条により遺産相続の場合に準用され、これが現行相続法八八四条（相続回復請求権）にうけつがれているから、この問題は現行法上の意味を有している。同旨のものとしてつぎの判決がある。

【87】「占有者ガ前主ノ占有ヲ併セテ主張スル場合ニ於テ右前主ガ僭称相続人ナル事実ハ民法第百八十七条第二項ニ所謂瑕疵ニ属セザルモノト解スルヲ相当トシ、此ノコトハ既ニ当院ノ判例トスル所ナリ（昭和十年（オ）第二七六〇号同十三年四月十二日判決参照）。サレバ原審ガ、上告人等ノ前主タル僭称相続人等ノ占有ハ取得時効ヲ完成セシムルニ適セズ上告人等ノ占有ノミニテ、未ダ十年ノ時効期間ヲ経過セザルモノトナシ、右僭称相続人等ガ所有ノ意思ヲ以テ平穏且公然ニ本件不動産ヲ占有シ其ノ占有ノ始善意ニシテ且過失ナカリシモノナリヤ否ヤヲ審査スルコトナク上告人等ノ十年ノ取得時効ノ抗弁ヲ排斥シ去リタルハ、即法律ノ解釈ヲ誤リテ審理ヲ尽サザルノ違法アルモノト云フベク論旨理由アリ」（大判昭一三・八・二七新聞四三四二・一〇）。

（ロ）したがつて、前主の占有をあわせ主張する場合には、その性質、瑕疵については前主の占有のみを判断すればよい。【81】参照。

【88】「本件不動産ニ付キ被上告人等ノ前主タル山口鹿治郎ハ又前主タル山口トモニ於テ相続権ヲ侵害シタル事実ヲ知リナガラ本件不動産ヲ買受ケタリトノ上告人ノ主張ハ採用セラレザリシコトハ原判決ニ明示スル所ナリ。而シテ時効ニ因リ不動産ヲ取得スル場合ニ於テ占有者ノ意思ノ善悪及ビ過失ノ有無ハ其占有ヲ為ス当時ニ在リテ之ガ如何ヲ審究スベキモノナルコトハ民法第百六十二条第二項ニ規定スル所ニシテ、此規定ハ占有者ノ承継人ガ其前主ノ占有ヲ併セテ主張スル場合ニ於テモ異ナルコトナケレバ、被上告人等ガ其前主タル山口トモノ占有ヲ併セテ主張シタル本件ニ於テ原院ハ同人ノ占有ヲ為ス当時ニ於ケル意思ノ善悪及ビ過失ノ有無ノミヲ判断スレバ足ルガ故ニ之ヲ判断シ、山口トモノ後者タル山口鹿治郎及ビ被上告人等ノ占有ニ付以上ノ事項ヲ判断セザリシハ相当ナリ」（大判明四四・四・七民録一七・一八七）。

右の判旨の結果として、自分の占有のみを主張したのか、前主の占有をもあわせて主張したのか明確でない場合には、その点を釈明させて、それぞれにかなつた審理をしなければならないこととなる。

【89】「原審ニ於テ上告人ハ明治三十年五月二十日訴外友永平吉ヨリ長崎市恵美須町四十五番地ヲ買受ケ爾来係争地ヲ占有セル事実ヲ主張セルコト記録ニヨリテ明カナレバ、上告人ハ自ラ係争地ヲ占有セルコト民法施行後二十年ニ垂々タル事実

ヲ主張セルモノト云フベシ。果シテ然ラバ上告人ガ原審ニ於テ民法第百六十二条第二項ノ規定ニ依ル取得時効ヲ援用スルニ当リ前主ノ占有ヲ併セ十年ヲ超ヘタリトノ主張ハ上告人ノ自己ノ占有ノミニ因リ取得時効ノ完成シタルコトヲ主張シタルモノトモ解シ得ベク、若シ前主ノ占有ヲ併セ十年ノ取得時効ヲ援用セルモノトセバ前掲上告人ノ主張事実ニ相違シ其意義不明ナルヲ以テ、原審裁判所ハ宜シク当事者ヲシテ其趣旨ヲ釈明セシメ、若シ上告人自己ノ占有ノミノ事実ニ因リ十年ノ取得時効ヲ援用スルモノナリトセバ其占有ノ始メニ当リ民法所定ノ取得時効ノ要件ヲ具備スルヤ否ヤヲ審査シ以テ本件ノ当否ヲ断ズベキモノナルニ事茲ニ出デズ、原審裁判所ハ漫然上告人ハ前主ノ占有ト併セ十年以上係争地ヲ占有セル事実ヲ主張シ民法第百六十二条第二項ノ規定ニ依ル取得時効ヲ援用セルモノト解シ前主友永平吉ガ係争地ヲ占有セシ当時ノ事実ニ基キ上告人ガ占有ノ始メニ於テ悪意ナリシコトヲ認定セルハ不明瞭ナル事実上ノ主張ヲ釈明セシメズシテ事実ヲ断定シタル不法アルモノニシテ、原判決ハ此点ニ於テ破毀ヲ免カレザルモノトス」(大判大八・一二・二四 新聞一五五三・一九)。

(ハ)　たとえ前主の占有に瑕疵があったとしても、その承継人が自分の占有のみを主張する場合には、その承継人の占有についてのみ瑕疵の有無を判断しなければならない。

【90】　「本件不動産ガ元訴外成田八十吉ノ所有ニ属シタルトコロ同人ハ明治四十三年七月二十五日死亡シ訴外成田専八郎ガ家督相続ヲ為シテ本件不動産ノ所有権ヲ承継シタルモ之ガ相続ニ因ル所有権移転登記ハ其ノ後昭和十一年十一月十七日上告人ガ債権者トシテ専八郎ニ代位シテ之ヲ為シタルモノナルコト原判決ノ確定スルトコロナルヲ以テ、原審ガ認定シタル如ク被上告人ガ本件不動産ヲ訴外成田名吉ヨリ買受ケ之ガ占有ヲ始メタル大正六年二月二十三日当時本件不動産ノ登記簿上ノ所有名義人ハ依然成田八十吉ナリシコト明カニシテ、之ヲ八十吉ノ家督相続ヲ為シタル専八郎ヨリ買受ケタリト称スル名吉ヨリ更ニ被上告人ニ於テ買受ケ引渡ヲ受ケタル以上被上告人ガ占有ノ始過失アリシモノト為スヲ得ズ。従テ当時本件不動産ノ登記簿上ノ名義人ガ専八郎ナリシコトヲ前提トシテ原判示ヲ批難スル論旨ハ結局原判決ノ理由ヲ正解セザルモノニシテ判示ニ副ハザル批難ナリト謂フベク、又本件不動産ニ付成田名吉ノ為シタル占有ガ仮令所論ノ如ク悪意少クトモ過失アル占有ナリトスルモ之ヲ以テ被上告人ノ為シタル占有ガ其ノ始メ悪意又ハ過失アル占有ナリト推断シ得ザルハ勿論ナレバ、原審

ガ被上告人ノ為シタル占有ヲ以テ其ノ始メ善意無過失ナリト為シタル判定ヲ批難スルノ理由トナラズ」（大判昭一七・四・二二法学一二・六二）。

（二）　民法一八七条の適用範囲

(1)　占有をあわせて主張するかしないかの選択に関し、特定承継の場合には異論なく認められているが、包括承継の場合にも適用があるか、学説上争いがあり、判例は従来否定的に解していた。判例の見解は、相続人は被相続人と同一の法律上の地位にたつものであるから相続は新権原でなく、新権原により占有をはじめないかぎり、前主の占有の性質、瑕疵をはなれて、相続人固有の占有のみを主張することはできないとするのであった。

【91】　「占有者ノ承継人ハ其選択ニ従ヒ自己ノ占有ノミヲ主張シ又ハ自己ノ占有ニ前主ノ占有ヲ併セテ之ヲ主張スルコトヲ得ベク前主ノ占有ヲ併セテ主張スル場合ニ於テハ其瑕疵モ亦之ヲ承継スベキコトハ民法第百八十七条ノ規定スル所ナリ。而シテ占有権ノ承継取得ニ在リテハ、売買贈与交換等独立ノ新権原ヲ為ス法律行為ニ依リ占有権ヲ承継スル場合ニ於テハ、其特定承継人ハ一面ニ於テ前主ノ占有ヲ承継スルト同時ニ他ノ一面ニ於テ新権原ニ基キ自己ノ為メニスル意思ヲ以テ物ヲ所持スルニ至ルヲ以テ自己固有ノ占有権ヲ取得スベク、従テ特定承継人ハ自己固有ノ占有ノミヲ主張スベキヤ将タ又前主ノ占有ヲ併セ主張スベキヤノ選択権ヲ有スト雖モ、相続其他包括名義ノ遺贈等ニ因リ占有権ヲ承継スル場合ニハ、其一般承継人ハ前主ノ占有権ヲ承継スルノミニシテ自己占有ノ占有権ヲ取得スベキ独立ノ新権原存在セザルが故ニ一般承継人ハ更ニ新権原ニ因リ新ニ自己固有ノ占有ヲ始ムルニアラザレバ常ニ自己ノ承継シタル前主ノ占有ノ性質及ビ瑕疵ヲ離レテ主張スルコトヲ得ザルモノトス。蓋シ相続人ハ被相続人ノ人格ヲ継承シ法律上同一人ト看做サルベキモノニシテ、其他包括名義ノ遺贈等ニ因ル一般ノ承継人モ亦前主タル遺贈者等ノ其物ニ対スル地位ヲ其儘ニ承継スルニ過ギズ、其間新ナル占有ヲ開始スベキ新権原ナルモノ存在セザルヲ以テナリ。従テ一般承継人ハ常ニ前主ノ瑕疵ヲ承継スベク其承継シタル前主ノ占有ガ一般承継原因ニ基因スルトキハ前主ノ占有モ亦更ニ其前主ノ瑕疵ヲ承継スベキコト勿論ナリトス。本件ニ於テ原審ノ確定シタル事実ニ依

レバ、被上告人ノ先先代要助ハ明治十二年八月中上告人先先代ヨリ係争土地ヲ買受ケ其引渡ヲ受ケタルモ地券名義書換ノ手続ヲ為サザリシ為メ所有権ヲ取得スルニ至ラズ、所有ノ意思ヲ以テ平穏公然ニ之ヲ占有シ明治十五年中同人ノ死亡ニ依リ先代亀之助之ヲ相続シ明治四十四年中被上告人之ヲ相続シタルモノニシテ、先先代要助ノ占有ニハ悪意若クハ過失ニ基ク瑕疵ノ存在シタルモノナリト云フニ在レバ、先代亀之助モ亦相続ニ因リ瑕疵アル占有ヲ承継シタルコト明ナルニ拘ラズ、原審ハ先先代要助ノ占有ヲ併合スルトキハ未ダ取得時効期間二十年ヲ経過セザルモ先代亀之助ノミノ占有ヲ併合スルトキハ既ニ十年ヲ経過シタルニ依リ被上告人ハ時効ニ因リ土地ノ所有権ヲ取得シタルモノナリト判示シ、先代亀之助ガ相続以外何等新権原ノ存セザルニ其相続ニ因リ瑕疵ナキ固有ノ占有ヲ開始シタルモノナリト解釈シタルハ、占有併合ニ関スル法規ノ解釈ヲ誤ル不法アリ、原判決ハ破毀ヲ免レザルモノトス」（大判大四・六・二三 民録二一・一〇〇五）。

【92】「民法第百六十二条第二項ノ時効ノ要件ノ一タル無過失ハ法律ノ推定セザル所ナレバ時効ヲ援用スル者ニ於テ之ヲ立証スルヲ要ス。上告人ノ援キタル当院判例ハ其例外ヲ示シタルモノト解スルヲ得ズ。然リ而シテ占有ノ承継者ニシテ特定承継人ナルニ於テハ其選択ニ従ヒ自己固有ノ占有ノミヲ主張シ、又ハ前主ノ占有ヲ併セ主張スルコトヲ得ベシト雖モ、一般承継人ハ更ニ新権原ニ因リ自己固有ノ占有ヲ始メタルニ非ザレバ前主ノ占有ノ性質及ビ瑕疵ヲ承継スベキハ当院判例ノ示ス所ナレバ、係争山林ニ付キ先代ノ占有ヲ家督相続ニ因リ承継シタル上告人ハ先代ノ占有ノ瑕疵ヲ承継セザル可ラズ。従テ民法第百六十二条第二項ノ時効ニ因リ係争山林ノ所有権ヲ得タリト主張スル上告人ハ、先代ガ占有ヲ始ムルニ当リ過失ナカリシコトヲ立証スルヲ要シ、自己ガ占有ヲ承継スルニ方リ無過失ナリシコトヲ以テ其占有ニ瑕疵ナシト論ズルハ当ヲ得ズ」（大判大六・二・二八 民録二三・三二二）。

【93】「民法第百八十七条によれば、占有の承継人は自己の占有か又は自己の占有に前主の占有を併せたものかを選択して主張し得るのであるが、死亡相続の場合においては、相続人は、上述のように、占有意思及び所持の有無を問うことなしに、法律上当然先代の占有権を承継するに過ぎないから、相続人において、更に新権原により、新に自己の固有の占有を始めない限り、常に自己の承継した先代の占有の性質（自主又は他主）瑕疵を離れて、その占有を主張することはできない」

（大阪高判昭二四・二・一六民集二・一・一、事案については前掲〔15〕参照）。

しかし、一八七条は占有の事実性という本質から生ずるものであつて、相続人は被相続人と同一の法律上の地位にたつものではあつても、他面、相続人固有の占有の考察も可能である。したがつて、つい最近、最高裁判所は従来の大審院以来の態度を変更し、一八七条は包括承継の場合にも適用される旨を判示するにいたつたのである。Xの先々代X″はYの先々代Y″に分家財産として土地を譲与したが明治二九年の三陸津波でYの先代Y′を除いて一家死亡しその土地も土砂流失の結果原形をとどめない無価値の状態となり（Xはこのとき生活上の援助に対する返礼の意味で、本件土地はY′からX″に譲渡された旨主張する）、その後Y′の妻が耕作していたところ昭和八年再度の津波で流失の災にあい被災者たちで住宅造成組合をつくつてX″は本件土地も自分の土地の一部として組合に加入し、昭和一二年同組合による盛土後X″の妻とX′の妻が耕作していた。ところで、昭和一六年X″死亡し相続人X′は昭和二〇年に戦死してXが相続し引き続き占有耕作していたが、Yは昭和二七年に相続登記した上翌年春作よりこの土地に立入つてXの作物を引き抜き自ら耕作し、ついに他の一名と共有の家屋を建築するにいたつた。そこで、Xは本件土地の所有権確認ならびに移転登記および妨害排除を訴求した。その際、Xは、かりに三陸津波後Y′よりX″へ所有権が譲渡されなかつたとしてもX″は明治三〇年頃から所有の意思をもつて平穏公然に占有してきたのだから明治四一年に、また占有が悪意であつたとしても大正七年にそれぞれ一〇年ないし二〇年の取得時効が完成するし、さらにX″の占有が認められないとしてもX′相続のとき以来一六二条二項の要件をみたす占有がなされたことは疑いないから昭和二六年に時効は完成すると主張した。第一審X勝訴。第二審は、Y″ないしY′からX″への所有権移転の事実、および、住宅造成組合に対しX″が本件土地を譲渡しかつ同組合から譲渡をうけたことは認められず、取得時効につき、明治三一年を起算日とするのは理由なく、Yは前記組合による盛土費用の支払を申し出たことなどからX″の占有は悪意であり、相続人X′の占有は新権原にもとづかないから占有の性質をかえることなく昭和一六年を起算日とする取得時効は一〇年をもつて完成するものではないとして、Yを勝訴させた。これに対し、Xは、昭和一二年よりX″が完全に占有しておりX′はX″からつねに本件土地は自分のものである旨きかされ盛土費用もX″の負担で支払つていたから、たとえX″に悪意ありとしてもX′は善意無過失でありたんに包括承継の故にX′も悪意であるとすべきではない、ということを主たる理由として上告した。最高裁はこれを容れて破棄差戻とした。

【94】「民法一八七条一項は『占有者ノ承継人ハ其選択ニ従ヒ自己ノ占有ノミヲ主張シ又ハ自己ノ占有ニ前主ノ占有ヲ併セテ之ヲ主張スルコトヲ得』と規定し、右は相続の如き包括承継の場合にも適用せられ、相続人は必ずしも被相続人の占有についての善意悪意の地位をそのまま承継するものではなく、その選択に従い自己の占有のみを主張し又は被相続人の占有に自己の占有を併せて主張することができるものと解するを相当とする。従つて上告人〔X〕は先代善助〔X′〕の占有に自己の占有を併せてこれを主張することができるのであつて、上告人先代善助が家督相続により上告人先々代清之亟〔X″〕の本件土地に対する占有を承継した始めに善意、無過失であつたとすれば、同人らが平穏かつ公然に占有を継続したことは原判示により明らかであるから、一〇年の取得時効の完成により本件土地の所有権は上告人に帰属することになる。そうする

と、原判決は法令の解釈を誤つた違法があるものというべく、論旨は理由があり、この点に関する大審院判例（大正三年（オ）第五八七号大正四年六月二三日言渡判決民録二一輯一〇〇五頁、大正五年（オ）第六七四号大正六年二月二八日言渡判決民録二三輯三二二頁、昭和六年（オ）第三二二号同年八月七日言渡判決民集一〇巻七六三頁）は変更せらるべきものである。そして、本件においては、上告人先代善助が本件土地の占有を承継した始めに善意、無過失であつたか否かが時効完成の成否を決する要点であるが、この点について原審は何ら判断を与えていない。それ故、本件は、さらに審理を尽すため、原裁判所に差し戻すべきである」（最判昭三七・五・一八民集一六・五・一〇七三）。

本件ではX″の自主占有を前提としているようであるから問題とされていないが、一八七条が全面的に包括承継の場合にも適用があるとすることは、一八五条が存在し相続は新権原でないとするにもかかわらず、所有の意思の有無に関しても相続人固有の占有に即して判断してもよいのか、という点が問題となる。本判決のかかげる大審院判例のうち三つ目は所有の意思に関するもので相続を新権原でないとする趣旨のものであることから（〔36〕参照）、本判決は所有の意思に関しても肯定的に解しているものかもしれないが、その点の説明を欠くことは、本判決が小法廷の判決であることとともに、奇異な感じをうける。取得時効の要件である所有の意思の有無については、一八五条によれば、「権原ノ性質上」決せられ、自主占有他主占有相互への変更は「自己ニ占有ヲ為サシメタル者ニ対シ所有ノ意思アルコトヲ表示」するか「新権原ニ因リ」占有しなければならないのであり、相続が新権原でないことと前述のとおりであるから（二占有の意義と態様二(一)(2)(ロ)(b)(ii)）、包括承継の場合に一八七条一項の適用を是認して相続人固有の占有のもとでの占有の瑕疵の変更を認めうるとしても、一八五条との関係により、所有の意思の点については除外されるということとなろう（末弘・前掲物権法二四四頁）。しかし、それでは、所有の意思以外の点については相続人固有の占有を認め、所有の意思に関しては占有の事実性を無視して相続人固有の占有を否定する結果になる。学説は、多く、相続は新権原でないとしながら全面的に相続人のもとにおいて変更すると解する（舟橋・前掲三〇六頁、柚木・前掲判例物権法総論三二一頁、林・前掲一六四頁。全面的反対、末川・前掲物権法二一四頁）。私は、所有の意思に関し、相続は新権原ではないが、一八五条前段を客観的に解し、相続人固有の占有がこれにあたる場合に自主占有に変ずるとすることは、すでに詳しくのべたところである（二占有の意義と態様二(一)(2)(ハ)、なお本件については田中・民商四八巻一号一一四頁参照）。

(2)　代理占有から自己占有に移った場合に、本条の類推適用が認められるか。占有の承継は存しないのであるから、判例はこれを否定する。Xが幼少のとき明治二三年にその母Y_1は債権者による強制執行を免かれるため親族協議の上でXの不動産をY_2名義にし、そのうち後に倒壊して建て直したものについてY_1名義の保存登記がなされたが、当時Y_2も幼少であったのでAが不動産の管理にあたり、明治三六年末からY_2自ら管理していた。Xは所有権の確認と、Y_1に対して保存登記の抹消をY_2に対して移転登記の抹消を求めて訴を提起した。原審は、仮装売買を認定し、Y_1Y_2側の時効取得の主張につき、Aは親族協議に加わった者であるから悪意の占有者でありしたがってY_2の占有は善意ではじめたにもかかわらず善意による取得時効は完成しないとして、Xを勝訴させた。そこで、Y_2は、代理占有に際し占有代理人が死亡して本人の直接占有に移ったときには一八七条を準用すべきであり、善意の自己占有一〇年を認めるべし、として上告したが、大審院はこれを棄却した。

【95】「本件ノ如キ代理人ニ依リテ占有ヲ為シタル場合ニ於テハ民法第百一条ノ場合ト撰ヲ異ニスベキ理由ナキヲ以テ、同条ノ規定ヲ類推シ占有者ガ善意ナルヤ悪意ナルヤハ代理人ニ付之ヲ定ムベキモノト解釈スルヲ相当トス。蓋シ同条ニ所謂代理人ハ委任ニ因ル代理人ヲモ包含スルコト疑ナケレバナリ。従テ委任ニ依ル代理人ガ占有ヲ為シタルトキハ其ノ代理人ニ付善意悪意ヲ定ムベキモノトス。故ニ不動産ノ管理ヲ委任セラレタル猶三郎〔A〕ガ如上ノ如ク悪意ナル以上ハ上告人志げ〔Y_2〕ハ占有ノ当時悪意ナリシモノト謂ハザルヲ得ズ。従テ其ノ後明治三十六年ニ至リ中村猶三郎ノ代理権消滅シ上告人志げ自ラ直接占有ヲ為シタリトテ、元来同一人ノ一個ノ占有継続シタルモノニシテ其ノ間ニ中断若クハ承継アリタルニ非ザレバ縦令志げガ其ノ際自己ノ所有物ナリト信ジ占有ヲ為シタリトスルモ民法第百六十二条第二項ニ所謂占有ノ始善意ナリシモノト謂フヲ得ザルモノトス。民法第百八十七条ハ占有者ノ承継アリタル場合ニ関スル規定ニシテ本件ノ如キ代理人ニ依ル占有ガ直接占有ニ移リタル場合ヲ規定シタルモノニ非ズ。又斯ル場合ニ於テハ占有ノ承継ト同一ニ取扱フベキ理由ナキヲ以テ本件ニ付同条ノ規定ヲ適用シ若クハ準用スベシトスル上告人ノ所論ハ当ヲ得ズ」（大判大一一・一〇・二五民集・六〇四）。

代理占有は法律行為にいう代理とは異なるからその適用をみないが、占有代理人の所持を通じて本人が占有するのであるから、占有の性質、瑕疵につき占有代理人のそれによって決せられる（「代理占有」三代理占有の効果一(2)(イ)参照）。本件のような場合はいわゆる占有の承継にあたらないから一八七条の適用はないが（末川・前掲物権法二一五頁）、すでにのべたように占有の事実性に徹して占有の途中での変更が認められるとすると、同一人がはじめ悪意、後に善意となつた場合と同様に取り扱いうるであろう（鳩山・前掲一七〇頁以下、舟橋・前掲三〇七頁）。とすれば、この場合に一八七条の類推適用を認める（我妻・前掲三三〇頁、柚木・前掲判例物権法総論三一三頁）必要はないといえる。しかし、このように解すると、取得時効の要件である「占有ノ始善意ニシテ且過失ナカリシトキ」とあることとあい容れない結果が生ずるが、これを別異に解することは近時有力にとかれるところである。

代理占有（間接占有）

田中整爾

はしがき

占有論は迷宮であるとよくいわれるが、そのことはとくに代理占有において顕著である。複雑な社会関係を反映して占有がきわめて観念化され、同一物につき重畳した事実的支配が認められるのは、歴史的沿革的に根深いものがあるのであるが、要は、観念的な物権も事実的支配をふたたび取り戻すことを物権的請求権の行使により法的に保障され、その可能なかぎりにおいて、観念的権利の帰属が社会的に承認されるのであり、他人である占有代理人をして所持せしめても物に対する事実的支配の確保が認められるのも、観念的権利と事実的支配の帰属とのいつそうつよい結合状態が社会的に要求され是認されていることに、その根拠をおくものと考えられ（田中「所有権と占有関係」（阪大法学部十周年記念論集）法と政治の諸問題三二四頁）、したがつて、本権関係が事実的支配関係に直接反映してくるとおもわれる。しかも、本権関係とは一応別個の事実関係とされる。代理占有を客観的傾向にしたがつて解してゆくと、一般説のように本権関係との密接な点が前面化され、そのことは代理占有の成立要件についで明白にあらわれてくる（二代理占有の成立一(二)(1)参照）。しかし、一般説はその客観化の方向において不徹底におわり、本人が代理人をして所持せしめる意思は不要としながら、代理人が本人のために所持する意思はこれを要するものとしている。しかしながら、客観的事実は意思の表現であり、一定の客観的状態を占有代理関係としてあげるならば、意思も客観的関係によつて代置させるべきであろうとおもわれる（一序説および二代理占有の成立二参照）。読者諸賢の御教示を賜わらんことを切望する次第である。

占有は代理人によつても成立する(一八一・二〇四)。他人が物を所持し、その他人を媒介として本人が占有を取得する関係が認められ、このような占有を代理占有といい、他人によらないで自ら直接に物を所持している占有を自己占有という。占有は社会的秩序を表現するものであるから、複雑な段階的支配秩序もまた占有に反映する結果となり、占有の関係はいつそうつよく観念化されるにいたり、社会観念上、物の事実的支配が占有代理人に属すると認められると同時に本人の事実的支配にも属すると認められ、両者は特殊の関係にあつて占有代理人の事実的支配は本人の事実的支配に由来するとみられる場合には、本人にも占有者としての利益を与える必要がある。

ドイツ民法八六八条は、「用益権者・質権者・用益賃借人・使用賃借人・受寄者として、またはこれと類似の関係において、他人に対し一時占有する権利義務を有する者が、物を占有するときは、その他人もまた占有者とする」と規定し、ここに、直接占有(unmittelbarer Besitz)・間接占有(mittelbarer Besitz)の制度が認められている。そこでは、客観説の建前にしたがい、間接占有者に対する直接占有者の客観的な関係によつて、間接占有の成立が認められている。したがつて、主観説をわが民法の建前として尊重するかぎり厳密には、構造的に代理占有と同一ではないし、また、両者は沿革的にも同一ではない。主観説をもつとも尊重すれば、代理占有成立の基礎は、代理人をして物を所持せしめる本人の意思と本人のために物を所持する代理人の意思との結合から生ずる事実関係の存在にもとめられることとなるが、この点、一般には、客観的傾向のもとに本人が代理人に対して有する物の返還請求権の存在にもとめられている。しかし、後者もまつたく客観説にしたがいドイツ民法のように意思要素を不存在とするのではなく、代理人が本人のために所持する意思は存在するを要するとしている。ところが、一般に占有意思について認められている客観的傾向からこのような意思も権原により客観的に決定されると解するならば、あえて、このような意思は必要でないとおもわれる（後述二代理占有の成立ニ参照）。してみると、一般説をつきつめてゆけば、わが民法の代理占有も、ドイツ民法の間接占有とほとんど差異のないこととなろう（舟橋・物権法、柚木・判例物権法総論二九七頁）。

ただ、ドイツ民法は、その八五五条で、「家事上もしくは営業上または類似の関係において、物に関し他人の指図にしたがうべき者が、他人のために物の事実的支配を行使するときは、その他人をもつて占有者とする」として、占有補助者に関する規定を設けているから、そのような補助者をもつては間接占有は成立しないが、わが民法の代理占有にあつては、その区別がなされていない。そこで、自身占有者でない占有補助者による場合にも代理占有であるのかが問題となる。複雑な社会的事実支配関係を反映させて、独立の所持は認められる（ある程度の独立性はある）がひとえに本人のためにする意思のみをもち自分のためにする意思をもたないので自分の支配をもつていないと認められる者を占有補助者とし、独立の所持さえ認められない（なんらの独立性をもたない）者を所持補助者とし、前者による場合にはその補助者の所持を介して本人が占有を取得するのであるから、代理占有が成立するとして、これに占有訴権の被告となること、さらには自力救済権が認められるとされることがある（末川・物権法二〇〇—二〇二頁、同「代理占有論」民法上の諸問題一〇六・一一六頁以下とくに一一九頁、林・物権法一五四—一五五頁）。主観説の建前をもつとも尊重するものといえるが、一般には、占有意思をきわめてゆるやかに解するとともに、占有補助者は所持補助者を含むものとして取り扱われ、占有補助者による代理占有の成立を否定する（末弘・物権法二〇三—二二八頁、我妻・物権法三二一—三二三頁、舟橋・前掲二九一頁、柚木・前掲二九九頁）。占有補助者と所持補助者との実際的具体的な区別は容易でないし、ひとえに本人のためにする意思は一定の関係から客観的に決定される——所持要素に対する意思要素の後退——から、所持の面からみていずれも独立の所持を有しないこととなり、その際本人が直接に所持するものと認められて、一般説が結果的に肯定されるといえよう。したがつて、この面からも、代理占有はドイツ民法の間接占有とほとんど差がないといえるであろう（田中「所有権と占有関係」（阪大法学部創立十周年記念論集）法と政治の諸問題三一五頁。なお、我妻＝有泉・民法総則物権法（コンメンタール）二九四頁）。

二　代理占有の成立

一　代理占有の成立要件

同一物が他人の事実的支配に属すると同時に重畳的に一定の者の事実的支配にも属すると社会観念上認められるのは、占有代理人の事実的支配が本人の事実的支配より流出したものであり、かつ、本人が占有代理人の事実的支配を媒介として物との関係を存続せしめていると考えられる関係が存することを意味し、このことは、外形上、占有代理人は本人の占有すべき権利をもととして所持をなし、終局的には本人に返還すべき地位にあることを要する。したがって、代理占有の成立要件はつぎの二つにつきるといえよう。

（一）　占有代理人が所持を有すること

(1)　所持の概念については、「占有権の取得」二占有の意義と態様一（一）参照。占有代理人は独立の所持を有することが必要であるから、占有補助者を媒介とする場合には代理占有とならない（「占有権の取得」〔69〕参照）。

(2)　占有補助者

（イ）　物を現実にもってはいるけれども、他人の指図にしたがいその手足となって支配している場合には、社会観念上、独立して事実的支配を行使しているとは認められず、その他人に直接的な事実的支配が属するとみられ、現にもっている者は他人の事実的支配の道具ないし機関とみられる（〔2〕参照）。独立の所持を有しないのであるから、所持補助者ないし所持機関といった方がよい。客観的に一定の社会的従属関係の存在がこのことをもたらす。

（ロ）　たしかに、占有補助者のなかには、なんらの独立性も認められない者（少数説ではこれを所持補助者とよぶ）と、ある程度の独立性はあるがなお事実的支配を有するとは認められない者（少数説ではこれのみを占有補助者とよぶ）とがあるが、程度の差にすぎず、いずれも、他人の支配関係に従属するかぎりにおいて独立の所持を有しないものといえよう(なお一序説参照。ただし、東京高判昭三一・八・一七下級民集七・八・二二一三および東京地判昭三一・一〇・三〇民集七・一〇・三〇四七は占有補助者ないし占有機関も独立の占有を有するもののごとく判示するが、きわめて例外的である)。

(ハ)　以下占有補助者の具体的事例を考察してみよう。

(A)　家族一般　大審院ならびに最高裁判所は、居住家屋、もしくは家長の所有に属する物の支配につき、通常、妻および子、その他の家族は占有補助者であると解している。

(Ⅰ)　夫と同居する妻は、原則として、家屋の居住支配につき占有補助者であるとする。Xは家屋を買いうけ移転登記をすませたが、Yおよびその妻、その娘三人がなんらの権限なくその家屋に居住しているので、以上の五名に対し家屋明渡ならびに不法占拠による損害賠償の請求をするため本訴を提起し、第二審では範囲を縮少してYおよびその妻を相手方とした。第二審は「民ハ堯治ノ妻ニシテ共ニ本件家屋ヲ共同ニ占拠スル共同不法行為者」であるとし、Xの請求を認容した。そこで、Yは、元来妻は婚姻の効果として夫の家に入り夫と同居する義務をおうもので妻がどうして家屋の不法占拠につき共同不法行為者として夫と連帯して損害賠償の責をおわねばならぬのか、という理由で上告した。大審院は、夫と同居する妻は、原則として、夫の占有の範囲内において居住するのであるから、占有補助者にすぎないことをときながら、本件の特殊事情から、Yの上告を棄却した。

【1】　「原審ハ上告人木村堯治〔Y〕ハ何等ノ権原ナクシテ其ノ妻タル上告人木村民及女子三人ト共ニ被上告人〔X〕ノ他ヨリ買受ケタル本件家屋ニ居住シ其ノ明渡請求ニ応ゼズシテ所有権ヲ侵害シタリトノ事実ヲ認定シ、堯治及民ヲシテ共同不法行為者トシテ之ニ前記不法占拠ニ因リ生ジタル損害ヲ連帯シテ賠償スベキ旨命ジタリ。然レドモ之ヲ我国ノ社会事情ニ顧レバ特別ノ事情ナキ限リ妻ハ単ニ夫ニ従ヒテ之ト同居スルニ過ギザルモノト推認スベク、斯カル場合ニ於テハ妻ノ居住ハ

夫ノ占有ノ範囲内ニ於テ行ハレ独立ノ占有ヲ成スモノト云フコトヲ得ズ。従テ夫ノ占有ガ不法ナル場合ニ於テモ不法占有ノ責任ハ夫ノミ之ヲ負フベク妻ガ之ト共同不法行為ノ関係ニ在ルモノト謂フヲ得ザルモノトス。原判決ハ用語妥当ヲ欠クモノアリト雖モ判文ノ全旨ヲ援用ノ証拠ニ対照シテ其ノ真意ノ存スルトコロヲ察スルニ、上告人民ハ単ニ夫ニ従テ本件家屋ニ同居シタリト云フガ如キ関係ニ非ズ、却テ夫堯治ノ本件家屋ノ不法占拠ニ加担シ共ニ与ニ被上告人ノ所有権ヲ侵害シタルモノト認メ、之ニ連帯賠償責任ヲ負担セシメタルモノナルコトヲ推知スルニ難カラズ。従テ原判決ニ所論ノ如キ不法アリト為スコトヲ得ズ」（大判昭一〇・六・一〇民集一四・一〇七七）。

（Ⅱ）　子も父の支配に従属するかぎりにおいて占有補助者であるとする。農家の長男が、父の農作物の収穫につき、父の馬を使用中、農馬が驚奔して人を傷けた事件につき、

【2】「事実上物ヲ所持シ之ヲ使用スル者ハ必シモ物ノ占有者ニアラズ。若シモ其者ニシテ社会観念上他人ノ機械トシテ其占有ヲ補助スルガ為メ物ヲ所持シ之ヲ使用スルモノト認メラルルトキハ、其者ハ占有者ニアラズシテ占有ノ補助者ニ過ギズ、其者ヲ補助者トスル他人ヲ以テ占有者ナリト為サザルベカラズ。蓋シ其他人ハ何時ト雖自由ニ補助者ヨリ物ヲ取上ゲ自ヲ其所持使用ヲ為スコトヲ得ベク補助者ハ之ヲ妨グベキ何等ノ権能ヲ有セザレバナリ。而シテ原判決ニハ上告人ノ長男静ハ上告人所有ノ本件農馬ヲ上告人ノ農作物ノ収穫ニ付キ上告人ノ手足トシテ使用シタル旨事実ヲ確定シアルガ故ニ、本件農馬ノ占有者ハ上告人ニシテ静ハ単ニ占有補助者ニ過ギザルモノナルコト明白ナリ。従テ上告人ハ本件農馬ノ占有者トシテ民法第七百十八条第一項ノ賠償責任ヲ負ハザルベカラズ」（大判大四・五・一民録二一・六三〇）。

と判示する。

（Ⅲ）　家屋所有者の家族は、その所有者が現在不在であつても、家屋の支配につき占有補助者にすぎないとする（最判昭二八・四・二四民集七・四・四一四、「占有権の取得」〔79〕参照）。

生活関係における家族内部の秩序は事実問題としてかたづけられ、直接法的規制の対象となつてい

ない。なるほど、夫と妻との間では、親族法旧規定のもとで「妻ハ夫ト同居スル義務ヲ負」い「夫ハ妻ヲシテ同居ヲ為サシムルコトヲ要」したし(七八九)、男女の不平等は法律上のみならず実際社会生活に浸透していたのであるから、家族内部の秩序について夫を中核とし、一種の社会的従属関係が占有という事実関係に反映していたとおもわれる。しかし、戦後、新憲法は「両性の本質的平等」を基本的に規定し(二四)、民法の親族相続法もこれにしたがって全面的に改正され、社会生活の実際においても、家族内部の秩序につき夫婦を中心とし、その基本的態度が確立されつつあるのである。そこでは、生活に必要な収入を配偶者の一方がうることができるのは夫婦双方の努力によるのであり、生活関係において収入をうる一方配偶者が他方に対して優位の地位にたつということは、社会的にとり除かれつつあるのではなかろうか。とすると、社会的事実関係において、妻は夫に対してなんらの従属関係にたたず服従義務をも有しないのであって、原則として、夫婦の共同占有を認むべきではなかろうかとおもわれる(柚木・前掲二八六頁は法律が男女平等にかわったから夫婦の共同占有を認めるべきだとされるが、実際社会関係において夫婦の関係がどう認められているかが占有にとって問題なのであるから法律の変更にもとづく事実関係の変化を是認することが必要である)。しかしながら、このような社会生活における事実関係の変化はまだ過渡期にあるともいえるのであって、判例の結論が生活実態と全然かけはなれているともいいきれない点もあるであろう。ところが、子については夫婦の場合と異なる。つまり、今日の生活形態は夫婦中心に移りつつあるので、同一家屋における子は、原則として、夫婦にとって附随的かつ社会的従属関係にたつものといえよう。なるほど、憲法上の原理である「個人の尊厳」という点から、子が親権に服する間は親子の間に従属関係が認められるが、成年の子に世帯主の占有補助者たる地位を認めてはならないとする見解もあるが(柚木・民商四三巻四号五六四頁)、占有は事実関係であつて社会関係内において従属関係ありと観念されるかどうかにより決せられるのであるから、同一家屋における生活形態がなにを中心としていとなまれるかの点を顧慮することが必要ではあるまいか。したがつて、配偶者以外の子その他の家族は、原則として、占有補助者と解せられる。しかし、以下にのべる下級審の判例は、独立に生計をたてていることを「特別な事情の存する場合」として、かなり家族に共同占有を認めている。このことは、同一家屋内の生活における発言力ないし主導権(主宰権)によつて単独ないし共同に居住家屋の支配および管理の可能性を判断しようとするものとみてよいであろう。したがつて、子が同一生活関係において親との依存関係を脱し共同に支配および管理をすると認められる場合には親との共同占有者と観念されてよいであろう。

以下下級審の判例をみることとしよう。

(i)　妻

(a)　妻が夫と別居しているとか、同居していても妻の営業により夫が生活している場合には、居住家屋につき、妻にも占有が認められるとする。Xは夫A名義で家屋を賃借し子供六人とともに居住していたが、それ以前すでに夫と別居していたところ、家主YとAとの間に家屋明渡の調停が成立し、これにもとづき明渡の強制執行がなされたので、XはAと別個独立の占有を有するとして第三者異議の訴を提起し、第一審はXを敗訴させたが、第二審はXを勝訴させた。

【3】「控訴人〔X〕は、本件家屋は控訴人において占有していたもので、山内卯〔A〕の占有していたものではないと主張し、被控訴人〔Y〕は、控訴人はその夫山内卯の妻として居住していたのだから、独立の占有を有するものではないと主張するので考えるに、控訴人が訴外山内卯の妻であることは控訴人の明らかに争わないところであるが、妻が夫と同居していない場合とか、或は同居していても、例えば妻が美容院を経営し、夫がこれにより生活している場合のごとく、社会観念上妻が夫と別個独立の占有を有すると認められる場合は、夫に対する債務名義によつて妻に対する明渡の執行をなすことを得ず、妻に対して執行するには更に妻に対する債務名義を要するものと解すべきであるところ、……控訴人は実兄生津康の世話で、本件家屋を訴外緑川こうから借り受け（但し借受名義は夫山内卯）、昭和二〇年五月二八日から子供六人と共に居住しているもので、夫山内卯とは昭和一九年頃から別居し、夫卯は中野区橋場町四〇番地桜井方に居住し、極くたまに控訴人方を訪れることはあつても、控訴人と同居したことはないことが認められ、被控訴人の立証によつても、右認定をくつがえすには足りない。従つて、控訴人は夫卯とは別個独立に本件家屋を占有していたものというべく、他人に対する執行の目的物につき占有権を有する第三者は、特別の対抗要件を要しないで執行債権者に対し、その占有権を主張して、当該執行を排除しうべきものであるから、控訴人が占有権を有する第三者として、訴外山内卯に対する本件家屋明渡の執行の排除を求める本訴請求は正当であつてこれを認容すべきである」（東京高判昭三二・九・一一東京高時報八・九・民二二〇、判時一三二・三六四二、判タ七五・四二、新聞七一・七）。

(b)　離婚した妻の名義になつていた家屋を前夫が承諾もなく他人名義に移し明渡を約した場合には、その家屋につき、妻の別個独立の占有を認める。Xは自分の資本と労力で家屋を建築し中華料理店を経営していたが、夫A名義で保存登記がなされ、その後贈与によりXに移転登記された。その後協議離婚してから、AはXの承諾なしに叔父Yと即決和解してXの所有権を失わせかつ明渡すべき旨を約し、Yは和解調書にもとづいて明渡の強制執行におよび、以来AはX方で生活していた。そこで、Xは本件家屋の返還をもとめるため仮処分の申請をした。裁判所はこれを容れて、申請人にその使用を許した。

【4】「被申請人〔Y〕、林阿来〔A〕間の前記和解契約の意図するところを考えて見ると、前記乙第六号証の記載により認められる被申請人が本件家屋につき従来の所有権を主張して来た事実と、前記採用した各疏明資料及弁論の全趣旨に徴し窺われる林阿来が申請人〔X〕と離婚後は被申請人の頤使に甘んずるようになつた事実とを綜合すると、林阿来が右即決和解に於て、申請人の所有名義に移転した本件家屋につき同人の承諾を得ないで（同調書に於ては申請人は林阿来の妻として表示せられてある）被申請人にその所有権移転登記手続をなし、且四日後にこれを明渡すべきことを約定したことは、寧ろ、林阿来に対する債務名義により、妻であつた申請人に強制執行による明渡を意図したものと認めざるを得ないのである。蓋し林阿来は明渡後叔父なる被申請人方にその承諾を得て起居して居るのであるから、同年五月二十三日迄本件家屋に居住して、敢て被申請人からの強制執行を待つ必要は毛頭なく、和解成立と同時に明渡すこともできたのであるが、反之申請人は同年五月十五日の明渡期日に被申請人から右和解調書の正本を以て明渡を求められても、決してその任意明渡に応じなかつたであろうことは火を見るより明なところであるからである。そうすると右即決和解は少なくともその裏面に意図された申請人に関する家屋明渡の部分についていては、違法な内容を持つものと謂わざるを得ない。そして上段認定の事実からすれば、本件家屋に対する申請人の占有は、申請人が他人の実力行使を排除するに足りる権利範囲としての、而も前夫林阿来のこれに対する占有とは独立別箇の占有であり、申請人が民事訴訟法第二百一条第一項にいわゆる口頭弁論終結（本件に於ては即決和解成立）後の林阿来の承継人又は同人の為請求の目的物を所持する者に該当しないことは論を俟たない」（東京地判昭二五・八・七民集一・八・一一九三）。

(c)　夫が刑務所に収監され収監に際してとくに管理を委ねられた場合には、居住家屋につき、その妻は子とともに独立して共同占有するものとする。

【5】「近谷由郎〔夫〕は数年間刑に服すべく昭和二十七年十月二十五日大阪刑務所に収監される際本件家屋に家族とし

て同居中であつた被控訴人等〔妻、子〕をそのまま居住させて不在中を守らせることとしたことが認められる。住宅等の通常の留守番は一般に占有の機関であつて、独立の占有者でないと見るのが相当であらうが、右由郎は外部との交通の自由を制限せられる刑務所に収監され少くとも数年間は刑に服する者として妻や長男に不在中を守らせたのであるから、かくして後事を託された被控訴人等は単に占有機関に過ぎないと見るよりは、由郎に代つて本件家屋を直接に占有しているものと見るべきである。尤も被控訴人敏夫の年齢如何が同人に関する右判断を左右するのであるが、同人が、由郎の服役の当初において既に後事を託されるに足る年齢に達していたことは前記証人の証言及び本件口頭弁論の全趣旨（被控訴人敏夫が本件訴提起当時である昭和二八年四月六日において成年者であつたことにつき何の争もない）に徴し明であるから、本件家屋は由郎が服役に際し、これに代つてその留守中の一家の中心の地位にある妻及び長男である被控訴人等に共同して本件家屋の管理を委ねて占有させたものと言うべきである」（大阪高判昭三二・三・二六 下級民集八・三・六〇〇）。

しかし、居住家屋の支配に関し、夫婦については原則として共同占有を認め、特別な事情の存する場合に一方を占有補助者とすべきこと、前述のとおりである。

(d)　妻の特有財産については、通常、同居している夫は、戸籍筆頭者で世帯主であつても、独立の占有を有せず、妻の占有の範囲内でその占有を補助するにすぎないとする。Xは引揚者で生業をもたず信用もなかつたので、その妻Aの信用において料理屋を経営させることとし、そのため土地家屋を買いその登記をA名義でした後、Xがその所有物件としてYに対し根抵当権を設定し、YとAとの間の競売手続の結果不動産引渡命令の執行が開始された。そこで、Xは、真実の所有者は自分であること、かりに所有権がAに帰属するとしても、Aおよび二人の子とともにこの家屋に居住し、自分は戸籍筆頭者であり一家の主宰者としてこの家屋につき独立の占有をもつものであることを理由に、本件執行に対し異議を主張したが、裁判所は、Aの所有権取得を認定し、XAともYに対しては本件家屋がAの所有でなくXの所有である旨主張できないとし、左のように判示する。

【6】「かくて、右家屋は、被告〔Y〕に対する関係では原告〔X〕の妻幾久〔A〕の特有財産にぞくするといわなければならない次第である。そうして、原告がその妻子らとともに右家屋に居住していることは、当事者間に争がなく、成立に争のない甲第三号証及び第四号証によれば、原告は、その戸籍の筆頭者でありかつ、その世帯主であることが認められる。ところで、戸籍筆頭者又は世帯主であるからといつて、ただちにその戸籍又は世帯を同じくする妻の特有財産について占有権をもつことになる法律上の理由は、どこにもない。なるほど、妻の無能力と妻の財産に対する夫の管理権を基調とした民法旧規定（旧八〇一条、七九九条）の下では、夫婦同居の場合に、妻の財産に対する夫の占有権が認められていたのである。しかし、個人の尊厳と両性の本質的平等に立脚して制定された新民法のもとにおける夫婦財産制、法定財産制として（民法七六〇条から七六二条まで、わずかに三箇条を規定したにすぎないが）完全な別産制を採用し、妻の財産に対する夫の管理権を廃止したものと解するのを相当とし、妻の財産に対する夫の法律上当然の占有権限を認めるべき理由をみいだすことができない。したがつて他に特別の主張も立証もないのであるから、原告の右家屋に対する占有は、右家屋の所有者たる幾久の占有の範囲内においてその補助としておこなわれているというべきであつて、原告に独立の占有があるといえないというほかはない。原告の占有権にもとづく異議の主張もまた理由がない」（東京地判昭三二・三・一民集八・三・四一三、判時一一一・三〇一六、ジュリスト一三二・七六、判タ七六・六〇、金融法務一三四・四三）。

妻の特有財産については、特別な事情がなければ、夫は妻の占有補助者であると解することができることというまでもないが、本件の場合に果して実質的に妻の特有財産といえるかどうか疑わしく、たとえ実質的にXの所有に属すると認定されても、AはXの承諾のもとにYとの間で競売手続がなされたと解しうるのであり、Xが異議を主張できないとすることができるであろう。

(ii)　子　つぎのような場合には、居住家屋の支配につき、子に独立の占有が認められるとする。

(a)　家屋に対し強制執行が開始されたが、旧所有者の長男が父と賃貸借関係にあったとして、父との間にかわした賃貸借契約書、家賃領収証を疎明書類として提出し、強制執行停止決定をえたが、これを不当として執行債権者が抗告した事件で、

【7】「一件記録に顕われた相手方提出の疎明資料によれば、相手方等の本件建物に対する占有関係はいずれも一応の疎明ありとすべきである。特に相手方四海静〔旧所有者の長男〕の関係について見れば、或は抗告人所論の如き見方の成り立つ余地はありうるかもしれないが、さりとて相手方静と執行債務者四海民蔵〔旧所有者〕との間に単に親子関係の存する一事により、直ちに同相手方の占有を全然否定し去らなければならぬものでもなく、要するに右相手方主張の当否に本案異議訴訟において当事者が互に立証を尽して明かにすべきところである。原審裁判所がこの程度の疎明資料に基き、相手方の申立を容認して本件強制執行停止決定をしたのは、必ずしも不当というべきではない。論旨は理由がない」(東京高決昭二九・九・九東京高時報五・一〇・民二三四)。

と判示する。

(b)　また、実質上の養女が婚姻後も親の賃借家屋に同居している場合に、婚姻した子について親族法改定規定のもとでは自主独立性を認めなければならず、夫婦独立の生活をいとなむに十分な収入があると認められれば、親子が家屋を共同占有するものとみなければならないとし、

【8】「被告一雄は昭和二十二年四月頃青木雄三郎（被告やのの亡夫）の生前から同人と被告やのの事実上の養女となつ

ていた岸弥生と婚姻し、借家難の折柄本件家屋に余裕があるので、爾来これにやのと同居しているものである。一雄は月収が一万五千円位ある工員で夫婦独立の生活を営むに充分なものである。……よって家屋の賃借人がかような同居を許すことが賃貸借解除の理由となり得るものであるか否かについて考えてみるに、子が婚姻すれば戸籍までもその夫婦について新に編製することとした新制度の下では、婚姻した子については強い自主独立性を認めなければならないのであつて、ことを住居について立言すれば、新夫婦が長期に亘りそこに独立の生活を営んでいる第三者との同居家屋については、配偶者の一方が第三者と共同自主占有をするものとしなければならないのである。そして、夫婦の生活を支える一方の配偶者が新にその家に入居して来たような場合には、その配偶者がこの占有をするものと認めるを相当とする。してみると、やのが前認定のように独立の生活を営むに足る収入を有する被告一雄を昭和二十二年四月頃から長期に亘り本件家屋に同居させているのは、一雄に右家屋の共同自主占有を許したものであり……」（東京地判昭二九・二・二四判タ四六・四三）。

と判示するとともに、このようなことが賃貸人・賃借人間の信頼関係を破るものではないととく。もつとも、ここで共同自主占有とするのはなにかの誤解に起因するものであろう。

(c)　独立の生活をいとなむに十分な収入があるということよりいっそう実態に立ち入って、戸主と妻・子が共同に居住している場合に、子が独立した生活をしているならば、子はその家屋を戸主とともに共同に占有しているものとする。

【9】　「吾民法上普通ノ場合一家ノ主長タル戸主ニ於テ家屋ノ不法占有ヲ為スニ当リ其ノ扶養保護監督ノ下ニアル妻並其ノ家族ガ其ノ戸主ト居ヲ同ジフスルトキ特別ノ事情存セザル限リ右妻並家族ガ戸主ト共同関係ニ立チ該不法占有ニ依ル損害賠償ノ責任ヲ負担スベキモノニアラザルコト明ニシテ、右被告等ノ主張ヲ肯認スベキモノナルコト勿論ナリト雖、被告等ノ身分職業ニ関スル其ノ主張自体ニ成立ニ争ナキ乙第五号証第十三号証ノ二甲第三号証第六号証ノ一、二ノ各記載ヲ綜合商量スルニ依リ認メ得ベキ被告サツキハ明治二十六年七月二十四日出生（当四十四年）ニシテ小学校訓導ヲ為シ被告熊喜ハ明治

三十年六月六日出生（当四十年）ニシテ巡査ヲ勤メ居リ何レモ相当ノ俸給ヲ受ケテ生活シ居リタル事実、又被告伝二郎ハ明治三十三年三月七日出生（当三十七年）ニシテ身学生ナリシト雖自己ノ名ニ於テ相当手広ク本件家屋ヲ其ノ営業所トシテ薪炭商ヲ経営シ其ノ名ニ於テ納税シ殊ユ他人ニ賃借シテ数棟ノ貸家ヲ所有シテ利益ヲ納メ居リタル事実ニ依リ、夫々特別ナル事情存スルト同時ニ、他面成立ニ争ナキ甲第二号証ノ一、二同第五号証ノ記載ニ依リ認メ得ベキ原告ヨリ被告等ノ父母ナル坂田伝吉同シノニ対スル本件家屋ノ明渡並損害金ノ請求訴訟事件ニ付キ既ニ同人等ノ敗訴ノ判決アリ、本件損害賠償ノ請求ニ付キテモ同人等ニ対シ其ノ賠償支払義務確定シ居レル事実存スルニモ拘ラズ、尚同人等ノ家族ナル被告等三名ニ対シ原告ガ更ニ本訴ヲ提起シタル事実ニ徴シ、右被告等ノ父坂田伝吉ガ如何ナル理由ナルカ其ノ所有財産ノ所有名義並其ノ営業名義等挙ゲテ其ノ長男被告伝二郎名義ト為シ以テ画策之レ努メタル事蹟ヲ看取シ得ベキ事実存スル本件ニ於テハ、当時仮ニ被告等ガ右伝吉ノ家族ナリトスルモ夫々独立ノ生活ヲ為シ共同シテ本件家屋ヲ不法ニ占有使用収益シ居リタルモノト認定スルヲ以テ妥当トスベキガ故ニ、右被告等ノ主張ハ採用スルヲ得ザルモノトス」（静岡地判昭一一・二・二五新聞三九六二・四）。

ただし、つぎの判例は反対の趣旨のものであつて、営業している子の独自の占有を認めないものである。

【10】「被告ガ磯田幾松ニ対スル名古屋地方裁判所昭和十年（レ）第一二号家屋明渡請求事件ノ執行力アル和解調書正本ニ基キ本件家屋明渡ノ執行ヲ為シタル事ハ当事者間ニ於テ争ナキ所ニシテ、磯田幾松ガ磯田家ノ戸主ニシテ又原告ガ右幾松ノ家族ニシテ孰レモ現在本件家屋ニ居住セル事モ亦当事者間ニ争ナキ所ナリ。然リ然シテ戸主ハ戸主権ニ基キ家族ニ対シ諸種ノ権利義務ヲ有スルモノナレバ戸主ガ賃借人タル以上其家族ハ戸主ノ占有範囲ニ於テ本件家屋ヲ占有スルモノト解スルヲ相当トスルガ故ニ、原告ハ被告ノ前示明渡執行ニ関シ異議ヲ留ムルヲ得ザル関係ニアルモノトス。原告ハ事実上原告ガ営業ヲ経営シ父タル幾松ヲ扶養セル旨主張シ仮ニ該事実存スルトスルモ之ヲ以テ被告ニ対抗スルヲ得ザルコトハ前段説明ニヨリ明ナルヲ以テ、結局原告ノ執行排除ヲ求ムル本訴請求部分モ爾余ノ争点ニ付キテノ判断ヲ須ヒズ失当トシテ之ヲ排斥ス」

（名古屋区判昭一一・一・二七新聞三九六二・一三）。

(iii)　家　族

(a)　農地の支配につき、家族として耕作に従事していても、占有補助者にすぎないとする。所有者との特別な合意が存し農地の占有につき爾後の所有者に対抗しうるとの主張に対し、つぎのように判示する。

【11】「本件農地は、栄治死亡時まで終始同人により占有せられ、被告はただ栄治との内縁関係を前提とする世帯の一員としてその耕作に従事し、右栄治の占有につき、いはば所持の機関としてその占有に協力して来たものと云うべく、それ以上に、被告が独立の占有を維持すべき正当の権原を、栄治から与えられたことはなかつたと解される」（神戸地判昭三〇・一〇・一三民集六・一〇・二一七）。

(b)　家族が営業しているような場合には、居住家屋の支配につき、独立の占有が認められるとする。XはAに家屋を賃貸し、Aは内縁関係にあるYと同居し、Yはこの家屋で同居後美容業を経営していたが、賃貸借関係終了し、Xは家屋の不法占拠による損害賠償債権につきAに対して債務名義をえたが、YはAの家族として同居するにすぎないからAと連帯して損害賠償債務をおうものとは認められないとして、Yに対する部分の仮差押申請は失当とされた。そこで、Xは抗告しその申請は容れられた。

【12】「占有権とは、物に対し事実上支配しうる関係を、法が保護したものであるが、家族や雇人等は、その居住家屋又は事務所において、家庭の主宰者や主人のため、その意思にしたがつて、目的物に対する支配を行うものにすぎないから、

そこでは家庭の主宰者や主人の直接の占有権が存するにすぎず、家族もしくは雇人に対しては通常独立の占有権は認められないこと、原決定のいうとおりである。しかしながら右家族の居住家屋に対する事実上の支配の関係が右のとおりである以上、相手方が、その内縁の夫の占有権を行使するため、これと共同して損害の原因たる行為をしたものとするになんら妨げるものではない。民法第七一九条第二項では、教唆者及び幇助者を共同不法行為者と看做しているが、相手方の右の関係は、共同行為を現実になすものであるから、故意もしくは過失の意思責任があるかぎり、同条第一項にあたると考うべきである。したがつて、原決定が、相手方は家族として本件家屋を占有するものにすぎないことのみを理由として、ただちに、相手方に対する、この間の家屋不法占有にもとづく損害金債権についての本件申請を、容認しなかつたのは失当である」（大阪高決昭三二・六・二〇判時一二三・三三八四）。

(iv)　妾　妾は、通常、占有補助者であるが、男が本妻と同居し妾との関係を決定的に清算しているとみられる場合には、もはやたんなる留守番として家屋に居住するとはいえず、独立の占有者であるとする。AがXより家屋を賃借し、妾Yと同棲し、Yは両人の間に生まれた三人の子女を養育してきたところ、Aはこの家屋から退去しYとの同棲生活をやめて本妻およびその子と同居し、その後三年以上経過し、Aの本件家屋における住居廃止後XはYに対する無断転貸を理由にAに対し賃貸借契約解除の意思表示をなし、Yに対し家屋明渡ならびに損害賠償の請求をするため本訴を提起した。Yは Aの占有補助者であるから転貸借にあたらないと主張したが、Xの請求は容れられた。

【13】「訴外高橋〔A〕は新潟市に転居後、数度被告篠瀬〔Y〕を訪ね、又数回にわたり数千円を送金しているその反面において、同人は本件建物における住居を廃止し、被告篠瀬との同棲生活をやめ、新潟市において就職をなし、本妻及びその子と同棲し、その後満三年以上を経過した今日なお同市に居住する事実を認め得るので、被告等は高橋の前記転出と同時

に同人と別個独立の生活に移つたものと認めるのほかなく、かかる場合においては、被告等は高橋の同居人又はその留守番として本件建物を占有するものと解することはできない。されば被告篠瀬は少くとも昭和二十三年二月一日（原告〔X〕が高橋に対し賃貸借契約解除の意思表示をなした以後）より、……原告に対抗し得る正当権限なくして本件建物を占有し原告に対し建物の賃料相当額の損害を被らしめているものといわなければならない」（東京地判昭二六・三・三〇民集二・三・四四八）。

(v)　その他　農地の支配については、農地法の趣旨からみてもきわめて個人的色彩に乏しく、農地所有者と住居をともにして耕作に従事している親族の団体の占有するところで、その耕作の主宰者がその代表者たる立場にあると考えるべきであるとする判例がある。耕作の主宰者Xが占有保全の訴により妨害の予防をもとめるため本訴を提起した事件で、YはXが占有補助者にすぎない旨主張したが、第一審X勝訴。第二審は、左のようにXが占有者である旨判示したが、妨害のおそれなしとしてXを敗訴せしめた。

【14】「本件農地の耕作名義人は昭和二二年度は伊勢三郎〔所有者〕であつたが、昭和二三年度以降は被控訴人〔X〕となつていて、専ら事実上被控訴人が主宰して耕耘、播種、植付、施肥、収穫等一切の耕作の仕事をやつてきたし、供出も被控訴人の名でしてきたこと、被控訴人が昭和二四年度に本件農地に作付し生育せしめた水稲を、同年一〇月控訴人〔Y〕が無断で刈り取つたことに関する紛争についても、被控訴人は自ら原告として右の者等に対し損害賠償の請求訴訟を提起し、認容されていることが認められ、このことと伊勢三郎が被控訴人のいうように老齢病弱であること自体については口頭弁論の全趣旨によつても控訴人において敢えて争うものともみられないことを総合すると、被控訴人は本件農地について、いわば一家の農業経営の主宰者として（つまり一々伊勢三郎の指図を受けずに、自己の責任において）、本件農地の耕作をしてきたものとみるべきであり、被控訴人は本件農地の占有者として占有訴権を行使し得べき地位にあるものと認めるのが相当で

ある。控訴人は農地法の規定を引用し、被控訴人は本件農地につき伊勢三郎の占有を補助する者たるに過ぎずして、自ら占有を有するものでないと主張している。なるほど農地法や自作農創設特別措置法は、ある世帯の世帯員が所有している土地を同じ世帯の他の者が耕作の業務に供している場合には、これを耕作地として扱い（但し所有者が耕作の業務を営んでいるものと擬制することはせずに、逆に耕作の業務を行つている者の所有地とみなすことにしている）、又同一世帯に属する二人以上の者の所有する農地は保有面積の関係ではこれを合算する建前をとつているのであつて、一般社会通念上も前記のような場合に自作地として、世帯単位に考えられてきているのである。であるから、そこには占有の関係その他について純粋に個人法的に割り切つて考えられず、いわば団体法的に考えなければならない余地が多分にあるのであつて、例えば本件において伊勢三郎が所有者として有する占有と、被控訴人の有する占有とは、赤の他人その他別個の世帯の者の小作関係にみられる直接占有間接占有と全く同じものだとはいえないであろうし、被控訴人が自己の名において供出代金を受領し、或は前述の損害賠償金を受領しても、同人の個人財産とは考えないであろう。そのような金で伊勢三郎にかかつてくる固定資産税を支払つても、それは当然自明のこととし、敢えて代払したとは思われないであろう。つまりこのように農業経営に供されている農地は端的にいつて、当該世帯換言すれば当該所有者と住居及び生計を一にする親族の団体（事実上耕作の業務に無関係な幼者の如きは別としても）の耕作し占有するところであり、いわゆる耕作名義人として事実上耕作の業務につき主宰者たる地位にある者が、その団体のなす占有につきその代表者たる立場にあり（それは世帯主たる所有者であることが多いのであろうが、そうでない場合にはその者が）、所有者とは別個に、右のような立場において（所有者が所有者としていわば個人法的に占有を主張するのと別に、いわば団体法的に）外部に対し、自己の名において占有訴権の如きを行使し得るのであると考えるのが、実質的な考え方でなかろうかとも思われる。が、いずれにしても前記のような事実関係の下において、被控訴人がその名において本件農地につき占有訴権を行使し得べき地位にないとする控訴人の主張はこれを採用するわけにいかないのである」（水戸地判昭二九・五・一八民集五・五・七一一）。

(B)　使用人　従属奉仕の関係の範囲内においては独立の占有が認められないで、占有補助者の典型的な場合である。他人の使用人として主人である他人の賃借家屋に居住しており、家屋の一室を転借しているというような特別な事情のない場合には、主人の占有補助者にすぎない。XはY_1に家屋を賃貸したが賃料を支払わないので賃貸借契約を解除し、Y_1および現在の居住者Y_2に対し家屋明渡と賃料相当の損害金を請求した事件において、原審は、Y_1等が「現に本件家屋を占有していること（Y_2はY_1の使用人として占有しているものであるというのであるから、反証ない限りY_1等は共同で占有しているものと認める）及び昭和二九年五月二十三日以降の右家屋の相当賃料額が一ヶ月金一万五千円であることはY_1等の認めて争わないところであるが、右占有についてXに対抗するに足る正当の権原を有することは、他にY_1等の何等主張しないところである」と判示し、Y_1に対し解約までの賃料の支払を、さらにY_1Y_2に対し家屋明渡および明渡までの賃料相当額の損害金を連帯して支払うことを命じた。そこで、Y_2はY_1の使用人にすぎないから共同占有者でないとして、Y_1Y_2は上告し、この部分については破棄差戻された。

【15】　「けれども、原審の引用した一審判決（事実の摘示）によると、上告人新海〔Y_2〕は、右『何ら権原なく本件家屋を占有している』旨の被上告人〔X〕の主張を否認していることが窺われるから、これを認めて争わなかつたのではなく、右はむしろ当事者間に争いのある事実と解さなければならない。もつとも原判決は、この点に関し特に割註を附し、『上告人新海は、林〔Y_1〕の使用人として占有しているというのであるから、反証のないかぎり上告人林と共同して占有しているものと認める』旨判示している。しかしこれとても前示一審判決の摘示事実によれば、『被告（上告人）林仁助の使用人として本件家屋に居住しているに過ぎない』とあつて、必ずしも占有の事実を認めたものとは解されないばかりでなく、使用人が

雇主と対等の地位において、共同してその居住家屋を占有しているものというのには、他に特段の事情があることを要し、ただ単に使用人としてその家屋に居住するに過ぎない場合においては、その占有は雇主の占有の範囲内で行われているものと解するのが相当であり、反証がないからといつて、雇主と共同し、独立の占有をなすものと解すべきではない。されば、原判決は当事者間に争いのある事実につき自白の成立を認めたことに帰するのであり、他に特段の事情あることにつき何ら説示せず、たやすく上告人新海の不法占有を認め、家屋明渡のほかに賃料相当の損害金支払の義務までも認めた原判決は、他人の使用人の占有および不法行為に関する法の解釈を誤まり、ひいて審理不尽、理由不備の違法に陥つたものというべく、この部分に関する論旨は結局理由あるに帰し、原判決中上告人新海に対する部分は破棄を免れない」（最判昭三五・四・七民集一四・五・七五一）。

原審判決は、Y_2がY_1の使用人として居住しているにすぎないのに、なんらの特別な事情なくして、Y_2はY_1の使用人として占有しているものと判示しているのであるから、破棄を免れないであろう。通常、使用人として居住している場合には、主人の指図にしたがいその手足となつて居住するにすぎないからである（柚木・民商四三巻四号五六〇頁）。本件の場合、かなり独立性をおびた支配といいうるが、本質的にはやはり占有補助に属する。

（二）　法人等の機関　　法人制度は法人実在説によれば法人の機関の行為を法人自身の行為と認めようとするものであるから、法人組織内の機関が職務に関連して法人のために所持する場合には、それ自体法人の所持とされる。したがつて、法人の機関は、法人の占有機関と解すべきで、占有代理人となすべきではない（鳩山「代理占有」民法研究二巻一〇三頁、末川・物権法一九八頁、同「代理占有論」前掲一一〇頁、柚木・前掲物権法総論二九九頁、林・前掲一五二頁）。しかし、これに対しては、法人自身の所持とはいつても、その実質においては、法人の実力的支配に服するのではなく、法定代理人等が占有代理人として所持する場合と異ならず、ただ、法人の機関が法人のために所持する場合にそれが法人の所持とされるにすぎないから、占有代理人たる実質を有することにもとづき、機関の職務外においてはもちろん職務に関連する場合でも、機関自身がなお直接占有を有するものと解すべきではなかろうかととかれもする（舟橋・前掲二九一頁）。なるほど、無能力者制度と法人制度とは効果の帰属の点から酷似したものといえるが、前者は法定代理人の行為をもつて本人自身の行為とするのではなく本人以外の代理人が本人を代理する場合であり、本人の意思無能力の際には代理人によつてそれを補充するのであるが、後者の制度にあつては、法人自身の組織内の機関の行為がすなわち法人の行為であるわけであるから、前者において代理占有とみ（しかし、論理必然的な結論でないことについては、「占有権の取得」二占有の意義と態様一（三）参照）、後者において代理占有とみないことも可能であるけれども、少くとも法人の占有については、その機関による代理占有を認めないで法人自身の自己占有とみるべきではないであろうか。もつとも刑法上では別個の考察が可能であろう。

判例は、最初、株式会社の取締役を会社の占有代理人と考えていたようである。大審院は、株式会社の取締役が、その業務上占有する物件を自己の債務のために入質した場合でも、この事実はいまだその占有の性質を変ぜしめるにたりないから、会社は右取締役によつて依然間接占有を保持するものとした（大判明四三・五・七民録一六・三五〇、「占有権の取得」〔45〕）。しかし、最高裁判所は会社の自己占有を認めるようである。

(A)　株式会社の代表取締役が会社の代表者として土地を所持する場合　XはA_1に土地を賃貸し、

A_1はA株式会社設立に際して取締役となつてAにこの土地を使用せしめ、これをXは黙認していたが、Yは Aの株式の大部分を所有しA会社の代表取締役が郷里に引き揚げるに際してA会社の事務一切を委任されA会社のために本件土地を使用していたところ、本件土地をも含めA会社の施設を利用して新たにB会社の設立を計画して発起人となり、B会社名義でXに無断で本件土地を使用しはじめたので、XはA_1の家督相続人A_2と本件土地に関する賃貸借契約を合意解除し、Yに対し土地明渡をもとめた。ところが、その後B会社設立の目的は達せられず、YはA会社代表取締役となつて本件土地をA会社のために使用していた。そこで、Xは、A_1を賃借人、A会社を転借人、YをAの占有代理人として、A_2との合意解除によりA会社に本件土地占有の正当権原なしという理由で、Yに対し物件収去、土地明渡ならびに地代を損害金として請求するため本訴におよんだ。第一審、第二審ともXの請求をそのまま認めた。そこで、Yは、賃貸人が転貸借を承認した以上は賃借人との間の合意解除だけで転借人の権利は消滅しないこと、およびXに返還すべきものとしてもA会社の機関であるYには占有は存しないから当事者適格を有するのはA会社である、ことを理由に上告し、これが容れられて破棄差戻となつた。

【16】　「原判決の認定したところによれば、上告人〔Y〕は訴外大東造船株式会社〔A〕の代表取締役であつて同会社の機関として本件土地を占有しているというのである。そうすると、本件土地の占有者は右訴外会社であつて上告人は訴外会社の機関としてこれを所持するに止まり、したがつてこの関係においては本件土地の直接占有者は訴外会社であつて上告人は直接占有者ではないものといわなければならない。なお、もし上告人が本件土地を単に訴外会社の機関として所持するに

止まらず上告人個人のためにも所持するものと認めるべき特別の事情があれば、上告人は直接占有者たる地位をも有するから、本件請求は理由があることとなるが、右特別の事情は原判決の確定しないところである。しからば原判決が、上告人を右訴外会社の『代理占有者としての直接占有者』であると判示しただけで、個人としての上告人に本件土地の明渡しを命じたのは、法人の占有に関する法律上の解釈を誤つた結果審理不尽、理由不備の違法を犯したものであつて、この違法は判決に影響を及ぼすこと明らかであるから原判決はこの点において破棄を免れない」（最判昭三二・二・一五民集一一・二・二七〇、判時一〇四・二八五四、ジュリスト一二九・七五、判タ六九・六二、商事法務七二・一二）。

(B)　有限会社の代表取締役が会社のために物を所持する場合

企業整備実施の結果XおよびY等で有限会社を設立し、Xがその代表取締役となつて紙器製造販売業を営んでいたが、紙器統制組合から会社に割当配給された白ボール紙七三束をXの店舗に保管し右会社に引渡す寸前Y等がそのうち六八束を不法に搬出したので、Xは占有侵奪された物品の返還を請求したが、第一審X敗訴。第二審は、「凡そ占有訴権の主体となり得るものは物につき自己のため直接に占有する者又は代理人による間接占有する者を除いては他人のため物の占有を為す者即ち代理占有者でなければならない。而してここに所謂代理占有者たるには物につき独立の所持を有することを必要とし之を有しない占有機関若は占有補助者は勿論法人の代表者も亦之に該当しないと解するを相当とする。蓋し法人は其の機関によつてのみよく其の社会的機能を果すことが出来るのであつて法人の代表者は法人の業務に関しては他人として対立する代理人ではなく其の機関に外ならないから法人の代表者が法人の業務上なす物の所持は法人のための他人の所持ではなく法人そのものの所持即ち法人の直接占有と認められ代表者自身独立の所持を有しないものと観るべきだからである。法人の代表者は所謂占有補助者の如く主人の指図に従う者でない点においては控訴人〔X〕所論の如く占有補助者と異ると雖も法人の代表者の所持は即ち法人そのものの所持であつて別に代表者に独立の所持のないことは主人の所持の外に占有補助者に独立の所持のないのと趣を異にするものではない。然らば控訴人は前記有限会社の代表取締役として本件目的物につき自身何等の占有訴権をも有しないこと明かである」（大阪高判昭二九・一一・一六民集七・一一・一〇三二）として、Xの請求を棄却した。そこで、Xは代理占有者（厳密には占有代理人の意味）であることを理由に上告したが、容れられなかつた。

【17】「法人の代表者は法人の機関であり、したがって法人の代表者が法人の業務上なす物の所持は法人そのものの占有、すなわち法人の直接占有と解すべく、またこの場合代表者は所論民法一九七条後段の代理占有者でもないと解するを相当とする。されば以上と同趣旨の下に、法人の代表者は法人とは別個に占有訴権ありとの上告人の主張を排斥した原判決は正当であるから、論旨は理由がない」（最判昭三一・二・二三裁判集民二五・六〇五、判時一〇三・一八二七、判タ六八・八八新聞四七・五）。

占有意思をゆるやかに解している通説のもとでは一九七条後段はたんなる注意規定の意味しかもたないことというまでもないが、本判決で「代理占有者」という表現は原判決および上告理由の表現にひきずられたもので、「占有代理人」の意味である。【16】【17】とも第二小法廷の判決である。

(c)　協同組合の理事および使用人が組合の占有している建物の一部を占拠している場合　XはY（東京魚商業協同組合）に家屋を賃貸し、Yはこれを支部の事務所として理事であり本所支部長であるY_1に使用させ、またYの使用人として建物を管理させるため$Y_2$$Y_3$にも居住させていた。XはYとの賃貸借契約

を解除し、$YY_1Y_2Y_3$に対し不法占有を理由に各占有部分の明渡を訴求した。そこで、$Y_1Y_2Y_3$はいずれも独立の占有を有しない旨主張したが、第一審はそれぞれ独立の占有を有する事実を認定してその明渡を命じ、第二審は、「すでにY組合が本件建物を占有するについてXに対抗し得べき権原を有するものと認められないことは、前記のとおりであるから、$Y_1Y_2Y_3$の主張する理由〔理事および使用人として占拠するということ〕によっては、その占有を被控訴人に対抗することができない」と判示して、X勝訴。これに対し、$Y_1Y_2Y_3$は独立の占有を有しないから当事者適格を欠くという理由で上告し、この点につき破棄差戻となった。

【18】「原判決が、上告人山野辺〔Y_1〕、同村松〔Y_2〕及び西沢〔Y_3〕の主張として引用した第一審判決の事実摘示によれば、同人等は、いずれも、上告人主張の建物部分を占拠していることは認めるが、上告人山野辺は上告組合〔Y〕の理事であり本所支部長として建物の一部を支部の事務所に使用しているものであり、同村松及び西沢は上告組合の使用人として建物の管理をしているので、いずれも、組合とは別に個人として独立の占有を有するものではないというのである。しかるに、原判決は、所論摘示のごとく判示し、同上告人等に対し、それぞれ本件建物の判示占拠部分の明渡を命じた第一審判決を是認したものである。されば、原判決は、占有機関であると主張する者に対し明渡を命ずるについて理由を備えない違法があり、この違法は同上告人等に対する原判決に影響を及ぼすものであつて、同判決部分は破棄を免れないものといわなければならない」（最判昭三一・一二・二七裁判集民二四・六六一、判タ六八・八一）。

第一小法廷の判決である。協同組合法による組合は法人であり、中小企業等協同組合法は、商法の規定にならつて数人の理事の合議制機関である理事会を業務執行機関としており、理事会が代表理事を選任する等、会社の機関とまつたく同様であるから、(A)(B)の場合と同視されてよいであろう。

ところが、これが通常の組合である場合にはどうであろうか。組合の性格にもよることではあるが、その構造上、個人性を内蔵しながら個人的な立場をこえて全一体として組織される団体の立場に重点がおかれ、組合員個人とは別個の組合財産があり、内部的な業務執行の委任については、委任の規定が準用されてはいるが（六七）固有の委任契約にもとづくのではなく、本来組合員のなすべきものを組合契約の内容として定められているところにしたがつて業務執行者に集中するものであり、外部的には、組合自体には法律上権利義務の帰属すべき適格はなくてその人格を表現する機関により活動する仕組になつていないが、組合の名において組合員全体を代表することとされる構造であるとみられる。この点から、業務執行者による賃借権にもとづく占有は、組合つまり全組合員による賃借権の行使とみその占有機関と解してよいし、その使用人が占有補助者であることはいうまでもないであろう。下級審ではあるが、製材林産組合の代表者または使用人の占拠は組合と別個独立の占有ではない旨の判決がある。

【19】「控訴人松田正雄は訴外組合の理事長として組合の代表者であり、控訴人絹田幸三は同組合の被用者であることが明らかであるから、特別の事情の認められない本件においては、控訴人らの本件建物占拠はいずれも右訴外組合の占有のうちに包含されるもので、組合の占有機関もしくは占有補助者としての占有ともいうことができるものであつて、組合と別個独立の占有ではないことが認められる。そして訴外組合がすでに事実上解散したとほとんど同様な状態であることは当事者間に争ないところであるが、このことはなんら控訴人らが同組合の占有機関もしくは占有補助者であるにすぎないとのことを左右するものではない。……以上のように、控訴人は本件建物について独立の占有を有することなく、控訴人らが本件建物の一部分を占拠する事実は、東京中央製材林産組合の占有の内容として存するひとつの事実状態にすぎず、控訴人らの占

拠はすなわち右組合の占有のあらわれであるとみるべきものである。したがつて、控訴人らの占拠を排除するのでなければ、組合の占有を解くことができないのであるから、右組合の占有を解くことを内容とする前記引渡命令の執行として、本件建物についての控訴人らの占拠の排除すなわち明渡請求の強制執行をすることは正当であるといわなければならない。控訴人らは民事訴訟法第五四九条により異議を主張し得べきものではない」(東京高判昭三〇・九・一九下級民集六・九・二〇三二、東京高時報六・九・民二一六)。

（二） 占有代理関係の存在すること

(1) 意思表示における代理と異なることはいうまでもないのであつて、占有代理人の所持が本人の事実的支配より伝来したものであり本人が占有代理人の所持を通じて物との関係を存続していると認めらるべき関係の存在、つまり、外形上、占有代理人は本人の占有すべき権利をもととして所持をなし、終局的には本人に返還すべき地位にあることを要する(大判大四・九・二九民録二一・一五三二「占有権の取得」〔69〕)。たしかにこのような表現の仕方は事実関係である占有の説明にあたり本権関係をもちだすような観を呈する。そこで、占有代理人が本人から所持を取得した原因たる事実、すなわち占有代理人の所持の権原の性質にしたがつて占有代理関係の存否が決せられると説明しようともされる(舟橋・前掲二九三頁)。しかし、このことは表現上の問題にすぎず、観念的な物権も事実的支配をふたたび取り戻すことを物権的請求権の行使により法的に保障され、その不能なかぎりにおいて、観念的権利の帰属が社会的に承認されるのであり、他人である占有代理人をして所持せしめていても物に対する事実的支配の確保を認められるのも、観念的権利と事実的支配の帰属とのいつそうつよい結合状態が社会的に要求され是認されていることにその根拠をおくのであつて、このことが代理占有の基礎と考えられるから(田中「所有権」前掲三二四頁)、代理占有の特質よりみて、本人の「占有すべき権利」および占有代理人の本人に「返還すべき地位」をもつて説明することも不当ではないであろう。なお、このような関係はすべて外形的にみるべきであるから、たとえば賃貸借の終了後はもちろん、賃貸借契約が最初から無効であつても、事実上賃貸借が行なわれれば、代理占有関係は成立する（四代理占有の消滅二参照）。

【20】「抑モ間接占有ノ成立スル為ニハ直接占有者ガ其目的物ヲ所持シ且直接占有者ニ於テ間接占有者ニ対シ之ヲ所持スルコトノ得ベキ権利ヲ有シ又間接占有者ハ直接占有者ニ対シ之ガ返還請求権ヲ有スト云フガ如キ一定ノ法律関係ガ右両者間ニ存在スルコトヲ要ス。然レドモ其法律関係ハ必ズシモ客観的ニ有効ナルモノナルコトヲ要セズ、恰モ斯ノ如キ法律関係ノ存在スルモノト同視スベキ外形的現象ノ存スレバ足ルモノト解スベキガ故ニ、前示控訴人主張事実ニヨレバ高橋清忠ト控訴人間ニ間接占有ノ関係成立スルコト言ヲ俟タズ。控訴人ハ高橋清忠ガ控訴人ニ対シ本件宅地ヲ不法ニ占有スルモノナルコトノ一事ヲ以テ直ニ控訴人ノ間接占有ヲ侵奪シタルモノナリト為スモノノ如シト雖モ、斯ノ如キ断定ノ誤リナルコトハ賃貸借契約ガ適法ニ解除セラレタルトキ又ハソノ他ノ事由ニ依リ賃貸借契約ガ終了シタル後ニ於テ賃借人ガ其目的物ヲ占有スルハ明カニ賃貸人ニ対シ何等ノ権限ナク之ヲ換言スレバ不法ニ之ガ占有ヲ為スモノナルニ拘ラズ賃貸人ガ従来有シタル其目的物ニ対スル間接占有ノ消滅スト為スベカラザルニ徴シテ、洵ニ明白ナリ」（東京地判大一四・三・一四新聞三九・一〇）。

なお、後掲【30】、および大阪地判昭和二九・八・一〇（民集五・八・一三〇三「占有権の取得」〔74〕）参照。

(2)　判例はつぎのような場合に占有代理関係の存在を認める。

（イ）　賃　貸　借

(a)　賃貸人は賃借人の所持を通じて占有するものである。Xの先代がAから土地の共有持分を買いうけ、分割の結果Xの所有に帰し、XはこれをBに賃貸していたところ、YはそれがCの所有地で

Cから買いうけたといい、Xの承諾なしにBから引渡をうけた。そこで、XはYに対し占有回収の訴を提起し、第一審で勝訴したが、第二審で敗訴となつた。Xは上告したが棄却された。

【21】「民法第二百条第一項ノ『占有者ガ其ノ占有ヲ奪ハレタルトキ』トハ占有者ガ其ノ意思ニ因ラズシテ物ノ所持ヲ失ヒタル場合ヲ指称スルモノナレバ占有侵奪ノ事実アルニハ占有者自ラ占有ノ意思ヲ失ヒタルニ非ザルコトヲ要ス。故ニ占有者ガ他人ニ任意ニ物ノ占有ヲ移転シタルトキハ仮令其ノ移転ノ意思ガ他人ノ欺罔ニ因リテ生ジタル場合ナリトスルモ占有侵奪ノ事実アリト謂フヲ得ズ。而シテ賃貸借関係ニ於テ賃借人ガ物ヲ所持スルハ一面自己ノ為ニ占有スルト同時ニ他面ニ於テハ賃貸人ヲ代理シテ占有スルモノニシテ、即賃貸人ハ民法第百八十一条ノ所謂代理人ニ依リテ物ヲ占有スル場合ノ一ニ該当スルガ故ニ、賃貸人ガ其ノ占有ヲ侵奪セラレタリヤ否ヤハ占有代理人タルベキ賃借人ニ付テ之ヲ判定スベキモノトス。然ラバ原審ガ『賃借人タル訴外小高周吉ニ於テ任意ニ賃借物ノ占有ヲ被上告人ニ移転シタル以上ハ被上告人ノ他ヨリ之ヲ買受ケタリトノ言ヲ信ジタル結果ナリトスルモ占有権ノ侵奪ナリト云フヲ得ザルヲ以テ賃借人ハ勿論賃貸人タル上告人モ亦占有回収ノ訴ニ依リ其ノ回収ヲ求メ得ベカラザルモノ』ト判示シタルハ相当ニシテ、訴外小高周吉ノ引渡ガ被上告人ノ欺罔手段ニ基キタルヤ否ヤヲ明確ニスルノ必要毫モ存セザレバ、本論旨ハ其ノ理由ナシ」(大判大一一・一一・二七民集一・六九二)。

なお、大判大正四・九・二九(民録二一・一五三二「占有権の取得」〔69〕)。

(b) たとえ賃貸人が不法占拠者であつても、賃借人を介して占有するものである。Xは映画興業用品一揃を債務完済まで所有権留保してAに売却したが、Aは一部代金を支払つただけでBCに仮装譲渡し、Bは事情をしるY_1に売却し、Y_1はY_2に賃貸した。そこで、Xは$Y_1$$Y_2$に所有権にもとづき目的物の返還を請求し、第一審、第二審ともX勝訴。Y_1は目的物を現に所持するものではなくしたがつて物権を現実に妨害するものでないから物権的請求権の相手方たりえないとして上告したが棄却された。

【22】「賃貸人ハ賃借人ヲシテ賃貸借ノ目的物ノ使用収益ヲ為サシムル為之ヲ賃借人ニ引渡シタル後ニ於テモ之ニ対スル占有ヲ失フモノニアラズ。蓋目的物ノ引渡ヲ受ケタル賃借人ハ賃貸借ノ目的タル使用収益ヲ為ス為ニ之ヲ所持スルモノ、即『自己ノ為ニスル意思ヲ以テ物ヲ所持スル』者ナルト同時ニ賃貸借関係ニ基キ賃貸人ノ為ニ善良ナル管理者ノ注意ヲ用ヒテ目的物ヲ保管シテ賃貸借終了ノ場合ニ於テハ之ヲ賃貸人ニ返還スベキ義務ヲ負ヘル者ナレバ、賃借人ノ占有ニカカル賃貸借ノ目的物ハ常ニ賃借人ヲ介シテ賃貸人ノ事実上ノ支配ノ中ニアリ即賃貸人ノ間接占有ノ下ニ有リト云フベキヲ以テナリ。従テ他人ノ物ヲ占有スベキ権限ナキニ拘ラズ之ヲ第三者ニ賃貸シテ引渡ヲ了シ同人ヲシテ使用収益セシメツツアル賃貸人ハ他人ノ物ヲ不法ニ占有スル者即他人ノ所有権ヲ侵害スル者ニ外ナラズ。物ノ所有者ハ右ノ賃貸人ニ対シ所有権侵害ヲ止ムベキコトヲ要求スル権能アルコト明白ナリトス」（大判昭一三・一・二八民集一七・一）。

代理占有者も占有者であり、物権者は代理占有の移転をうけうることによつても占有を取得しうるのであるから（三代理占有の効果二（二）参照）、代理占有者に対し物権的請求権を行使しうることというまでもない（四宮・判民昭和一三年度一事件）。同旨のものとしてつぎの判例がある。

【23】「不法ニ他人ノ占有ヲ侵奪シタル者ハ仮令其ノ目的物ヲ他人ニ貸渡シタリトスルモ其ノ借受人ハ自己ノ為ニ占有スルト同時ニ貸主ノ為ニ代理占有スルモノナルヲ以テ貸主タル侵奪者ハ依然目的物ノ占有ヲ現ニ為スモノト云フヲ妨ゲズ。従テ被侵奪者ハ侵奪者ニ対シ占有回収ノ訴ヲ提起シテ占有物ノ返還ヲ求メ得ベキモノト云ハザル可ラズ。然則原審ガ被上告人ハ本件土地ヲ他人ニ小作セシメ居ルガ故ニ現在占有ヲ為セルモノニ非ズト解シ被上告人ハ此ノ点ニ於テ占有回収ノ訴ノ相手方タルベキ適格ヲ欠如セリト説示セルハ失当ナリ。然レドモ原審ハ更ニ此ノ説明ニ次デ被上告人ガ侵奪者ニ非ザル事実ヲ認定セルガ故ニ結局上告人ノ請求ヲ棄却シタルコトハ正当ニ帰シ、右判示ノ失当ハ以テ原判決ヲ破毀スルニ足ラズ」（大判昭五・五・三民集九・四三七）。

(c)　敷地の賃借人は、その地上の自己所有の建物を賃貸した場合には、その家屋の賃借人を通じて敷地を占有するものである。Xは土地を賃借しその地上に家屋を建築してYに賃貸していたところ、関東大震災により家屋が焼失し、Yはその後当該地上に簡易の家屋をたてて居住していた。そこで、XはYに対し家屋焼失によりYは敷地の占有を喪失したとして占有回収の訴を提起した。第一審、第二審ともX勝訴。Yは敷地の占有は自分にありXにはないとして上告したが、棄却された。

【24】「他人ノ土地ニ建設セラレタル家屋ヲ賃借セル者ガ使用収益ヲ為ス為其ノ家屋ヲ占有スル場合ニ於テハ、之ヲ占有スルニ必要ナル程度ニ於テ家屋ノ存在スル土地即敷地ニ付占有権ヲ有スト雖是家屋ヲ占有スルノ結果ナレバ、若家屋ノ占有ヲ喪失スルトキハ従テ亦其ノ敷地ノ占有権ヲモ喪失スルモノト謂ハザルヲ得ズ。又敷地ノ所有者若ハ賃借人ハ賃貸借ノ目的タル自己所有ノ家屋ガ該地上ニ存在スル間ハ其ノ家屋ノ賃借人ヲシテ家屋ト共ニ敷地ノ代理占有ヲ為サシムルヲ以テ地上ノ家屋ヲ賃貸シタルノ一事ニ因リ敷地ノ占有権ヲ失フベキモノニ非ズ。蓋家屋ノ賃借人ハ其ノ敷地ニ付自己ノ為ニ占有ヲ為スト同時ニ他人ノ為ニ代理占有ヲ為セルモノナレバナリ。而シテ家屋ノ賃借人ガ家屋ノ占有ヲ失フニ至リタルトキハ其ノ有シタル敷地ノ代理占有ハ消滅スルト同時ニ敷地ノ所有者又ハ占有者ノ有スル占有ハ爾後直接占有トナリテ存続スルモノニシテ決シテ消滅スルモノニ非ズ」（大判昭三・六・一一新聞二八九〇・一三）。

（ロ）　使用貸借　　使用貸借における貸主は借主を通じて代理占有する。XはAの保釈に際しその保証として後日還付の裁判あるまでAに使用貸借契約により勧業債券を貸与し、Aはこれを B金庫に寄託したが、YはAのBに対する寄託物返還請求債権を差押えた。そこで、Xはたとえ同債券をAが占有していても代理占有により自分の所有権を対抗しうる旨主張し、Xの請求は容れられた。

【25】「訴外三田兼吉〔A〕ハ使用貸借ノ意思ヲ以テ該勧業債券ヲ占有セルモノニシテ権原ノ性質上所有ノ意思ナキモノト謂ハザルベカラズ。而モ兼吉ガ其占有ヲ為サシメタル控訴人ニ対シ所有ノ意思アルコトヲ表示シ又ハ新権原ニ因リ更ニ所

有ノ意思ヲ以テ占有ヲ始メタルコトハ被控訴人ノ主張セザル処ナルヲ以テ、訴外三田兼吉ノ占有ガ使用借主トシテノ代理占有ナルコトニ何等変更ナキハ民法第百八十五条ニ依リ疑ヲ容レズ。従テ同人ヨリ之ガ寄託ヲ受ケタル大阪本金庫和歌山支金庫〔B〕モ亦該勧業債券ノ代理占有ヲ為セルモノニ外ナラザルヲ以テ、之等代理占有ノ為メニ控訴人ノ所有権ノ行使ニ何等支障ヲ来スベキ謂ハレナキニ付キ此点ノ被控訴代理人ノ抗弁モ亦採用セズ。叙上説明セシ如ク本訴勧業債券ハ控訴人ノ所有ニ属シ訴外三田兼吉ハ使用借主、大阪本金庫和歌山支金庫ハ受寄者トシテ何レモ之ガ代理占有者タルニ過ギザルガ故ニ、該勧業債券ニ付キ裁判所ニ於テ還付ノ裁判アリタル時ハ控訴人ハ兼吉ニ兼吉ハ大阪本金庫和歌山支金庫ニ順次之ガ返還ヲ請求スル権利ヲ有スルモノトス」（和歌山地判大七・三・二七新聞一四〇二・二三）。

（ハ）　寄　託　　寄託者は受寄者を通じて占有を保持するものである。前掲【25】。

【26】「控訴人ガ本件株券ノ占有者若クハ所持者ナリヤ否ヤニ付キ按ズルニ成立ニ争ナキ乙第一号証ニヨレバ訴外久原鉱業株式会社ハ大正八年八月七日訴外竹口文太郎ヨリ本件株券ヲ預リテ之ヲ同人ノ為メニ保管シ居ルコト明カナルガ故ニ訴外竹口文太郎ハ本件株券ノ占有者ナルコト明カニシテ、原審証人竹口文太郎ノ証明ニ徴スレバ同人ハ控訴人ヨリ大正八年八月六日本件株券ヲ株式定期取引ノ証拠金代用トシテ預リタルモノナルコトヲ認ムルニ足リ、同人ハ其後控訴人ニ対シ自己ノ為メニ所有スルノ意思ヲ表示シ若クハ新権原ニ因リ所有ノ意思ヲ以テ占有ヲ始メタル事実ヲ認ムベキ証拠ナキヲ以テ同人ハ控訴人ノ為メニ本件株券ヲ占有スルモノト謂フベク、随ツテ控訴人ハ同人ニ依リテ間接ニ占有ヲ保持スルモノト謂ハザルベカラズ」（東京地判大九・二・七評論九・商七四〇）。

（ニ）　運送契約　　貨物引換証の所持人は運送人の所持を通じて運送貨物を占有するものである。大判大正九・一〇・一四（民録二六・一四八五「占有権の取得」〔28〕）、大判明治四二・三・一八（民録一五・二四五「占有権の取得」〔27〕）。なお、貨物引換証、船荷証券の法的性質につきかなり誤解もあり、運送人自身の占有についても「自己ノ為メニスル」のでないなど問題を含んでいるが、荷主の間接占有を認めるものにつぎの判例がある。

【27】「運送業者ノ保管ニ属スル動産ハ其直接占有ニ属シ荷主ハ間接ニ之ヲ占有スルニ止リ債権者ヲシテ占有ヲ得セシムルコトヲ得ザルヲ以テ、荷為替契約ニ依リ運送品ヲ質権ノ目的トシ質権ヲ設定セントスル場合ニ於テハ、荷主ハ運送人ヨリ交付ヲ受ケタル貨物引換証券若クハ船荷証券ヲ把持シ運送品ヲ処分スル権利ヲ留保スル間ニ於テ其間接占有権ヲ質権者ニ移転シ質権者ヲシテ質権ノ設定要件ヲ具備スルコトヲ得セシムルヲ要ス。而シテ質権設定者ガ貨物引換証又ハ船荷証券ヲ質権者ニ交付シ質権ノ成立ニ必要ナル占有ノ移転ヲ証明シ必要ナル場合ニ於テハ債権者ヲシテ運送人ニ対シ其保管ニ係ル運送品上ニ質権ヲ実行スルコトヲ得セシムルコトハ顕著ナル慣習ニシテ、此慣習ノ存スルコトハ亦従来当院判例ノ認ムル所ナリ。故ニ貨物引換証又ハ船荷証券ヲ作成シタル場合ニ於テハ運送人ハ其交付ヲ受ケタル荷主ガ質権設定ノ為メ其証券ヲ利用シ質権ノ設定ニ必要ナル運送品ノ占有移転ヲ証明スル場合アルコトヲモ予期セルモノニシテ、該証券ニ依リ間接占有ノ取得者ナルコトヲ証明スル質権者ノ権利ヲ否認スルヲ得ザル者トス。故ニ苟モ其交付シタル証券ノ還付ヲ受クルニ於テハ請求者ハ直接ニ其交付ヲ受ケタル荷主ナルト荷主ノ処分ニ因リ正当ニ之ヲ把持スル質権者タルトヲ問ハズ運送品ノ占有ヲ解キ之ヲ其処分ニ付セザルヲ得ズ。何トナレバ運送人ハ間接占有者ノ為ニ運送品ヲ占有スル者ニシテ自己ノ為メニスル者ニ非ザルヲ以テ、他ニ別段ノ理由ナキ限ハ間接占有ノ移転ヲ受ケタル質権者ニ対シテモ亦同一ノ義務アルヲ以テナリ」（大判明四一・六・四民録一四・六五八）。

（ホ）　地上権設定　　地上権設定者は地上権者を通じて占有するものである。YはAの土地の地上権者であるがその土地の真の所有者だと主張するXから土地明渡の請求をうけ、Aはこれに従参加して自分の時効取得を主張した。原審はXの主張を容れたので、Yは、原審がYの地上権による占有によりAは占有を失うにいたつたとした点、および地上権者であるYに対する裁判上の請求がAに対し時効中断の効力を生ずるとした点、を不服として上告し、前点の理由は容れられた（後の上告理由に対しては「41」参照）。

【28】「取得時効ノ要件タル所有ノ意思ヲ以テスル占有ハ自主占有（厳密には自己占有の意味）ノミニ限定ス可キモノニアラズシテ他人ガ占有者本人ノ為メニ代理占有ヲ為スモ其本人ニシテ所有ノ意思ヲ保有スル以上ハ時効ノ基礎タル占有ナキ

モノニアラズ。而シテ地上権者ガ地上権ニ基キ其土地ヲ占有スルハ所有権ニ付テハ地上権設定者ノ為メニ代理占有ヲ為スモノナレバ地上権設定者ハ地上権設定ニ因リ所有ノ意思ヲ以テスル占有ヲ喪失スルモノト謂フヲ得ズ。然ルニ原審ガ従参加人〔A〕ハ明治四十四年五月九日上告人〔Y〕ノ為メニ係争地上ニ地上権ヲ設定シ上告人ハ其地上権ニ基キ該土地ヲ占有シ且ツ同地上ニ石造倉庫事務所其他ノ工作物ヲ建設セル事実ヲ認メ従参加人ハ同日以後取得時効ノ基礎タル占有ヲ喪ヒタルモノト為シタルハ失当タルヲ免レズ」（大判大一〇・一一・三民録二七・一八七五）。

（ヘ）　質権設定　質権設定者は質権者を通じて占有するものである。国庫債券を身元保証金代用として納付し株式取引所のため質権を設定した場合には、該取引所を占有代理人として占有するものであるから、即時取得を主張しうるものであり、納付者と取引所との間に代理関係がないという理由で代理占有の成立を否定することは違法であるとする。

【29】「原判決ハ論旨第一点摘載ノ如ク判示シ上告人（控訴人被告）ハ本件国庫債券ヲ広島株式取引所ニ対シ身元保証金代用トシテ納付シタルコトヲ認メタリ。然ラバ広島株式取引所ハ其ノ行使スル質権ノ為ニハ之ヲ自己ノ為ニ占有スルモノナレドモ他面ニ於テハ上告人ノ為ニ代テ占有ヲ為セルモノト解セザルベカラズ。然ルニ原判決ハ論旨第一点摘載ノ如ク控訴人ト同取引所トノ間ニハ何等代理関係ノ認ムベキモノナク……ト判示シ上告人主張ノ代理占有ニ因ル即時取得ノ抗弁ヲ排斥シタルハ違法也」（大判大一三・九・二五新聞二三〇九・二〇）。

（ト）　所有権留保約款附売買　代金完済まで売主が所有権移転を留保する特約のもとに引渡したような場合には、買主は売主の占有代理人であり、売主はなお買主を通じて占有するものである。

【30】「被告ガ訴外三島宇一郎ヨリ本訴物件ヲ原告主張ノ如キ代金及之ガ支払時期並ニ右代金完済ニ至ル迄売主ニ於テ其所有権移転ヲ留保スル特約ノ下ニ買受ケ同時ニ之ガ引渡ヲ受ケタル事実ハ当事者間ニ争ナク、且其当時被告ハ訴外宇一郎ノ

為メ右物件ヲ代理占有セシコトハ被告ガ右特約ノ下ニ右物件ノ引渡ヲ受ケタル争ヒナキ事実ニ徴シ明カナリ。而シテ被告ハ原告主張ノ如ク右売買代金支払期限到来スルモ尚右代金中残額二百五十円ノ支払ヲ為サザリシ事実ハ成立ニ争ナキ甲第二号証並ニ証人三島宇一郎同鈴木義洲ノ右証言ニ依リ之ヲ認メ得ベク、爾後被告ニ於テ右残代金ヲ訴外三島宇一郎ニ対シ支払ヒタリトノ主張並ニ立証ナキヲ以テ、被告ハ原告ガ本訴物件ヲ訴外三島宇一郎ヨリ買受ケタリト主張スル大正六年三月十八日当時ハ依然右代金支払ニ付キ遅滞ニアリタルモノト云フベク、従ツテ前記所有権留保ノ特約ニ基キ本訴物件ノ所有権ハ依然訴外三島宇一郎ニ帰属シ、被告ハ只同人ノ為メ右物件ヲ代理占有セルモノト謂ハザルベカラズ」（東京地判大六・一〇・二〇新聞一三六一・二八）。

（チ）　売渡担保契約　売渡担保契約がなされ、担保設定者が引き続き担保物件を所持する場合には、担保権者は担保設定者を通じて占有する。大判大正五・七・一二（民録二二・一五〇七「占有権の取得」〔70〕）、最判昭和三〇・六・二（民集九・七・八五五「占有権の取得」〔71〕）など。

（リ）　法定代理関係　判例は、子は親権者の所持を通じて自分の物を占有するものとする。大判昭和六・三・三一（民集一〇・一五〇「占有権の取得」〔29〕）。ただし、学説上争いのあることはすでにのべたとおりである（前掲（一）(2)（ニ）、および「占有権の取得」二占有の意義と態様一（三）参照）。

（ヌ）　その他

(a)　眤懇な他人を自分の営業している家屋に常住させ、会計・雇人の監督等諸般の事務を主宰させ、営業許可名義をその他人に変更したような場合であつても、自分名義で家屋を賃借占有し自身経営している以上は、その他人は共同占有者ではなく、代理占有における占有代理人にすぎないとする。事情によつては、実質上社会的従属関係のもとにあり、占有補助者である場合もあろう。

【31】「原判決ノ挙示スル各証拠ニ依レバ、被上告人ハ昭和九年五月中本件家屋ニ於テ特殊飲食店ヲ開始シタル当時ヨリ昵懇ナル小池輝太郎ヲ右家屋ニ常住セシメ同人ヲシテ営業上ノ会計雇人ノ監督等諸般ノ事務ヲ主宰セシメ来リタル処、所轄警察署係員ヨリ営業上ノ事務ヲ執リ且雇人ノ監督ノ衝ニ当ル者ガ事実上小池輝太郎ナル以上ハ取締ノ必要上営業許可名義人ヲモ同人ト為スベキコトヲ勧説セラレタルニヨリ、昭和十一年九月十一日右営業許可名義人ヲ小池輝太郎ニ変更シタルニ止マリ、本件家屋ハ被上告人ガ自己ノ名義ニテ賃借占有シ該家屋ニ於ケル飲食店営業モ被上告人ノ経営ニ係リ小池輝太郎ハ単ニ被上告人ノ依頼ニ依リ前記ノ事務ニ従事スルモノナル原判示ノ事実ヲ認メ得ラレザルニアラズ。又該認定ハ何等経験律ニ反スルコトナク乙第四号証ハ必シモ本件家屋ヲ被上告人ト小池輝太郎トガ共同シテ占有シ居ル事実ヲ認メザルベカラザルモノニアラズ。叙上原判決ノ確定シタル所ニ依レバ被上告人ハ小池輝太郎ニ本件家屋ヲ代理占有セシメ居ルニ過ギズシテ占有ヲ移転シタルニアラザルコト明白ナリ」（大判昭一六・一二・六法学一一・七一四）。

(b)　国が連合国占領軍の接収通知に応じ、建物をその所有者から賃借してこれを同軍の使用に供した場合にも、国は間接占有を有するとする。接収に際し所有者と国との間に賃貸借契約が締結されても、実質的には占領軍の使用権はその占領目的達成のために主務大臣または地方長官に対する至上命令にもとづく取得方法によるのであつて、その本質は契約の締結を余儀なくせしめられるものであり、その法的規律は土地工作物使用令（昭和二〇年勅令六三六号、公布昭和二〇年九月一九日廃止昭和二七年三月二八日）の準用にもとづかねばならぬであろうし、そこでは政府が使用権を取得し、その他の権利はその使用期間中行使を停止されるものと解すべきであり（一）、私法関係とはいうことができない。したがつて、建物所有者は公共団体による使用権設定にもとづき一応建物との関係をたたれるし、国と占領軍の関係も決して私法上のものとは解されない。その意味で本判決の結論はきわめて疑問であるが、なんらかの意味で国に損害賠償責任を帰せしめようと努力する意図は理解できる。原告の長男が昭和二三年九月一日連合軍の事実支配下にある建物で修理中感電死したので、国に損害賠償をもとめたが、第一審、第二審とも国の支配力は全然およばないとし、国家賠償法二条による救済の主張に対して、原審は、同法が昭和二二年一〇月二七日施行され施行前の行為にもとづく損害については従前の例によるのであると判示して、その請求を棄却したが、最高裁はこれを破棄した（もっとも、現在では、駐留軍による土地建物等の使用または収用に関しては安保協定の実施に伴う土地等の使用に関する特別措置法（昭和二七年五月一五日法一四〇号）により規律され、また、駐留軍の管理する工作物の設置ないし管理の瑕疵による他人の損害については安保協定の実施に伴う民事特別法（昭和二七年四月二八日法一二一号）二条により国が賠償責任をおう）。

【32】「原判決は被上告人国は連合国進駐軍の接収通知により本件建物をその所有者三信建物株式会社より借受けこれを進駐軍の使用に供したが事実上は同軍において右建物を占有支配しその修理工事についてもその要否、時期、資材、方法及び範囲に亘りこれを指揮し、その監督の下になされた事実を認定した上、民法七一七条にいわゆる占有者とは工作物を事実上支配し、その瑕疵を修補しえて損害の発生を防止しうる関係にある者を指すに拘らず、右事実によれば被上告人国は同条にいわゆる右建物の占有者に当らないとし、被上告人国を同条の占有者に当るものとした上告人らの本件損害賠償請求を理由なきものとしてしりぞけたものであることは判文上明らかである。けれども国が連合国占領軍の接収通知に応じ建物をその所有者より借り受けた場合においてはたといこれを同軍の使用に供し同軍が事実上右建物を占有支配している場合においても国は依然としてなお右建物の賃借人であることに変りはなく、従つてまた右建物についても当然に間接占有を有するものと解さなければならない。そして民法七一七条にいわゆる占有者には特に間接占有者を除外すべき法文上の根拠もなくまたこれを首肯せしむべき実質上の理由もないから、国は右建物の設置保存に関する瑕疵に基因する損害については当然に右法条における占有者としてその責に任ずべきものと解するを至当とする」（最判昭三一・一二・一八民集一〇・一二・一五五九、判時九八・二六六八）。

(3)　すでにのべた(1)のような関係が存在するかぎり、とくに外形上、他人の物であることを表示するを要しない。

【33】「上告人ハ本件ニ於テ債務者今村米吉ニ対スル強制執行ノ為メ其所有物トシテ差押ヘタル係争物件ハ福永綱盛ヨリ今村米吉ガ正当ニ買受ケタルモノナリト主張シ、被上告人ハ自己之ヲ福永綱盛ヨリ買受ケテ同人ニ賃貸セルモノナリト主張シ、原院ハ之ニ対シテ甲第二号証及証人福永綱盛ノ証言ニ依リ本件ノ物件ハ被上告人ニ於テ福永綱盛ヨリ買受ケタル上之ヲ同人ニ賃貸セルモノニシテ被上告人ハ占有ノ改定ニ因リテ其占有ヲ取得シタルモノト判定シタレバ、爾後福永綱盛ガ同物件ヲ占有スルハ被上告人ノ為メニスル代理占有ニ外ナラザルモノトス。而シテ他人ノ物ヲ代理シテ占有スルニ当リ特ニ外形上他人ノ物タルコトヲ表示セザレバ其占有ノ効力ナキモノニ非ズ。唯ダ他人ノ為メニスル代理占有タルコトノ実質アルヲ以テ足レリトス。左スレバ原院ガ福永綱盛ヨリ被上告人ニ係争物件ノ所有権ノ移転シタルヲ正当トシ、今村米吉ニ於テ其後ニ至リ之ヲ福永綱盛ヨリ買受ケタリト仮定スルモ是レ既ニ前所有主ガ被上告人ノ所有ニ移リタルモノヲ再売シタルニ過ギザルモノト判示シタルハ相当ニシテ、本論旨ハ採用スルヲ得ズ」（大判明三八・二・一一 三民録一一・一五八）。

(4)　占有代理関係は重畳して成立しうることというまでもない。前掲【25】、および「占有権の取得」【45】など。

二　代理占有成立のために特別な意思要素は必要であるか。

主観説の建前をもつとも尊重する立場では、代理占有の成立のためには、占有代理関係の存在ではなくて、本人と代理人との意思の結合、つまり本人が「代理人ヲシテ占有ヲ為サシムル意思」と代理人が本人のために占有する意思の存在が必要であるとされる（末川・物権法一九七―一九八頁、同「代理占有論」前掲一〇六―一一二頁、林・前掲一五三―一五四頁）。しかし、その意思結合の存在は外部的な客観的事実関係ないし法律関係によつて推断するほかないのであり、もし意思結合の存在を強調すると、代理占有が重畳する場合には、直接所持する占有代理人は重畳する代理占有の本人全員のためにする意思を有しなければならず、また、重畳する代理占有の本人全員が直接所持する占有代理人を通じて占有しようとの意思を有しなければ、意思結合が存在するとはいえなくなるであろう。たとえ最上位の代理占有の本人と次位の代理占有の本人との間に客観的な事実関係があり、次位の代理占有の本人と直接所持する占有代理人との間に客観的な事実関係があつたとしても、そのことをもつて、最上位の代理占有の本人と直接所持する占有代理人との間にも意思の合致があつたとは判断できない。とすると、賃借人が賃貸人の承諾なしに勝手に他人に転貸して賃借物の所持を他人に移転した場合に、この者との間にも代理占有が成立するということは、たとえ、代理占有の本人は占有代理人の所持を通じて占有するのであるから瑕疵や侵奪の有無については占有代理人の占有について判定されるべきで、このような場合に占有の侵奪はないのだとしても、特定の占有代理人をして所持せしめようとする本人の意思に反しているのだから、理解するに困難だというべきであろう（田中「占有規定に関する客観説による解釈の試み」民商三八巻四号五五五頁以下）。

これに反し、一般には、代理占有成立のためには、占有代理人による所持のほか、意思結合ではなくて、占有代理関係の存在を必要とするとかれ、本人が「代理人ヲシテ占有ヲ為サシムル意思」を有することは要しないとする（鳩山・前掲一〇九頁以下、末弘・前掲二二九―二三〇頁、我妻・前掲三三一―三三四頁、柚木・前掲物権法総論二九九頁）。客観的に占有代理関係があれば占有の効果を本人に帰属せしめることが可能であり、このことが代理占有制度の本旨なのだから、あえて本人の意思を問題にする必要はないことから当然といえるが、占有代理人が本人のためにする意思を有することは必要とされる（前掲諸説）。その根拠は、多く意思表示の代理制度からの類推、さらには二〇四条一項二号の規定に（末弘・前掲二二七―二二八頁）もとめられている。占有は意思表示ではないからその類推は無意味であり、二〇四条は代理占有の消滅に関する規定であつて、その一項二号といえども、かならずしも成立と関連せしめなければならぬものでもない。占有意思は客観的に権原によつて決せられるとするかぎりは、占有代理意思も占有代理関係によつて決せられ、占有代理関係の存在によつてこのような意思の存在が認められるのだから、あえて、このような意思の存在を成立要件にもちこむ必要はないであろう（舟橋・前掲二九二―二九四頁、田中「占有規定」前掲五五五頁、同「所有権」前掲三一五頁）。

三　執行手続上、執行の目的物が執行吏の占有下におかれる場合に、執行吏の占有と執行債務者との間に、民法上の代理占有が成立するか。

有体動産に対する差押（民訴五六六ⅠⅡ）、仮差押・仮処分で目的物の保管が執行吏に命じられた場合、明渡命令の執行が一度におこなわれないで一部ずつおこなわれていく際における執行債権者への引渡前の関係などをめぐつて、民事訴訟法上きわめて争われている問題である。執行吏は執行債権者の意思に反して国家の執行権能を行使するものであるから、執行吏の占有の性質につき、まず最初、公法占有説があらわれる。それは、執行吏は一般私法上の占有とはまつたく性質を異にする公法上の占有を取得し、したがつて、執行吏による占有は民法上の占有関係になんらの影響をも与えはしないとするものである（末川・物権法二六九頁、菊井・民法訴訟法（二）一四四頁、吉川・強制執行法五三頁）。大審院もまたこの見解をとつたのである。Yが債務者Aに対する金銭執行として執行吏によりBの手もとにある印刷機をその承諾をえて差押えたところ、Xはそれが自分の所有物であると主張して第三者異議の訴を提起し、その物件は以前Cの所有物であり、これをDが競落しBに賃貸しているうちに、自分がDより譲りうけ引き続きBに賃貸し占有せしめていたのであるとなし、Yは本来この物件はEよりBが賃借していたものでBが勝手にFに売却し、Fの債権者が強制執行して執行吏によりこれを差押え競売した結果Gが善意で競落し、Bに賃貸していたもので、その後AがGより譲りうけ引き続きBに賃貸中なのであるから、Gは競落の際即時取得しAも完全な所有者であると主張した。第一審X敗訴。第二審では、Bにつき民法二〇四条の事由の生じないかぎりBを占有代理人とするDXの占有は消滅することなく、たとえBがFに売却してもFGのために占有すべき意思をBが表示しない以上占有はFGに移らないから、FGは一九二条によっても即時取得しないし、Fに対する執行として差押えられても差押は不適法で真の占有者の関係に影響をおよぼさないから、Gの競落も所有権取得をもたらさない、という理由でX勝訴。そこで、Yは、(i)Fが占有改定により即時取得したといえるし、(ii)Fに対する差押にあたり執行吏がBの承諾をえてFの所有物として差押えたのは適法でこの差押により執行吏が占有を取得しGは執行吏より引渡をうけてBに占有せしめたのだから、少くともGの占有取得については即時取得の適用があるべきだ、として上告したが、(ii)点について左のように判示して棄却された（上告理由(i)点については「46」参照）。

【34】「執達吏ガ執行行為トシテ有体動産ノ差押ヲ為シタル場合ニ其ノ差押ガ実体上不適法ナルトキハ占有権ノ移転ヲ来

スベキ効果ナキコト固ヨリ当然ニシテ、論旨摘録ノ判示ハ右ノ趣旨ヲ説明シタルモノト解シ得ベキガ故ニ所論ノ如ク理由ニ欠クル所アリト做スヲ得ザルノミナラズ、強制執行手続ニ於テ執達吏ノ差押ニ因ル動産ノ占有ハ元来公法上ノ占有ニシテ私法上ノ占有ニアラザルヲ以テ、斯ル場合ニ其ノ動産ニ対スル私法上ノ占有ハ依然債務者ニ在リテ執達吏ノ占有ニ依リ左右セラルルコトナキモノト謂ハザルベカラズ。従テ本件ニ於テ被上告人〔X〕ノ為ニスル山田偉之策〔B〕ノ代理占有ガ所論差押ニ依リテ何等ノ影響ヲ受ケタルモノニアラザルハ勿論ナルガ故ニ、原審ガ論旨摘録ノ如キ説明ノ下ニ所論抗弁ヲ排斥シタルハ結局正当ナリ」（大判昭九・一一・二〇民集一三・二三〇二）。

本判決は差押が不適法であるという前提にたつものであるが、差押が不適法とは執行法上執行吏の調査権限内の事項に違背した場合にいえることで、執行吏は差押の対象となる有体財産が実体法上債務者の所有に属するかどうかにつき調査する職権をもたないから、適法といわねばならず、兼子博士は、執行吏の差押による占有取得を民法上の直接占有の取得と同視しGに占有が移転することにより即時取得しうるとして、この点の判旨に反対される（判民昭和九年度一六七事件）。また、執行吏がAのために仮差押し債務者Bに占有を任せて後、Bから占有改定により所有権を取得したXが、その後にBに対する強制執行として同一物を差押えたYに対し、執行異議を申立てた事件につき、

【35】「本件係争物ニ付テハ訴外塩崎弥太郎〔A〕ヨリ同渡井政一〔B〕ニ対スル吉原区裁判所昭和十一年（ト）第四号証仮差押決定ニ基キ昭和十一年二月十三日債権者ノ承諾ノ下ニ引続キ債務者渡井政一ニ占有セシメ置ク方法ニ於テ執達吏ニ依リ仮差押ガ執行セラレタルコト当事者間争ナカリシモノト観シ得ベク、而シテ斯ル事実関係ニ於テ一面執達吏ガ仮差押ニ依リ目的動産ニ対スル公法上ノ占有ヲ始ムルモ之ガ為メ他面債務者渡井政一ノ私法上ノ占有ヲ失ハシムルモノニ非ズト解スベキガ故ニ（昭和九年（オ）第九七八号同年十一月二十日当院第二民事部判決参照）、原審ガ右政一ヨリ係争物件ヲ被上告

人〔X〕ニ売渡シ且占有改定ノ方法ニ依リ其ノ有スル占有権ヲ被上告人ニ移転シタルコトヲ認ムルト同時ニ夫等ノ権利移転ハ仮差押債権者タル塩崎弥太郎ニ対抗シ得ザルニ過ギザルモノト做シ、之ト異ナル見地ニ立脚スル上告人〔Y〕ノ抗弁ヲ排斥シタルハ正当ナリト云ハザルベカラズ」（大判昭一三・八・二九新聞四三三五・七）。

とといて、同趣旨を判示する。戦後、下級審においても同じ見解を示すもの多く、京都地判昭和二五・一・三一（民集一・一・九八）、東京地判昭和二九・六・一二（民集五・六・八六五）、東京地判昭和三一・四・一〇（民集七・四・九四五）、福岡地判昭和三一・五・一一（民集七・五・一一九五）などがある。

しかし、執行吏の公法的色彩からただちに公法占有説を導きだすことが論理必然的なこととはおもわれない。占有は事実であり、執行吏は債務者の占有をとく旨を表示するのであるから、執行吏による占有を私法的側面より観察し、執行吏が私法上の占有を取得する結果、従来債務者の有した占有関係には変更が加えられざるをえないとする私法占有説がでてくるのは、当然のことといえよう（柚木・前掲物権法総論二九一頁、兼子・増補強制執行法一七八頁、小野木・強制執行法概論二一五頁）。そこでは、差押によって執行吏が直接に目的物を所持し、執行吏を占有代理人として執行債務者は代理占有し、目的物が債務者の保管に任された場合（民訴五六六Ⅱ）には、債務者は代理占有における本人であると同時に執行吏の占有補助者という二つの地位の合一を認める。

このような学説の影響をうけて、戦後、下級審で、私法占有説の立場において判示するものがあらわれている。たとえば、執行吏が差押物件の保管を委ねた場合においても、債務者は執行吏の占有機関にすぎないとするもので、

【36】「執行吏が動産の差押をした場合における当該差押物件の占有関係について考察するのに、執行吏の占有は公法上

の占有であつて私法上の占有はなお差押債務者に存するとする見解もないではないが、占有それ自体に即してみれば、執行吏の占有といえども、民法の占有に関する諸規定の適用を受けるべきいわゆる私法上の占有とみるのを相当と解する。しかして、差押債務者は、当該差押物件につき代理人による占有を取得する関係に立ち、執行吏がこれを差押債務者の保管に委ねるときにも、当該差押債務者は独立の占有者ということはできず、単に当該執行吏の占有機関たるにすぎないものと解すべきである」(函館地判昭三三・四・二三民集九・四・七二四)。

という。しかし、最高裁判所はその立場を明確にしない。B倉庫に保管中のA所有のジュラルミン屑につきCが仮処分命令を申請し、執行吏の保管に移つたが、執行吏はさらに第三債務者Bに保管させ、その後Aはその物件につきXに買戻約款附で売却してBに対する指図により占有を移転し、さらにYと譲渡契約を締結したため、XがYに対し所有権確認のため本訴におよんだ。YはXの占有取得は仮処分後のことだからXはその所有権取得をYに対抗しえないと主張したが、原審は明確に私法占有説の立場から、「仮処分の執行によつて仮処分の目的物が執行吏の占有に移つても、仮処分執行前の占有者たる仮処分債務者は爾後なお執行吏による間接占有を保有するものであつて全然占有を喪失するものではなく、又仮処分命令に反してなされた仮処分債務者の行為は仮処分債権者を害する限度においてその債権者との関係で無効たるに止り絶対に無効ではない。従つてCの申請による右仮処分執行中の本件ジュラルミン屑をAがYに引渡しても、C以外の者に対する関係においては引渡の効力を妨げるものではない」として、Xを勝訴させた。Yは右仮処分の執行が取消されないかぎりAは占有の移転ができないとして上告したが、棄却された。

【37】「右仮処分命令の執行がなされた場合でも、債務者藤井〔A〕の占有代理人である第三債務者日通〔B〕は、前記ジュラルミン屑に対する占有権を喪失するものではないと解するのが相当である。したがつて、藤井が日通に対し爾後被上告人〔X〕のために右ジュラルミン屑を占有すべき旨を命じ被上告人がこれを承諾することにより、藤井の日通に対する返還請求権は被上告人に移転し、被上告人はその代理占有を取得することになるのであるから、被上告人は指図による占有移転の方法によりその引渡を受けたものというべく、右引渡はこれをもつて仮処分債権者朴徳夫〔C〕に対抗できないのは格別、上告人〔Y〕に対する関係においてその効力を妨げられる理由はない。されば原判決に所論の違法はない」(最判昭三二八(昭三〇(オ)七一二号)四・八・民集一三・一〇・一三一一)。

私法占有説のもとでは、BはAの占有代理人であるが執行吏保管となることにより執行吏との関係では代理占有の本人となり、さらに執行吏からその保管を委ねられたことにより執行吏の占有補助者の地位にたつ。直接占有者は執行吏であるから占有補助者にすぎない者に対し指図による占有移転は可能でないが、他の一面である代理占有の本人に対する、高順位の代理占有の本人の、指図による占有移転は返還請求権の譲渡という点から考えて可能であると解せられる(井口牧郎「執行吏が執行処分によって占有している有体動産の占有移転の効力」ジュリスト一八七号七三頁。「占有権の取得」〔78〕参照)。このような場合に、民訴五六六条一項と同条二項とで両者の差押に本質的差異を認めることとなるかもしれないが、Bが直接占有者、執行吏が間接占有者となるとする見解もある(井上・民商四二巻二号二五一頁)。また、つぎのような事件についての判決がある。A所有の有体動産につきYが第一回の差押をしたが、その後AはXに債権担保のため譲渡し占有改定による引渡を了し、まもなくYはその差押を解除しその日にふたたび第二回の差押をしたので、XがYのなした本件物件に対する強制執行につき異議を申請した事件において、Yは第一回の差押中の物件に対する所有権譲渡は無効であるからその後差押が解除されても有効となることはないと主張した。原審は「差押中の物件と雖も処分が絶対に禁止されているものではなく、したがつて、その処分が絶体に無効となるものではない。処分は有効であるが、ただ、その有効を以つて、当該差押債権者に対抗できないというに過ぎないことは民事訴訟法第六百五十条の法意によつても明かなところである。しかして、差押後の第三取得者に対しては、その差押の効力を以つて対抗し得られる結果差押後の第三取得者の存在を無視して競売が実施せられることは勿論であるが、右競売前にその差押が解除せられるときは恰も当初より差押がなかつたと同様に、第三取得者の所有権取得を以て解除前の差押債権者にも対抗し得るに至ること言を俟たないところである」として、Yが第二回の差押をしたのは違法であるとき、Xの請求を容れた。Yは執行吏の占有中には引渡はできないから譲渡は有効でないという理由で上告したが、棄却された。

【38】「前記第一回の差押処分により執行吏が前記有体動産に対する占有を取得した場合でも、差押債務者である訴外野村律司〔A〕は右差押物件に対する占有権を喪失するものではないと解するのが相当である。したがつて、同訴外人と被上告人〔X〕との間でなされた右物件の譲渡ならびに占有改定の方法による引渡は、これをもつて差押の存続する間差押債権者たる上告人〔Y〕に対抗できないのは格別、前記第一回の差押が解除された結果、被上告人は右譲受および引渡により前記物件の所有権を取得したことを上告人に対抗しうるに至つたものと解すべきである」（最判昭三四・八・二八（昭三二（オ）一一四〇号）民集一三・一〇・一三三六）。

いずれも第二小法廷の判決である。本事件を私法占有説の立場からみれば、代理占有の本人であるAとXとの間の占有改定が可能であることを前提としてのみ理解できる（井口・前掲七三頁、谷口安平・民商四一巻二号二五六頁）。判例が、これらの指図による占有移転の場合といい、占有改定の場合といい、なんらその基礎的な問題を説明することなく簡単に割りきつている点からすれば、最高裁は案外公法占有説を基調としているのかもしれない。ただ公法上の占有であることに一言もふれていないのは近時の傾向からして公法占有説を明示することをはばかり、今後の変更の可能性を示唆するものであろうか。

ところで、本来、民法上では私人の意思に反する占有の侵奪は占有訴権の対象となるのであつて、民法の代理占有の成立は占有代理人の占有取得が本人の意思に反して侵奪されたのでないことを当然の前提とし、その上で種々の要件が論じられているのである。執行吏による執行行為は私人の意思に反する占有の剝奪であつて、ただそれが、私力の行使ではなく国家執行機関を通じて権利の実現を保障するためになされる点で適法であるにすぎない（執行手続により物の占有をとかれた者は占有回収の訴によりその物の返還を請求することができるかに関し、田中・民商四九巻四号五一一頁以下参照）。この点からしても執行吏による占有の問題は根本的に民法上のものとは面を異にするといわなければならない。さらに、執行行為によつて取得された執行吏の占有を実質的にみれば、執行吏の事実的支配の態様は民法上のそれと全然異なるし、返還請求権の存在をもつて外形的に占有代理関係の存在の要件をみたすとみても、直接的な所持を有すると考えられる執行吏と執行債務者との間には民法上の返還請求権は存しないで、差押の取消の場合に取消の方式として差押物件の返還という事実行為がなされるにすぎず、それは民法上の返還義務の履行でもない（小山・判例評論二四号一五頁）。したがつて、外観的に民法上の代理占有と類似の様相を呈することでもつて、ただちにこれと同一視することができないことはいうまでもなく、私法占有説でも種々のニュアンスがあってその把握の仕方がかならずしも一様でないのもこの故であろう。結局、問題は執行吏による物の占有が民法上の代理占有関係にあたるものとする必要があるかどうかに帰する。私法占有説も執行吏による占有の公法的色彩を否定しきるものではなく、封印等の標識に法律上執行吏の現実の占有にかわる支配力を認め、公権力の行使を私法生活関係において現実にどのようにうけいれられるかという執行吏占有の他面的把握なのであろうが、それを余りにも公式的に民法上の代理占有にあてはめようとするきらいがある。一面において事実性につながりながらもまったく異質的な占有なのであるから、問題は私法の領域でどの程度の効果を認めるのが妥当であるかによって解決されるよりほかなく、執行行為の目的とそれに伴う特異性を認めた上で、それと矛盾しないかぎりにおいて私法上の効果を認めるべきであろう。その点から考察してみると、執行吏が差押物を引き揚げた場合にも、競売に移り競落の結果競落人に引渡されるまでは（たとえば留置権に関する名古屋高金沢支判昭三三・四・四下級民集九・四・五八五参照）、執行債務者側には私法上の確定的な占有喪失状態が生じないで、一時公法上の権力行使によって現実の所持が妨げられているにすぎず、なお執行債務者は民法上直接占有者たる地位にとどまるが（占有侵奪の場合における二〇〇・二〇一Ⅲ参照）、第三者に対する現実の引渡は可能でないので意思表示のみによる法定の観念的な引渡をもってなすべきであるといえよう。執行吏が有体動産を差押えて執行債務者の保管に任せた場合には、差押の本質を債務者の処分権の制限にもとめ執行吏の占有はその実効性確保の目的をもつものとすれば、執行吏のなす封印等の標識によってその目的は果され、競売に移り競落の結果競落人に引渡されるまでは、民法上、執行債務者は依然として直接占有者であると解せられる。したがつて、執行吏は占有訴権を行使できないが、執行債務者はこれを行使することができ、取得時効の利益を享受し、第三者に対抗要件としての占有移転をなすこともできると考えられる。その他に、手続法上、執行吏が私法上占有することと本訴請求が執行債務者にむけられている点なども容易に解決できるとおもわれるが、これら純粋手続上の事柄についての検討は省略する（「民訴セミナー——強制執行を中心に——」ジュリスト二一三号以下、とくに二五七号一一八頁参照）。

三　代理占有の効果

一　代理占有の一般的効果

（一）　本人は占有代理人が所持している物の上に占有を取得し、その結果、本人につき、取得時効（【28】）、動産物権変動の対抗要件、即時取得、占有訴権など、占有から生ずる諸種の効果が生ずる。

（二）　代理占有は、一面において、占有代理人の所持を通じて本人の占有が認められるのであり、他面において、占有代理人の占有は本人のそれから伝来し派生したものである。この二面性からしてつぎのような結果を生ずる。この結果は、代理占有が意思表示の代理のように代理人のみが行為者であるのと異なるのであるから、民法一〇一条の類推にもとづきもとめられてはならない。

(1)　前者の一面からみれば、代理占有において、占有の善意・悪意（大判大一一・一〇・二五民集一・六〇四「占有権の取得」〔95〕）、侵奪の有無（大判大一一・一一・二七民集一・六九二〔21〕）などは直接に所持する占有代理人について決すべきである（我妻・前掲三二四頁、末川・物権法二〇三頁、舟橋・前掲二九五頁、柚木・前掲物権法総論三〇〇頁など通説は第一段においてこのように解すべきだとする）。判例は通説とともに民法二〇一条一項の類推にその根拠をもとめるようである。なお、占有の侵奪の有無に関しては、戦後、下級審で、つぎのようなものがみられる。賃貸人の承諾のもとに賃借家屋の一部（独立占有が可能な部分）を転貸していた賃借人が、転借人より任意にその占有の引渡をうけた家屋の譲受人に対し、代理占有の本人の占有侵奪を主張した事案において、

【39】「被控訴人等〔譲受人〕代理人は被控訴人ヴォルヒンは本件建物の所有者であるから被控訴人等の本件居室に入り之を占有取得したのは正当な権利行使であつて何等不法のものではない。従つて占有侵奪となり得ないと主張するようであるが、占有侵奪の成否は本権上の理由に基いて判断すべきでなく、占有物の所有者といえども、次に説明するように所持者の意思に反し所持を奪つた事実がある以上、この者に対する占有侵奪の成立を排除される理由はない。従つて被控訴人ヴォルヒンが当時本件建物の所有者であつたにしても之を理由として当然同被控訴人について本件居室占有侵奪の成立の余地のないものとすることはできない。従つて被控訴人等のこの点の主張は理由がない。而して占有の侵奪の成立するには占有者に対する詐欺又は強迫により占有の譲渡あるも、未だ之を以ては足らないが、必ずしも所持の移転が暴力に基づくことを要せず、苟くも占有者の意思に基かずして占有物の所持を失わしめるときは、ここに占有の侵奪ありと解すべきである（従つて占有の侵奪には所持の移転に暴力が加えられたことを必要とする旨の被控訴人等の見解は排斥する）。而して代理占有の場合においては物の直接の所持を有する者が代理占有者であつて、本人は直接物の所持を有せず直接占有者に対する所謂代理的関係を持つとはいえ、ただ占有代理人である直接占有者の所持に基いて間接占有を認められるに過ぎないのであるから、代理占有の場合における占有侵奪の有無即ち占有者の意思に基かずして所持が奪われたか否かは、専ら直接物の所持を有する占有代理人についてのみ判断すべきである。従つて直接占有者について占有侵奪があるときはその直接占有者がその占有を失わざるものとして占有回収の訴を提起し得るは勿論延て本人も亦その間接占有の侵奪ありとし従つてその占有を失わ

ざるものとして之に基づき占有回収を訴求し得るけれども直接占有者が任意にその占有を他に譲渡した場合においてはこの占有取得者は直接占有者に対しその占有を侵奪したものと云えないのは勿論、延てまた間接占有者に対する関係においても、直接占有者の占有移転が間接占有者の意思に反すると否とを問わず、占有侵奪は成立しないものと解すべきである。もし然らずとすれば直接占有が消滅するに拘らず本来直接に所持を有しない本人の間接占有のみが存続する結果となり、民法が占有代理人が占有物の所持を失つたことにより本人の占有権が消滅すべきものとした趣旨に反するからである」（大阪高判昭二九・三・四下級民集五・三・二八七）。

と判示して、賃借人の占有回収の訴を斥けた。また、賃借人の占有代理人が直接賃貸人と賃貸借契約を締結し賃借家屋の一部を転貸した場合に、もとの賃借人が占有権にもとづき転借人に対し妨害排除を請求した事件において、

【40】「控訴人〔もとの賃借人〕は被控訴人〔転借人〕の上記本件家屋部分の使用を控訴人の本件家屋に対する占有の妨害であるとして、これを排除するため占有権にもとずいてその明渡をもとめるというのであるが、占有訴権における占有の侵奪といい妨害というのは所持者の意思にもとずかずに所持が奪われまたはその円満が害せられる場合をいい、代理占有にあつては、右の意思は所持者たる占有代理人について決せられるもので、占有代理人が任意に占有物を他人に交付し、または任意に他人の支配をゆるしたようなときには占有の侵奪や妨害があつたとはいえない。そこで控訴人が前記のように朝鮮におもむいた後は、本件家屋に対する控訴人の占有は、前記広瀬夫婦を占有代理人としてその所持による代理占有の関係となつたことはすでに認定した通りであり、その後控訴人が本件家屋に対する所持を回復したことのないことは控訴人の自ら認めるところであるから、控訴人の本件家屋についての占有権は、右の代理人による占有にもとずくほかはない。その占有が現在まで継続しているかどうかはしばらく問わぬとして、継続しているとすると、占有代理人の一人であつた広瀬輝義が死亡した後は、右の占有代理権は広瀬長栄ひとりに集中したわけであるが、控訴人自ら主張する通り、被控訴人が本件家屋の

一部を使用しているのは、右広瀬長栄との転貸借契約によるもので、同訴外人の承諾のもとに使用しているわけであるから、これをもつて、控訴人の本件家屋の占有に対し、占有訴権の要件たる侵奪なり妨害なりがあつたとすることのできないことは前に説明した通りである。従つて、控訴人の占有権にもとずく請求はまつたくこれをみとめる余地がない」(大阪地判昭二六・六・一六民集二・六・七七六)。

とする。しかし、本件のような場合にもとの賃借人の代理占有が消滅していないと解することには反対である(後述四代理占有の消滅一(二)参照)。

(2)　同様に、占有代理人に対する権利の行使は、同時に、代理占有の本人に対する権利の行使となる。前掲【28】の事案において、地上権者に対する明渡請求により地上権設定者の取得時効が中断される旨を判示する。

【41】　「地上権者ノ占有ニシテ如上地上権ニ付テハ自己ノ為メニスルモノナルト同時ニ所有権ニ付テハ占有権本人ノ為メニスル代理占有ナル以上ハ係争土地ノ取得時効ハ占有者本人ノ為メニ依然進行ス可キモノナリ。而シテ其完成前ニ在リテ被上告人ハ本訴ヲ提起シ自己ノ所有権ヲ主張シテ地上権者タル上告人ニ対シ其占有セル土地ノ明渡ヲ請求スルモノナレバ、従参加人等ノ援用セル係争土地ノ取得時効ハ本訴請求ニ因リテ中断セラレタルモノト謂フ可シ。何トナレバ本訴ハ上告人ニ対スルモノニシテ従参加人ハ本訴ノ当事者ニアラザルモ、時効関係ニ於テハ代理占有者タル上告人ニ対スル明渡ノ請求ハ同時ニ占有者本人タル従参加人ニ対シ所有権行使ノ意思ヲ発現スルニ外ナラズシテ、之ニ因リテ其者ノ取得時効ガ中断セラルルモノト観ルモ其効力ヲ当事者及ビ其承継人以外ノ第三者ニ及ボスモノニアラザレバナリ」(大判大一〇・一一・三民録二七・一八七五、〔28〕)。

(3)　後者の一面からすれば、たとえ占有代理人について善意・無瑕疵であつても、本人について悪意・瑕疵付であるときは、本人によつて決すべきであろう(我妻・前掲三一四頁、末川・前掲物権法二〇三頁、舟橋・前掲二九五頁、柚木・前掲物権法総論三〇〇頁など通説は第二段としてこのように解すべきものとき、その理由を一〇一条二項の類推にもとめ、不当な結果をさけるための例外的なものとする。占有代理人の占有に対する本人の占有の根源性から説明されるのは川島・判民昭和一九年度四事件である。林・前掲一五六頁は明言しないがこの意味か？）。

二　代理占有の効果に関する特殊な問題

（一）　代理占有における本人の占有は占有代理人によって「侵奪」されるか。

判例はこれを認めない。Xは A所有の建物の一室を賃借し洋装店を経営していたところ、経営不振となり、Yの商品の一手委託販売の外観をとって実はYに転貸し、その後Yは本件室の入口を閉じXの出入を拒絶するにいたつた。そこで、XはYに対し占有回収の訴を提起し、第一審、第二審ともX敗訴。第二審は、

【42】　「控訴人〔X〕は昭和三十年八月二十日ころ被控訴人〔Y〕によって本件室の入口を閉ざされ出入を拒絶せられその占有を奪われたのでこれが回収を求める、と主張する。しかしながら、控訴人は転貸借によって被控訴人に現実の占有をうつし、賃借人としての被控訴人の占有を手段として、すなわち被控訴人を占有代理人として本件室を占有するもので、いわゆる間接占有を有するものであること前段説示から明かである。かような代理占有による占有者の占有をうばわれたとするには、占有代理人の所持が、間接占有者の意思に反し、かつ占有代理人の意思に反して他人によつて失わしめられなければならない。したがつて、被控訴人以外の第三者によつてその占有を侵奪されることは考えられるが、占有代理人である被控訴人によつてその占有を奪われるということはありえないこととしなければならない。すなわち、被控訴人が控訴人の入室を拒んだとしてもそのことだけでは控訴人はいぜんとして代理占有による占有権者であることに変りはないから控訴人の本件室の占有を奪つたことにならない。ただ被控訴人が入室拒絶と同時にこんご控訴人のために本件室を占有しない旨の意思をもつに至れば本人のために占有するとの代理占有の成立要件がなくなるので、控訴人の代理占有による本件室の占有権は消滅するが、これは占有代理人である被控訴人の所持がうばわれることによるのでないから控訴人の占有がうばわれた

とはいえない。これを要するに、本件のように賃借人がその占有中の賃貸借の目的物を転貸して任意に転借人に引渡した後に、転借人が転貸人の転貸人たることを否認する所為におよんだとしても、民法第二百条に『占有者ガ占有ヲ奪ハレタルトキ』というにあたらない、というわけである。すなわち原判決は相当であるから本件控訴は理由のないものとしてこれを棄却する」(東京高判昭三三・三・一〇民集一一・二・一二二四、東京高時報九・三・民三二、判時一四五・四一三、新聞九三・一四)。

と判示したので、Xは、原判決が、占有代理人が本人のためにする意思を失いもっぱら自己のためにする意思を有するにいたり本人であるXの入室を実力をもつて拒絶した事実が客観的に存する場合でも民法二〇〇条の「占有侵奪」にあたらないとするのは、二〇〇条の解釈を誤るものである、という理由で上告したが、棄却された。

【43】「所論原判決の判断は、当裁判所もこれを正当として是認する。されば、所論は採ることができない」(最判昭三四・一・八民集一三・一・一七)。

つぎの下級審判決も、占有代理人による本人の占有の消滅は占有侵奪とならない旨を判示する。

【44】「右認定事実によれば、被告は本件建物を原告会社のため代理占有していたが、昭和二十八年六月七日よりこれを自己のため占有する旨表明し、その頃よりこれを実行したと認めるのが相当であり、かくの如く代理占有者が爾後自己のために占有する意思を本人に対し表示したときは民法第二百四条第二号の規定により本人の占有権は失われるけれども、これによつて直接本人の所持が侵されたことにはならないから、本人の占有を侵奪したということはできず、結局、本件建物中店舗部分に関する占有回収を原因とする原告会社の明渡請求は理由がない」(福岡地判昭三一・五・八民集七・五・一一六四)。

なお、賃貸借関係終了後に借主が占有を継続する場合に、貸主は占有保持の訴を提起できないとするものに、大判昭和七・四・一三(新聞三四〇〇・一四)があるが、代理占有の消滅しない場合であつて、内容がここでとりあげている場合と異なる。

【43】は占有代理人により本人の代理占有が消滅せしめられた場合における占有訴権の成否を問題とするもので、学説も争いなく賛成している（末川・物権法二五五頁、同「代理占有論」前掲一三八頁、同・民商四一巻一号八四頁、林・前掲一七七頁、来栖・法協七七巻一号八六頁）。そのところは、【42】と同じく、たとえ代理占有の消滅をきたしても、占有代理人は占有者本人の意思にもとづいて事実的支配をしていたのであるから、「占有者ガ其ノ意思ニ因ラズシテ物ノ所持ヲ失ヒタル場合ヲ指称スル」（大判大一一・一一・二七民集一・六九六）侵奪という事態が生ずることはないとするものである。このことは、代理占有において、本人の占有は占有代理人の所持を通じてする附随的なものにすぎないとする考え方からでているようにおもわれる。しかし、本人は占有代理人を介してではあるが、占有代理人の占有を可能ならしめる基礎的な事実的支配を有するものと認められて、独立の占有者なのであり、占有代理人の占有は本人の占有から派生し伝来するものであるから、本人の占有こそ根源的なものでありその占有が本人の意に反して消滅することは、占有代理人の占有が侵奪されるのと同じような不利益を蒙るものといえよう。したがつて、この点からいえば、本人による占有代理人の事実的支配の侵奪を認めると同様に、占有代理人による本人の事実的支配の侵奪を認めることができるといえるであろう。最初に占有者の意思にもとづいて所持が移された場合には、後にその所持が占有者の意思に反するようになり、たとえ相手に引渡したとは別個独立の占有が消滅するような事態が生じても、別個独立の占有の「侵奪」にあたらないことを前提とすると、根源的な占有者がその意思を変更して占有代

理人から所持をとりあげることも「侵奪」とならないともいえる。しかしながら、物権的請求権が絶対的なものであるのに対し、占有訴権は対人的相対的な性格を有し（川島・所有権法の理論一三六頁以下、同・民法Ｉ総則物権一一九―一二〇頁参照）、このことは、占有侵奪が短期間において相互にくりかえされた際に最初の侵奪者は占有訴権を有しないとか（東京高判昭三一・一〇・三〇民集九・一〇・六二六）、占有が侵奪されて一月後に被侵奪者が占有を奪還した場合には最初の侵奪者は占有訴権を有しないとされる（松江地判昭二六・四・一七民集二・四・五五三）、ことからも明瞭である。このような相対性は占有の事実性から生ずるのであり、占有訴権に限界をもたせる結果となるのである。占有者が占有物を詐取せられたときに占有回収の訴は成立しない（大判大一一・一一・二七前掲）とされるのもその限界を示すものであろう。代理占有にあたつても、たとえ本人の事実的支配が独立的根源的なものではあつても、観念化された間接的な物支配事実であるから、とくに本人と占有代理人との間の占有訴権の面においては、社会関係において直接的物支配事実の方が物支配秩序の維持にとつてより重要性をもつという社会的承認のもとに（即時取得は占有改定によつても可能であるかの理論における折衷説は結局権利取得の面においてこのことを基礎とするといえるであろう）、占有代理人の事実的支配を本人が侵奪したときには、直接的物支配事実を侵害するとして民法二〇〇条にいわゆる「占有ヲ奪ハレタルトキ」にあたり、本人の事実的支配を占有代理人が侵奪したときには、これにあたらないとして、占有代理人に対し、占有回収の訴が成立しないと解されるのではなかろうか。ドイツ民法で、学説上、直接占有者は間接占有者よりも物に対してよりいつそう近接しているので、直接占有者の行為に対して間接占有者は占有の保護をうけないと解されているのも（Hedemann, Sachenrecht 3. Aufl., 1960, S. 34 ; Westermann, Sachenrecht 2. Aufl., 1951, S. 103）、結局、以上のべた理由に近いのであるまいかとおもわれる。

（二）　占有代理人は占有回収の訴の被告適格を有するか。

占有の侵奪者、または悪意の特定承継人の占有代理人は、民法二〇〇条二項にいわゆる特定承継人に該当し、その悪意であるときには、この者のみを被告として占有回収の訴を提起することができるかについて、判例はこれを認める。Xはその所有する工作機械につきY_1と売買契約を締結し、これにつきXは売渡担保、Y_1は単純な売買契約である旨主張し争いがあるが、Y_1はその後Aに譲渡し、その引渡をなすため人夫をつれてX方にゆきXの拒否にもかかわらずY_2会社に搬入し、Y_2がAのために代理占有していた。そこで、Xは$Y_1$$Y_2$に対し返還をもとめて本訴を提起し、第一次的には占有訴権、第二次的には所有権にもとづく返還請求を主張した。第一審、第二審ともX勝訴。第二審は、Y_2はY_1から占有を承継したAの占有代理人であるが、二〇〇条二項の悪意ありやいなやは代理人によって決すべきであるからY_2が悪意である以上Aの占有は悪意占有であり、したがつてY_2には返還義務がある、と判示した。Y_2は、占有訴権の相手方は占有の特定承継人であるAであるのにXがY_2に対し請求するのは所有権にもとづく請求と占有権にもとづくそれとを混同しているものである、という理由で上告したが、棄却された。

【45】「以上ノ事実ニ依レバ、訴外森音松〔A〕ハ占有侵奪者高橋虎雄〔Y_1〕ヨリ其ノ侵奪ニ立会ヒタル自己ノ代理人（上告人）〔Y_2〕ニ依リ本件物件ノ占有権ヲ承継シタルモノニシテ且侵奪ノ事実ヲ知リタルモノト解シ得ルノミナラズ、上告人ハ斯ル悪意ノ承継人音松ノ為メニ本件物件ノ代理占有ヲ為ス者ナリトス。而シテ民法第二百条第二項ノ規定ニ依レバ、占

有回収ノ訴ハ占有侵奪者ノ特定承継人ニ対シ之ヲ提起スルコトヲ得ザルヲ本則トスルモ、其ノ承継人ガ侵奪ノ事実ヲ知レル者ナルニ於テハ仍ホ其ノ者ニ対シ之ヲ提起シ得ルモノニシテ、此ノ例外規定ハ善意ノ占有取得者ヲ害セザル範囲ニ於テ被侵奪者ノ占有回収ヲ容易ナラシムルヲ趣旨トスルガ故ニ、其ノ立法理由ヨリ推考スレバ同条二項但書ニ承継人トハ特定承継人ノ為メニ代理占有ヲ為ス者ヲモ包含スルモノト解スルヲ相当トス」（大判昭一九・二・一八民集二三・六四）。

学説もまたこれを認めるものが多い（我妻・前掲三四七頁、末川・物権法二六六頁、舟橋・前掲三二六頁、林・前掲一七八頁）。占有回収の訴は侵奪の行為主体もしくはそれと法律上同視される悪意の特定承継人に対してのみ許され、このことは占有訴権の対人的相対的性質のあらわれであるから、本判決にいう立法理由は決して適切なものではない。代理占有における本人はそれ自身独立の占有者であり、本人から代理占有の移転をうけることもできるのであり、また占有代理人が承諾すれば適法に差押えることができる（民訴五六七、前掲〔34〕参照）のであるから、そのかぎりで、本人か占有代理人が悪意であれば（占有代理人の悪意は本人の占有につき悪意となることに関しては前掲一(二)(1)参照）、本人のみを被告とすることは認められる。しかし、本人の占有が根源的なものであるから本人が占有すべき地位を失つた以上占有代理人は占有すべき地位を失い、したがつて、つねに本人のみを被告とすべきであり、被侵奪者が本人に対して勝訴判決をうるときは、判決の既判力にもとづいて占有代理人に対しても強制執行をなしうるとする見解があるが（川島・判民昭和一九年度四事件）、占有代理人は自らもまた占有者であるから民訴二〇一条一項にいわゆる「其ノ者ノ為請求ノ目的物ヲ所持スル者」に含まれず（兼子・条解民事訴訟法Ⅱ一四二―一四三頁）、既判力はこれにおよばないとするほかない。したがつて、本人のみを被告とすることはできるが、たとえ本人に対して執行判決をえても、それをもつて当然には占有代理人に対し強制執行をなすことはできない。また、本人に対し占有代理人の占有をといて返還せよという内容の判決をえることも占有訴訟の性格にそぐわないから困難であろう。

これに対し、占有代理人も独立の占有者であり、現実に物を所持しているのであるから、その占有の返還をもとめて、民法二〇〇条二項但書の特定承継人として悪意なるかぎり、被告としてもよく、その際には、占有代理人のみを相手とする訴訟において、訴外人である本人の占有の悪意についてまで判断されるおそれはあるが、占有代理人の善意の抗弁の段階においてなされるにすぎず、その判断は本人の占有については既判力がおよばないのであるから、たとえ占有代理人に対し勝訴判決をえたとしても、強制執行に際して本人は第三者異議の訴を提起することができる（しかし、本人が異議の訴を提起しないときには、強制執行による引渡により占有代理人は所持を失う結果、代理占有は消滅し（民二〇四Ⅰ3）、占有は完全に回復されるとおもう）。したがつて、占有を回復する完全な方法としては、本人と占有代理人とを共同被告となすべきであろう（結論的に同旨、柚木・前掲物権法総論三七六―三七七頁）。

四　代理占有の消滅

一　代理占有の消滅原因

代理占有に特殊な消滅原因は左のような事由である（二〇四Ⅰ123）。

（一）　本人が「代理人ヲシテ占有ヲ為サシムル意思」を放棄すること　占有代理人の手中にある事実的支配をそのままにしておいて、その占有によつて利益をうける本人が、自分の占有を消滅させることを積極的に表示する場合に、その効果を認めるものである。

（二）　占有代理人が、本人に対し、「爾後自己又ハ第三者ノ為メニ占有物ヲ所持スベキ意思」を表示したこと　このことは一般に厳格に解せられ、その積極的な意思表示を要するとするようである。たとえば、他人の物を売却した前掲【34】の事案において、上告理由第一点につき、左のように判示する。

【46】　「代理人ニ依リテ占有ヲ為ス場合ニ於テハ民法第二百四条列記ノ事由ナキ限リ其ノ占有権ハ消滅ニ帰スベキモノニアラザルガ故ニ、被上告人〔X〕ガ係争物件ノ所有権ヲ取得スルト同時ニ山田偉之策〔B〕ニ賃貸シタルニヨリ同人ニ於テ爾来被上告人ノ代理占有者トナリ該物件ノ使用占有ヲ継続セル関係ニ在リテ、其ノ間一度モ被上告人以外ノ者ノ為ニ占有ヲ為スベキ旨ノ意思表示ヲ為シタル事実ナキハ勿論、前記法条ニ列記セラレタル其ノ他ノ事由アリト認ムベカラザルコト原判決説明ノ如クナル以上、縦令山田偉之策ガ昭和五年九月三十日即チ被上告人トノ間ニ前述貸借関係ノ成立シタル後係争物件ヲ井上定助〔F〕ニ売却シ其後井上陸松〔G〕及川上半吾〔A〕ガ順次該物件ヲ買受ケタル事実アリトスルモ、被上告人ノ占有権ニハ何等ノ影響ナク右井上定助以下ノ買受人ガ該物件ノ占有ヲ取得シタルモノト謂フヲ得ザルガ故ニ、之ニ対シテ民法第百九十二条ノ適用ヲ見ルベキニアラザルコトハ多言ヲ要セザル所ナリトス」（大判昭九・一一・二〇民集一三・二三〇二〔34〕）。

しかし、現在、占有改定による即時取得の可能性をめぐつて、前の代理占有が消滅しないから取得者は占有を有しえないという理由によつてこれを否定する学説はすでに存しないし（折衷説によつても後の代理占有は成立するが、前の代理占有と競合して存するとし、いずれかさきに確定的状態となつた方が優先するとする。我妻・前掲一三七頁参照）、【42】においては、その表現はかなり異なり、「被控訴人〔占有代理人〕が控訴人〔本人〕の入室を拒んだとしてもそのことだけでは控訴人はいぜんとして代理占有による占有権者であることに変りはないから、控訴人の本件室の占有を奪つたことにならない。ただ被控訴人が入室拒絶と同時にこんご控訴人のために本件室を占有しない旨の意思をもつに至れば本人のために占有するとの代理占有の成立要件がなくなるので控訴人の代理占有による本件室の占有権は消滅する」となし、この点が上告理由となつて、最高裁はこの判決を是認しているのである(【43】)。このことは、私が民法一八五条前段の解釈に際してのべたように(「占有権の取得」三占有の意義と態様二(一)(2)(ハ))、所持は意思の表現であるから、本人が占有代理人の直接支配を通じて物との事実的支配を存続していると認められる関係と明白にあい容れない行為によつて、所持の客観的な態様が変更し、それが本人の認識するところとなつて、変更状態が確定的となれば、この要件がみたされるとする趣旨ではないかとおもわれる(田中「占有規定」前掲五五六頁参照)。

(三)　占有代理人が「占有物ノ所持」を喪失したこと　　ここにいわゆる「占有物ノ所持ヲ失」うとは、占有の中核をなす所持、つまり事実的支配を完全に喪失することを意味する。したがつて、賃借人が賃借物を他人に売却し引渡しても、その引渡が占有改定の方法により自分がなお他人の占有代理人として直接的支配を失わない場合には、この要件をみたしたものとして、賃貸人の代理占有が消滅するのではなく、前掲(二)の場合に該当するとおもわれる。

つぎの判例は、賃借中の動産を他人に売却し即時にその他人より賃借した場合にいつたん現実の引渡があつたとして、(三)にあたるものとするようである。賃借中の動産をめぐるこの場合に、その他人が即時取得を主張し、従来の賃貸人たる所有者は、占有改定による即時取得の許されないことを主張しないで、賃借人が他人に売却しても自分の占有には影響なく、したがつて他人は占有を取得することができないということを上告理由としたのに対して、民法二〇四条一項三号により所有者の占有は消滅するとなし、前掲【46】とは反対の結論をとくものである。

【47】「自己ノ物ヲ他人ニ賃貸シ之ガ引渡ヲ了シタル者ハ爾後其ノ賃借人ヲ代理人トシテ賃貸物ノ占有ヲ為スモノナルハ洵ニ所論ノ通リナルモ、ソノ後ニ至リ賃借人ガ右賃借中ノ物ヲ他人ニ現実ニ引渡シ其ノ所持ヲ失ヒタルトキハ賃貸人ノ前記占有ハ之ニ因リ消滅スベキコト民法第二百四条第一項第三号ノ規定ニ徴シ毫モ疑ヒヲ容レザル所ナリ。論旨ハ賃借人ガ賃借物ノ所持ヲ失ヒタルコトナカリシ事実ヲ前提トスルモノニシテ到底採用スルニ由ナキモノトス」（大判昭一七・一一・一〇新聞四八一九・一二）。

いつたん現実の引渡があつたものであれば（上告理由からもそううかがえないこともない）、（三）にあたるもののようにみえるが、その後ただちに賃借人が直接占有を取得し、賃借人の占有喪失状態が客観的に認識され確定的状態となつたとはいえないのではあるまいか。もしこの事案のような状態で従来の代理占有が消滅するものとすれば（二）との権衡上も妥当といえず、三号の趣旨を曲解するものであろう。この事案は（二）に属するものとして判断されなければならない。もつとも、第三者に即時取得を認めようとする判決の意図は理解できるが、それならば、代理占有の競合を認めることによりかえつて妥当な結論に達しうるのではなかろうか。

二　民法二〇四条二項

同条同項は「占有権ハ代理権ノ消滅ノミニ因リテ消滅セズ」と規定しているが、その意味は明確でない。代理占有の成立には占有代理関係が存在することを要するけれども、その関係が消滅しても、本人が占有代理人であつた者によつて事実的支配を継続すると認められるかぎりは、そのことだけでは代理占有は消滅しないことを注意的に規定したにすぎないであろう（我妻・前掲三五一頁、舟橋・三三〇頁。立場は異なるが結論的に同旨、末川・物権法二七〇頁、同「代理占有論」前掲一四六頁、林・前掲一六五頁。なお、末弘・前掲二四九頁は、代理権消滅により代理占有は消滅するが、かくては本人が従来の占有代理人にかわつて自ら占有をはじめることのできない間に代理占有が消滅することとなるから、特に設けられた規定であるとする）。占有は意思表示の問題ではなく事実関係であるから、占有代理関係が外形上存在すればたるとする意味である（二代理占有の成立一（二）（1）参照）。

地方裁判所判例

区裁判所判例

最高裁判所判例

控訴院判例

高等裁判所判例

判例索引

大審院判例

著者紹介

田中整爾（たなか せいじ）　大阪大学法学部助教授

総合判例研究叢書　民法(24)

昭和39年8月25日　初版第1刷印刷
昭和39年8月30日　初版第1刷発行

著作者　田中整爾

発行者　江草四郎

東京都千代田区神田神保町2～17
発行所　株式会社　有斐閣
電話 (261) 0323・0344
振替口座東京370番

新日本印刷・稲村製本

総合判例研究叢書 民法(24)
(オンデマンド版)

2013年1月15日　発行

著　者　田中　整爾
発行者　江草　貞治
発行所　株式会社 有斐閣
〒101-0051　東京都千代田区神田神保町2-17
TEL　03(3264)1314(編集)　03(3265)6811(営業)
URL　http://www.yuhikaku.co.jp/

印刷・製本　株式会社 デジタルパブリッシングサービス
URL　http://www.d-pub.co.jp/

AG477

ISBN4-641-91003-0
Printed in Japan